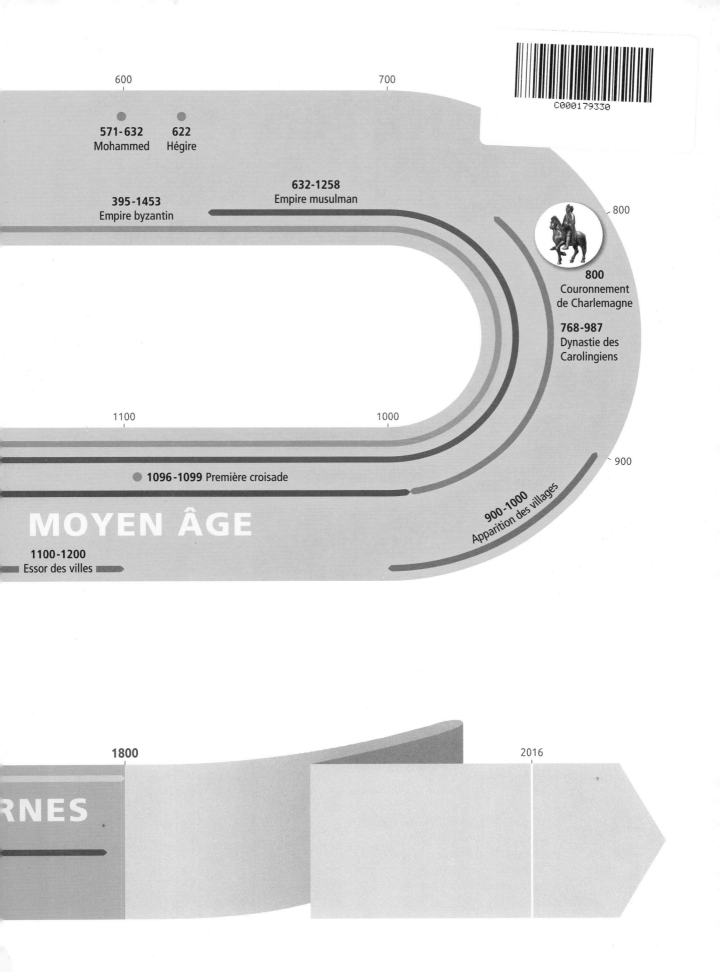

600   700

571-632
Mohammed

622
Hégire

632-1258
Empire musulman

395-1453
Empire byzantin

800

800
Couronnement
de Charlemagne

768-987
Dynastie des
Carolingiens

1100   1000

● **1096-1099** Première croisade

900

MOYEN ÂGE

900-1000
Apparition des villages

1100-1200
Essor des villes

1800   2016

RNES

Un manuel et un site à votre service

Sur votre site élève collegien.nathan.fr/hg5, retrouvez de nombreuses ressources pour vous accompagner toute l'année !

> Enregistre ce lien dans les favoris de ton navigateur internet et prends l'habitude de le consulter régulièrement !

- Tous les **liens vers les vidéos et les sites** présentés dans le manuel
- Plus de **80 exercices interactifs** pour vérifier vos connaissances
- Tous les **fonds de carte** et les **frises vierges** pour réviser
- **Des outils interactifs** : frises chronologiques et cartes mentales à compléter
- Tous les textes du manuel **disponibles dans une version spécialement adaptée aux élèves DYS**

Les pages Apprendre à apprendre pour réviser chez vous !

Apprendre, tout le monde en est capable ! Il suffit juste de trouver les bonnes méthodes et de créer les bons outils. Ces pages vont vous aider à comprendre comment vous mémorisez le mieux vos leçons.

Pour commencer, rendez-vous sur le site Nathan et effectuez le test proposé !

> As-tu plutôt une mémoire visuelle, auditive, corporelle ? Ce test te permettra de mieux connaître ton type de mémoire, et donc ta manière d'apprendre !

Histoire
Géographie
Enseignement moral et civique

5e
CYCLE 4

Nouveau programme 2016

Histoire

Sous la direction de :

Anne-Marie Hazard-Tourillon
Agrégée d'histoire
Académie de Créteil

Sébastien Cote
Agrégé d'histoire
Lycée Joffre, Montpellier (34)

Relecture pédagogique :

Céline Dhers
Certifiée d'histoire-géographie
Collège Simone-de-Beauvoir,
Créteil (94)

Par :

Lisa Adamski
Agrégée d'histoire-géographie
Collège Barbara, Stains (93)

Maria Aeschlimann
Agrégée d'histoire
Collège François-Truffaut, Asnières (92)

Laetitia Benbassat
Agrégée d'histoire
Académie de Paris (75)

Julien Ferrant
Agrégé d'histoire
Université Paris-Sorbonne (75)

Gérard Martin
Agrégé de géographie
Collège François-Couperin, Paris (75)

Pascale Monnet-Chaloin
Agrégée d'histoire-géographie
Formatrice à l'ESPE de Créteil (94)

Caroline Normand
Certifiée d'histoire-géographie
Collège Louis-Issaurat, Créteil (94)

Fabienne Vadrot
Certifiée d'histoire-géographie
Collège Pierre-de-Ronsard,
Saint-Maur-des-Fossés (94)

Géographie

Sous la direction de :

Armelle Fellahi
Agrégée d'histoire
Académie de Rennes

Patrick Marques
Agrégé d'histoire-géographie
Collège Pierre-Brossolette, Bruz (35)

Relecture pédagogique :

Grégoire Gerin
Agrégé d'histoire
Collège Louis-Lumière, Oyonnax (01)

Par :

Anne-Sophie Gras
Certifiée d'histoire-géographie
Collège Paul-Féval,
Dol-de-Bretagne (35)

Marjorie Placet
Certifiée d'histoire-géographie.
Collège Parmentier, Montdidier (80)

Marie-Pierre Saulze
Certifiée d'histoire-géographie
Collège François-Truffaut, Betton (35)

Valérie Willemet
Certifiée d'histoire-géographie
Collège Paul-Sébillot, Matignon (22)

Enseignement moral et civique

Sous la direction de :

Anne-Marie Hazard-Tourillon
Agrégée d'histoire
Académie de Créteil

Arlette Heymann-Doat
Professeure émérite de droit public
Université de Paris-Sud

Par :

Maria Aeschlimann
Agrégée d'histoire
Collège François-Truffaut, Asnières (92)

Annie Lambert
Agrégée d'histoire-géographie

Caroline Normand
Certifiée d'histoire-géographie
Collège Louis-Issaurat, Créteil (94)

Fabienne Vadrot
Certifiée d'histoire-géographie
Collège Pierre-de-Ronsard,
Saint-Maur-des-Fossés (94)

Éric Zdobych
Agrégé d'histoire-géographie
Collège Jacques-Offenbach,
Saint-Mandé (94)

À la découverte de votre manuel

Ouvertures de chapitre
- Une petite « **frise de cycle** » pour replacer le chapitre étudié dans les apprentissages des cycles 3 et 4.
- Deux grandes images pour entrer dans le thème.
- Une anecdote pour interpeller les élèves.

En histoire et en EMC

Je me repère
- La **frise chronologique** du chapitre et une **petite frise** pour se situer dans le programme.
- Les grandes **cartes** du chapitre.
- Des questions pour se repérer dans le temps et dans l'espace.

Je découvre
- Un travail sur documents qui propose **2 itinéraires différenciés** (questions de prélèvement, bilan à rédiger, exposé à préparer, carte mentale à compléter...).

J'enquête
- Des propositions de **tâches complexes** avec une consigne et un « coup de pouce ».
- Des **missions à mener en équipes**.

D'hier à aujourd'hui
- Des documents et un questionnaire pour **comprendre que le passé éclaire le présent**.

© Nathan 2016 - 25, avenue Pierre de Coubertin - 75013 Paris. ISBN : 978-2-09-171895-8

En géographie

Études de cas

- Des **études de cas** avec des **itinéraires différenciés** : prélèvement d'informations ou réalisation d'un schéma.

Des dossiers « Et demain ? »

- Un travail en équipes pour aborder de façon **simple et ludique** la prospective avec les élèves.

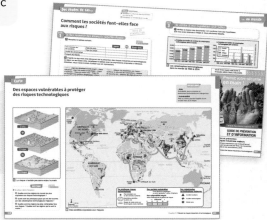

Des études de cas... au monde

- Une activité pour **mettre en perspective** les études de cas et **changer d'échelle**.
- Un grand planisphère pour **passer à l'échelle mondiale**.

Les pages transversales

Parcours

- **Des parcours en lien avec les nouveaux programmes,** en 1 ou 2 pages : Parcours arts et culture (PEAC), Parcours citoyen.

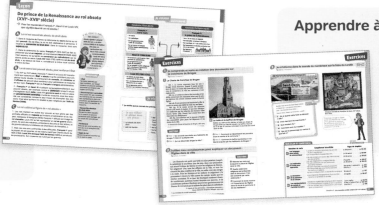

Apprendre à apprendre et Exercices

- Des pages pour apprendre sa leçon, vérifier et mobiliser ses connaissances.
- Un « bilan de compétences » pour faire le point sur les compétences acquises ou à perfectionner.

Leçon

- Un cours simple, accessible.
- Un schéma de synthèse et les repères du chapitre pour réviser.

Histoire

Géographie

Enseignement moral et civique

Mes outils pour apprendre

Retrouve plein de conseils pour t'aider à mémoriser ton cours !

Mon cahier de compétences

Apprendre à apprendre

En histoire

En géographie

Le site de la collection

- Retrouvez sur le site **collegien.nathan.fr/hg5** tous les liens vers les vidéos et de nombreuses ressources complémentaires (fonds de cartes, exercices interactifs...), signalés par ce picto dans le manuel site élève ⬇ exercices interactifs

Histoire–Géographie

Programme de 5ᵉ • Bulletin officiel spécial n°11, 26 novembre 2015

Compétences travaillées	Domaines du socle
→ Se repérer dans le temps : construire des repères historiques	1, 2
→ Se repérer dans l'espace : construire des repères géographiques	1, 2
→ Raisonner, justifier une démarche et les choix effectués	1, 2
→ S'informer dans le monde du numérique	1, 2, 3
→ Analyser et comprendre un document	1, 2
→ Pratiquer différents langages en histoire et en géographie	1, 2
→ Coopérer et mutualiser	2, 3

Histoire

Thème 1

Chrétientés et islam (VIᵉ-XIIIᵉ siècle), des mondes en contact
- Byzance et l'Europe carolingienne
- De la naissance de l'islam à la prise de Bagdad par les Mongols : pouvoirs, sociétés, cultures

Thème 2

Société, Église et pouvoir politique dans l'Occident féodal (XIᵉ-XVᵉ siècle)
- L'ordre seigneurial : la formation et la domination des campagnes
- L'émergence d'une nouvelle société urbaine
- L'affirmation de l'État monarchique dans le royaume des Capétiens et des Valois

Thème 3

Transformations de l'Europe et ouverture sur le monde (XVIᵉ-XVIIᵉ siècle)
- Le monde au temps de Charles Quint et Soliman le Magnifique
- Humanisme, Réformes et conflits religieux
- Du prince de la Renaissance au roi absolu (François Iᵉʳ, Henri IV, Louis XIV)

Géographie

Thème 1

La question démographique et l'inégal développement
- La croissance démographique et ses effets
- Répartition de la richesse et de la pauvreté dans le monde

Thème 2

Des ressources limitées, à gérer et à renouveler
- L'énergie, l'eau : des ressources à ménager et à mieux utiliser
- L'alimentation : comment nourrir une humanité en croissance démographique et aux besoins alimentaires accrus

Thème 3

Prévenir les risques, s'adapter au changement global
- Le changement global et ses principaux effets géographiques régionaux
- Prévenir les risques industriels et technologiques

→ **Le programme intégral est disponible sur le site** collegien.nathan.fr/hg5

Enseignement moral et civique

Programme de 5ᵉ • Bulletin officiel spécial n°6, 25 juin 2015

La sensibilité : soi et les autres

❶ Identifier et exprimer en les régulant ses émotions et ses sentiments.

❷ S'estimer et être capable d'écoute et d'empathie.

❸ Se sentir membre d'une collectivité.

1 – Exprimer des sentiments moraux à partir de questionnements ou de supports variés et les confronter avec ceux des autres (proches ou lointains).

2 – Comprendre que l'aspiration personnelle à la liberté suppose de reconnaître celle d'autrui.

3/a – Comprendre la diversité des sentiments d'appartenance civiques, sociaux, culturels, religieux.

3/b – Connaître les principes, valeurs et symboles de la citoyenneté française et de la citoyenneté européenne.

Le droit et la règle : des principes pour vivre avec les autres

❶ Comprendre les raisons de l'obéissance aux règles et à la loi dans une société démocratique.

❷ Comprendre les principes et les valeurs de la République française et des sociétés démocratiques.

1/a – Expliquer les grands principes de la justice (droit à un procès équitable, droit à la défense) et leur lien avec le règlement intérieur et la vie de l'établissement.

1/b – Identifier les grandes étapes du parcours d'une loi dans la République française.

2 – Définir les principaux éléments des grandes Déclarations des droits de l'homme.

Le jugement : penser par soi-même et avec les autres

❶ Développer les aptitudes à la réflexion critique : en recherchant les critères de validité des jugements moraux ; en confrontant ses jugements à ceux d'autrui dans une discussion ou un débat argumenté.

❷ Différencier son intérêt particulier de l'intérêt général.

1/a – Expliquer les différentes dimensions de l'égalité, distinguer une inégalité d'une discrimination.

1/b – Comprendre les enjeux de la laïcité (liberté de conscience et égalité des citoyens).

2/a – Reconnaître les grandes caractéristiques d'un État démocratique.

2/b – Comprendre que deux valeurs de la République, la liberté et l'égalité, peuvent entrer en tension.

L'engagement : agir individuellement et collectivement

❶ S'engager et assumer des responsabilités dans l'école et dans l'établissement.

❷ Prendre en charge des aspects de la vie collective et de l'environnement et développer une conscience citoyenne, sociale et écologique.

1 – Expliquer le lien entre l'engagement et la responsabilité.

2/a – Expliquer le sens et l'importance de l'engagement individuel ou collectif des citoyens dans une démocratie.

2/b – Connaître les principaux droits sociaux.

2/c – Comprendre la relation entre l'engagement des citoyens dans la cité et l'engagement des élèves dans l'établissement.

2/d – Connaître les grands principes qui régissent la Défense nationale.

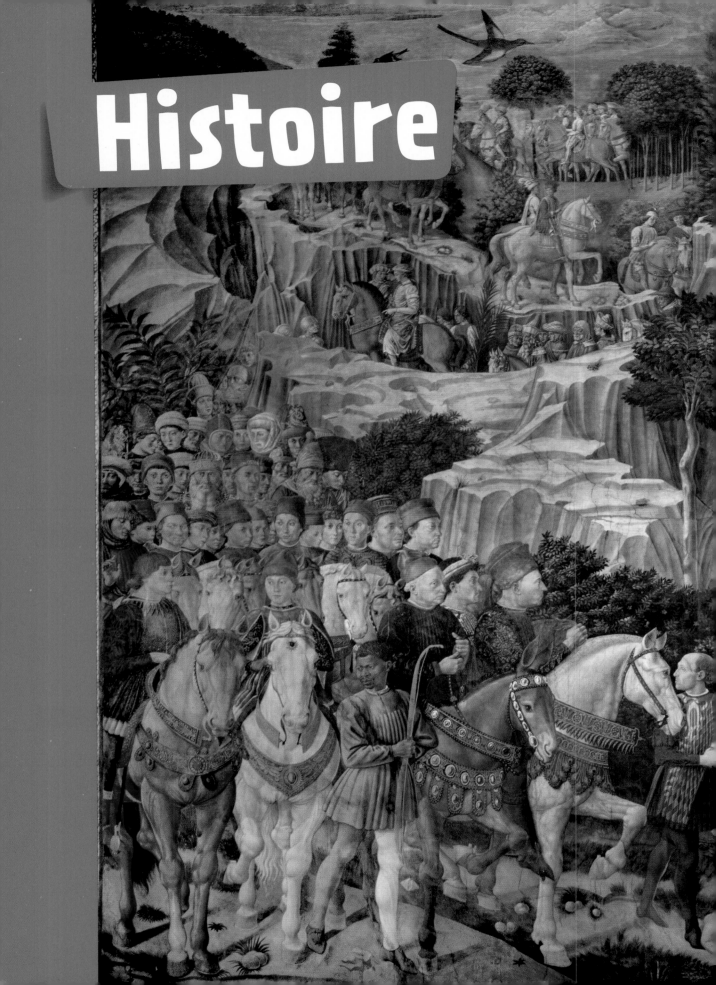

Histoire

L'Adoration des mages, fresque de Benozzo Gozzoli, 1460, Florence.

1 Byzance et l'Europe carolingienne (VIe–XIIIe siècle)

→ **Comment naissent et évoluent les empires chrétiens byzantin et carolingien ?**

Au cycle 3

Au CM1, j'ai étudié Charlemagne, couronné empereur en 800, qui reconstruit un empire romain et chrétien.

Au cycle 3

En 6e, j'ai découvert l'Empire romain et la fondation de Constantinople.

Ce que je vais découvrir

Les pouvoirs des empereurs byzantin et carolingien se construisent en relation avec la religion chrétienne.

MAXIMIANVS

1 Byzance, un empire millénaire à la place de l'Empire romain d'Orient

Au centre, l'empereur byzantin Justinien (527-565) et son entourage (hauts fonctionnaires, hommes d'Église, armée). Il est représenté en empereur chrétien.

Mosaïque du VIe siècle, église Saint-Vital de Ravenne, Italie, construite sur l'ordre de Justinien.

La minuscule caroline est une écriture apparue au VIIIᵉ siècle, à la demande de l'empereur Charlemagne (*Carolus*). Ses formes rondes et régulières la rendent plus facile à lire et à écrire. Elle est à l'origine de notre écriture.

2 **L'Europe carolingienne, à la place de l'Empire romain d'Occident**

Le roi carolingien Charles le Chauve dans son palais, entouré de hauts fonctionnaires, de moines, et de soldats. Descendant de l'empereur Charlemagne, il est considéré comme le premier roi de France (843-877).
Bible de Charles le Chauve, 845, BnF, Paris.

Deux empires chrétiens : l'Empire byzantin et l'Empire carolingien

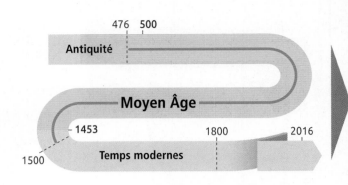

476 500
Antiquité

Moyen Âge
1453   1800   2016
1500   Temps modernes

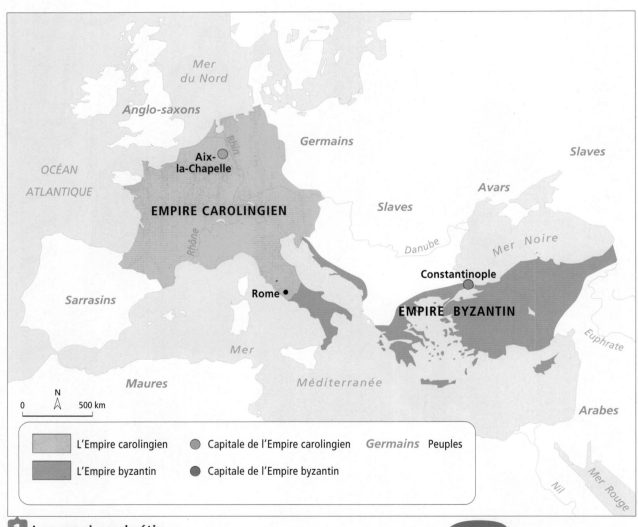

1 Les empires chrétiens à la fin du VIIIe siècle

INFOS

L'**Empire byzantin** et l'**Empire carolingien** sont des empires chrétiens. En **1054**, en raison de différences religieuses, l'Église byzantine se dit « **orthodoxe** » (« fidèle à la vraie foi ») et se sépare de l'Église chrétienne d'Occident dirigée par le pape, qui se dit « **catholique** » (« universelle ») : c'est le **schisme**.

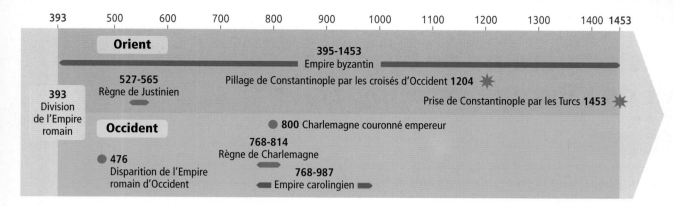

| 393 | 500 | 600 | 700 | 800 | 900 | 1000 | 1100 | 1200 | 1300 | 1400 | 1453 |

Orient

395-1453
Empire byzantin

527-565
Règne de Justinien

Pillage de Constantinople par les croisés d'Occident **1204** ✳

Prise de Constantinople par les Turcs **1453** ✳

393
Division de l'Empire romain

Occident

● **800** Charlemagne couronné empereur

768-814
Règne de Charlemagne

● **476**
Disparition de l'Empire romain d'Occident

768-987
Empire carolingien

2 **L'empire carolingien divisé (843-987)**

Légende :
- Royaume de Charles le Chauve
- Royaume de Louis le Germanique
- Royaume de Lothaire

QUESTIONS

▶ **Je me repère dans le temps et dans l'espace**

❶ À quelles parties de l'Empire romain appartiennent l'Empire byzantin et l'Empire carolingien ?

❷ Quelles sont les capitales de ces deux empires ?

❸ Combien de temps ces deux empires ont-ils duré ?

SOCLE Compétences
▶ **Domaine 1 :** je comprends le sens général des documents
▶ **Domaine 2 :** je coopère dans un groupe à l'élaboration
d'une tâche commune

Les empereurs de Byzance et de l'Europe carolingienne

CONSIGNE

Comme de vrais historiens, et munis des cartes des pages 14 et 15, vous vous lancez sur les traces des empereurs byzantin et carolingien. À vous de montrer qui sont ces deux empereurs (équipes 1 et 3), et comment ils gouvernent leur empire (équipes 2 et 4).

Lors de la mise en commun de votre travail (sur une page papier ou numérique, de type *padlet*), vous comparerez ces deux empereurs dans l'exercice de leur fonction.

ÉQUIPE 1

En Orient, un empereur byzantin, grec, chrétien et romain

Votre équipe est chargée d'expliquer qui est l'empereur byzantin.

❶ Comment se déroule son couronnement ?
❷ Que signifie : il est byzantin, grec, chrétien et romain ?

1 L'empereur byzantin « élu de Dieu »

❶ « Romanos, empereur des Romains »,

❷ « Eudoxie, impératrice des Romains ».
Le Christ bénissant l'empereur byzantin Romain II (949-963) et l'impératrice Eudoxie. Ivoire sculpté, vers le milieu du Xe siècle, BnF, Paris.

2 Le couronnement du basileus

L'empereur entre dans l'église Sainte-Sophie. Il revêt les habits du sacre puis pénètre dans la nef avec le patriarche. Le patriarche fait la prière sur le manteau pourpre de l'empereur dont on revêt le souverain. Ensuite, le patriarche fait la prière sur la couronne impériale et la place en personne sur la tête du souverain. Aussitôt le peuple lance par trois fois l'acclamation : « Saint, Saint, Saint, Gloire à Dieu dans les hauteurs et paix sur la terre ! » Puis : « nombreuses années au grand empereur ! » Ceint de la couronne, il s'assoit sur son fauteuil et tous les dignitaires entrent, tombant à terre et baisant ses genoux.

■ D'après Constantin VII, *Le Livre des cérémonies*, Xe siècle.

VOCABULAIRE

▶ *Basileus*
Signifie « roi » en grec, titre officiel des empereurs byzantins.

▶ **Patriarche**
Chef de l'Église byzantine, choisi par l'empereur.

Gouverner l'Empire byzantin

Votre équipe est chargée d'expliquer comment l'Empire byzantin est gouverné.

1 Quel est le pouvoir du basileus ?
2 Avec qui l'exerce-t-il ?
3 Quels peuples les empereurs combattent-ils ?

3 Des lois héritées des Romains

Au nom de Notre-Seigneur Jésus-Christ, l'empereur César Flavien Justinien, vainqueur des Alamans, des Francs, des Germains, [...] des Africains, pieux, [...] à la jeunesse désireuse d'étudier les lois, salut.

Pour que l'État soit également bien gouverné en temps de paix comme en tant de guerre, la Majesté Impériale doit s'appuyer sur les armes, mais aussi sur les lois. [...]

Soyez animés de l'espérance de pouvoir, vos études des lois une fois terminées, participer au gouvernement de l'État [...].

Donné à Constantinople, le 11 des calendes de décembre[1], sous le troisième consulat de Notre Seigneur Justinien, toujours Auguste.

■ *Institutes*[2] de l'empereur Justinien.

1. 21 novembre 533.
2. Réunion des lois romaines dans le Code justinien.

4 Des guerres contre les voisins

Héritier de l'*imperator* romain, l'empereur est le commandant suprême des armées. *Basile II victorieux des Bulgares*, enluminure, manuscrit byzantin, XIVe siècle, bibliothèque du Vatican.

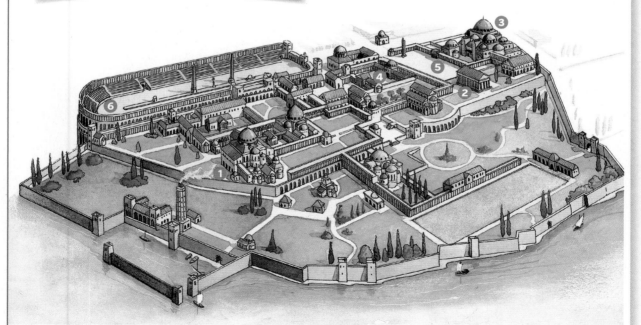

5 Une capitale : Constantinople

1 Les palais royaux résidences des fonctionnaires.
2 Le Sénat (gouverneurs de province et administration).
3 Sainte-Sophie.
4 Tribunal.
5 Forum.
6 Hippodrome.

J'enquête EN ÉQUIPES !

ÉQUIPE 3

En Occident, un empereur carolingien latin, chrétien et romain

Votre équipe est chargée d'expliquer qui est l'empereur Charlemagne.

❶ Comment se déroule son couronnement ?
❷ Que signifie : il est carolingien, latin, chrétien et romain ?

6 Charlemagne, roi des Francs couronné empereur

À Rome, le pape Léon attendit Charlemagne sur les marches de la basilique Saint-Pierre. Accompagné des évêques, il reçut le roi à sa descente de cheval. Ceci se passa le 24 décembre 800.

Le 25 décembre, tandis que Charlemagne se levait après avoir entendu la messe, le pape Léon lui mit une couronne sur la tête et tout le peuple des Romains l'acclama en criant : « Vie et victoire à Charles, Auguste, couronné par Dieu, grand et pacifique empereur des Romains ! » Et après ces acclamations, Charles fut adoré à la manière des anciens empereurs. On l'appela empereur et Auguste.

■ D'après les *Annales royales*, IXe siècle.

INFOS

En 751, dans la Gaule devenue royaume des Francs, une **dynastie** s'impose, celle des **Carolingiens**. Elle est soutenue par le pape qui fait du roi un élu de Dieu. C'est ainsi que Charles, roi des Francs depuis 768, est couronné empereur sous le nom de *Carolus Magnus*, Charles le Grand ou **Charlemagne**.

8 Un empereur guerrier

Statue équestre de Charlemagne. Il a l'épée à la ceinture et tient le globe, symbole de l'empire du monde, dans la main gauche. Il a conquis la plus grande partie de l'Occident.
Statuette de bronze, IXe siècle, musée du Louvre, Paris.

KAROLUS
Charles

IMP[erator]
empereur

AUG[ustus]
Auguste

7 Un empereur romain
Denier d'argent, 812, BnF, Paris.

Gouverner l'Empire carolingien

ÉQUIPE 4

Votre équipe est chargée d'expliquer comment l'Europe caroligienne est gouvernée par Charlemagne et ses descendants.

1. Quel est le pouvoir de l'empereur ?
2. Avec qui l'exerce-t-il ?
3. Comment est administré son territoire ?

9 L'administrateur de l'empire

Les missi dominici

Notre maître nous a demandé un rapport fidèle sur la manière dont ses ordres ont été exécutés dans son royaume, désireux qu'il est de récompenser dignement ceux qui s'y sont conformés et de faire des reproches à ceux qui s'y sont soustraits.

Nous vous engageons à relire vos capitulaires[1], à vous rappeler les instructions verbales qui vous ont été données. Faites pleinement, correctement, équitablement, justice aux églises, aux veuves et aux orphelins.

■ Les missi s'adressent aux comtes, d'après un capitulaire de 805.

1. Recueil des lois de Charlemagne.

10 Autour de l'empereur, les comtes

Bible de Vivien, première bible de Charles le Chauve, petit-fils de Charlemagne, 845, BnF, Paris.

VOCABULAIRE

▸ **Comte**
Personnage puissant nommé par l'empereur pour administrer un territoire de l'empire, le comté.

▸ **Missi dominici**
En latin « envoyés du maître ». Envoyés de l'empereur, chargés d'inspecter les comtés de l'empire.

1. Chapelle
2. Curie (tribunal royal)
3. Bâtiment de la garnison
4. Salle de réception
5. Appartements privés et école
6. Thermes

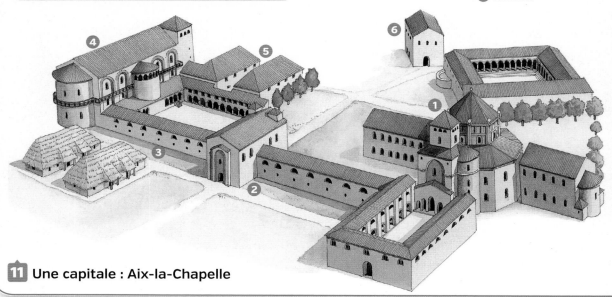

11 Une capitale : Aix-la-Chapelle

Une religion, deux Églises

Question clé Qu'est-ce qui unit et distingue les chrétiens byzantins et carolingiens ?

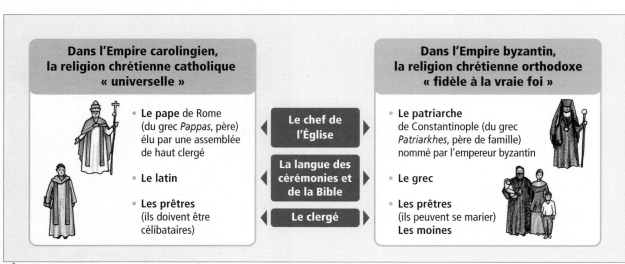

Dans l'Empire carolingien, la religion chrétienne catholique « universelle »

- **Le pape** de Rome (du grec *Pappas*, père) élu par une assemblée de haut clergé
- **Le latin**
- **Les prêtres** (ils doivent être célibataires)

Le chef de l'Église

La langue des cérémonies et de la Bible

Le clergé

Dans l'Empire byzantin, la religion chrétienne orthodoxe « fidèle à la vraie foi »

- **Le patriarche** de Constantinople (du grec *Patriarkhes*, père de famille) nommé par l'empereur byzantin
- **Le grec**
- **Les prêtres** (ils peuvent se marier) **Les moines**

1 **Deux Églises chrétiennes**

2 **Le Christ dans l'art religieux byzantin**
Christ *Pantocrator* (« Tout-puissant ») : le **Christ** est représenté en gloire, la Bible dans la main. Il est « Dieu vivant ». Mosaïque du XIIe siècle, cathédrale de Cefalu, Sicile, Italie.

3 Cyrille et Méthode, des moines missionnaires

Cyrille (827-869) et Méthode (825-885) sont envoyés par l'empereur auprès des peuples slaves, pour les convertir au christianisme orthodoxe.
Fresque du monastère de Dracevo (Macédoine), XIVᵉ siècle.

4 Charlemagne convertit les Saxons

Quiconque, par mépris pour le christianisme, refusera de respecter le jeûne du Carême sera mis à mort.

Quiconque livrera aux flammes le corps d'un défunt, suivant le rite païen, sera condamné à mort.

Tout Saxon non baptisé qui refusera de se faire administrer le baptême, voulant rester païen, sera mis à mort.

Quiconque manquera à la fidélité qu'il doit au roi sera puni de la peine capitale.

■ Extrait d'un capitulaire promulgué en 785.

Activités

Question clé : Qu'est–ce qui unit et distingue les chrétiens byzantins et carolingiens ?

ITINÉRAIRE 1

▶ **Je prélève des informations dans les documents**

❶ **Doc 1.** Quels points communs et quelles différences y a-t-il dans les pratiques religieuses des Byzantins et des Carolingiens ?

❷ **Doc 3 et 4.** Comment les Byzantins et les Carolingiens diffusent-ils leur religion ?

❸ **Doc 1, 2 et 5.** Comparez ces œuvres : quelles différences et quels points communs y a-t-il entre l'art religieux byzantin et l'art religieux carolingien ?

▶ **J'argumente à l'écrit**

❹ À l'aide des questions 1 à 3, répondez en quelques phrases à la question clé.

OU

ITINÉRAIRE 2

🔲 site élève
⬇ carte mentale à compléter

▶ **Je m'exprime à l'écrit par une production graphique**

À l'aide des documents, répondez à la question clé sous la forme d'une carte mentale.

MÉTHODE

Réalisez une **carte mentale** qui compare les pratiques religieuses des Byzantins et des Carolingiens. Vous prenez en compte les éléments suivants :

▸ les **pratiques religieuses** dans l'Orient chrétien byzantin et dans l'Occident chrétien carolingien.
▸ la **diffusion du christianisme** par les Byzantins et les Carolingiens.
▸ l'**art religieux** (support, représentation et message) byzantin et carolingien.

5 Le Christ dans l'art religieux carolingien

Le Christ est représenté blessé et souffrant, mais aussi victorieux par le sang versé : il est « Dieu vivant ».
Enluminure sur parchemin, *Sacramentaire de Gellone* vers 790-795, BnF, Paris.

L'image religieuse dans les empires byzantin et carolingien

Question clé Quel est le rôle de ces œuvres d'art dans les pratiques religieuses des chrétiens byzantins et carolingiens ?

1 **L'icône byzantine**
Vierge *Nikopeia*, « qui apporte la victoire », IXe siècle, Contantinople, trésor de la basilique Saint-Marc depuis le pillage de Constantinople en 1204, Venise, Italie.

mémo ART

L'icône

Nature
(du grec *eikona*)

▶ **Image** du Christ, de la Vierge ou des saints.

Technique

▶ Or, argent, émail et pierres précieuses sur panneau de bois.

Usage et sens

▶ **Vénération** des icônes par les **chrétiens orthodoxes** qui croient entrer en contact avec leur Dieu par leur intermédiaire. Moyen pour l'empereur « élu de Dieu » d'**unir son peuple** autour de lui.

VOCABULAIRE

▶ **Église catholique**
Église chrétienne d'Occident, dirigée par le Pape depuis Rome. Elle se dit « universelle ».

▶ **Église orthodoxe**
Église chrétienne byzantine, dirigée par le Patriarche de Constantinople. Elle se dit « conforme à la vraie foi ».

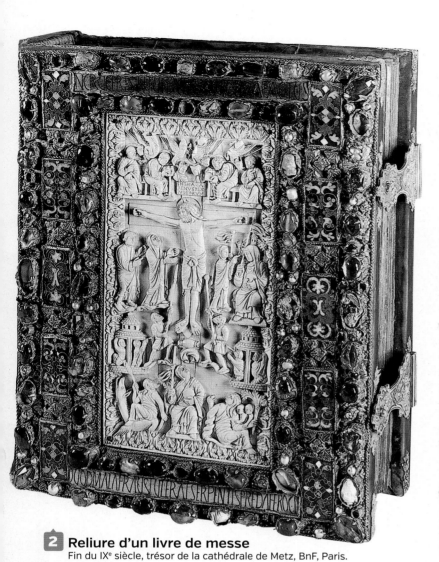

2 **Reliure d'un livre de messe**
Fin du IXᵉ siècle, trésor de la cathédrale de Metz, BnF, Paris.

mémo ART

Le livre de messe

Nature

▶ Manuscrit dont la reliure (ou couverture) illustre les **textes sacrés** de la Bible réunis dans le livre, parmi lesquels les évangiles.

Technique

▶ Plaque d'ivoire d'éléphant sculptée. Bordure d'orfèvrerie (cuivre), garnie de pierres précieuses et d'émaux.

Usage et sens

▶ **Évangiles** lus à haute voix par le prêtre lors de la messe du dimanche et des fêtes religieuses.

▶ Le livre symbolise l'**union des chrétiens catholiques** autour de Charlemagne, couronné par le pape et « représentant de Dieu sur Terre ».

QUESTIONS

J'exprime mes sentiments

1 Quels mots vous viennent à l'esprit face à ces deux œuvres d'art ?

J'analyse les œuvres pour en comprendre le sens

2 Observez et décrivez ces deux œuvres : quel sujet évoquent-elles ?

3 Quelles techniques sont utilisées par leurs auteurs ?

4 Quel est le rôle des icônes byzantines et des évangéliaires carolingiens pour les populations des deux empires ? et pour les empereurs byzantin et carolingien ?

Je fais le lien entre l'art et l'histoire

5 À quelles dates ces œuvres ont-elles été réalisées ?

6 Comment ces œuvres d'art illustrent-elles les civilisations byzantine et carolingienne (croyance des sociétés et pratiques religieuses, relations entre les empereurs et leur peuple...) ?

Que reste–t–il des empires byzantin et carolingien ?

A Un patrimoine préservé

site élève
⬇ lien vers le site

PISTES EPI Allemand

site élève
⬇ lien vers le site

1 La chapelle du palais de Charlemagne à Aix-la-Chapelle, Allemagne, IXᵉ siècle

La chapelle est classée au Patrimoine mondial de l'UNESCO depuis 1978.

1 Le trône de l'empereur Charlemagne
2 Les marbres et pierres polychromes
3 La coupole, en mosaïques byzantines, où le Christ est représenté
4 L'autel
5 L'étage inférieur, où se réunissait le peuple

2 L'église Sainte-Sophie, construite par l'empereur Justinien, VIᵉ siècle (Istanbul, Turquie)

À la suite de la prise de Constantinople par les Turcs ottomans en 1453, l'église a été transformée en mosquée. Depuis 1934, ce lieu est un musée, inscrit au Patrimoine mondial de l'UNESCO en 1985.

1 Coupole
2 Colonnes
3 Nef
4 Emplacement de l'autel
5 Inscriptions en arabe ajoutées par les Turcs

B L'héritage en Europe des Byzantins et des Carolingiens

Le sais-tu ?

Les Byzantins et les Carolingiens nous ont aussi transmis les **lois romaines**, à l'origine du **droit** de la plupart des pays d'Europe.

3 L'école de Charlemagne

Charlemagne a créé des écoles pour tous les garçons, des riches familles comme des modestes.
Une classe au IXe siècle, enluminure du manuscrit *Les Noces de Philologie et de Mercure*, Marius Capella, IXe siècle.

CHIFFRES CLÉS

Les chrétiens orthodoxes

➡ **250 millions** d'orthodoxes dans le monde dont **200 millions** en **Europe**

Le nombre d'orthodoxes et de catholiques en Europe

561 millions de catholiques

200 millions d'orthodoxes

Forte présence de chrétiens orthodoxes

4 Présence des Églises orthodoxes en Europe aujourd'hui

QUESTIONS

J'observe les traces du passé

❶ **Doc 1 et 2.** Quel patrimoine des empereurs carolingien et byzantin a été préservé ?

❷ À votre avis, pourquoi ces monuments font-ils partie du Patrimoine mondial de l'UNESCO ?

Je fais le lien entre le passé et le présent

❸ **Doc 1 et 2.** Dans quels pays se situent aujourd'hui les villes où l'on peut visiter ces monuments ? Sont-elles toujours des villes-capitales ?

❹ **Doc 3 et 4.** Quels héritages des Byzantins et des Carolingiens sont toujours vivants en Europe aujourd'hui ?

Byzance et l'Europe carolingienne (VIᵉ–XIIIᵉ siècle)

➡️ **Comment naissent et évoluent les empires chrétiens byzantin et carolingien ?**

A Des empires héritiers de l'Empire romain

1. Au VIᵉ siècle, l'**Empire romain d'Orient** a pris le nom d'**Empire byzantin**. L'empereur **Justinien** [527-565] affirme être l'unique héritier de l'Empire romain. Il agrandit l'empire par des conquêtes, y impose les lois romaines [**Code justinien**] et le **christianisme**. Le **grec** devient la langue officielle.

2. Au VIᵉ siècle, l'**Empire romain d'Occident** a disparu, divisé en **royaumes barbares**. Le roi des Francs **Charles** [768-814] veut restaurer l'Empire romain. Il s'empare des royaumes barbares et impose le **christianisme**. **En 800, il est sacré empereur d'Occident par le pape**, sous le nom de **Charlemagne**. Le **latin** devient la langue officielle. En **843**, son empire est partagé entre ses descendants. De ce partage naissent la **France** et la **langue française**.

B Des empereurs puissants

1. L'**empereur** byzantin, le **basileus**, est **élu de Dieu** et son représentant sur terre. **Son pouvoir est absolu.** Pour gouverner, il s'appuie sur l'Église, l'armée, et une administration nombreuse composée de **fonctionnaires**. **Constantinople** est la capitale de l'**empire**.

2. L'empereur carolingien Charlemagne divise son empire en **comtés**, dirigés par des **comtes**, qui doivent appliquer ses lois. Il les **fait** surveiller par les **missi dominici**. Il simplifie l'écriture, la **minuscule caroline**, et encourage la **scolarisation** des enfants. **Aix-la-Chapelle** est la capitale de l'Empire.

C Des empires chrétiens

1. Les deux empires ont en commun d'être **chrétiens**. Les empereurs font construire de somptueuses églises, la **basilique Sainte-Sophie** à **Constantinople** par Justinien, et la **chapelle Palatine** à **Aix-la-Chapelle**, par Charlemagne. Défenseurs de la chrétienté, les empereurs **évangélisent** les peuples païens d'Europe.

2. Mais si les croyances sont les mêmes, les pratiques religieuses sont différentes. En Orient, l'Église se dit **orthodoxe**. En Occident, l'Église se dit **catholique**. L'opposition naît entre le **pape** de Rome et le **patriarche** de Constantinople. Les deux Églises se séparent : c'est le **schisme** [1054].

Le sais-tu ?

Constantinople, trois noms pour une même ville
À l'origine, elle s'appelait **Byzance**, une cité grecque fondée au VIIᵉ siècle avant J.-C. Reconstruite par l'empereur romain Constantin, elle prend le nom de **Constantinople** (330). Conquise par les Turcs en 1453, elle prend le nom d'**Istanbul** (« la ville » en turc) en 1923.

VOCABULAIRE

▸ **Empire**
Territoires non délimités par des frontières, réunissant des peuples sous une autorité unique, l'**empereur**, dont la volonté est d'étendre son territoire par des conquêtes.

▸ **Schisme**
Du grec *skhismos*, séparation. Division de l'Église chrétienne en deux Églises distinctes.

L'Empire byzantin

L'Empire

- Un **vaste territoire** à l'Est de l'Europe.
- Une capitale, **Constantinople**.
- Une langue, **le grec**.
- Un **Empire millénaire** (V^e-XVe siècle), attaqué à partir du XIe siècle.

Le basileus

- Il représente **Dieu sur terre**.
- **Pouvoir absolu** soutenu par l'Église et l'armée.
- **Administration de fonctionnaires**.

La religion

- **Église chrétienne orthodoxe**, dirigée par le **patriarche** de Constantinople.
- **Évangélisation** des peuples païens de l'Europe orientale.

Les Arts

- **Basilique Sainte-Sophie** (Constantinople).
- **Mosaïques, icônes**.

Ambassadeurs

Schisme de 1054

Influences réciproques

L'Empire carolingien

L'Empire

- Un **vaste territoire** à l'Ouest de l'Europe.
- Une capitale, **Aix-la-Chapelle**.
- Une langue, **le latin**.
- Un **Empire** créé par **Charlemagne** et **partagé par ses descendants** (768-843).

L'empereur

- Il représente **Dieu sur terre**.
- **Pouvoir absolu** soutenu par l'Église et l'armée.
- **Administration** de **comtes** et de *missi dominici*.

La religion

- **Église chrétienne catholique**, dirigée par le **pape**.
- **Évangélisation** des peuples païens de l'Europe occidentale.

Les Arts

- **Chapelle Palatine** (Aix-la-Chapelle).
- **Enluminures, orfèvrerie**.

Je révise chez moi

● **Je vérifie que je connais les principaux repères du chapitre.**

Je sais définir et utiliser dans une phrase :

▸ basileus
▸ orthodoxe
▸ empire
▸ catholique

Je sais situer et localiser :

▸ **sur une frise :**
le règne de Justinien ; le couronnement de Charlemagne ; le schisme

▸ **sur une carte :**
l'Empire byzantin ; l'Empire carolingien ; Aix-la-Chapelle ; Byzance ; Rome

site élève
⤓ frise et fond de carte

Je sais expliquer :

▸ les pouvoirs de l'empereur byzantin.

▸ les pouvoirs de l'empereur carolingien.

▸ les différences entre la religion orthodoxe et la religion catholique.

Apprendre à apprendre

Comment apprendre ma leçon ?

J'organise mes révisions en fonction de ma façon d'apprendre

Apprendre, tout le monde en est capable ! Il suffit juste de trouver les bonnes méthodes, de savoir créer les bons outils et surtout, d'apprendre à se connaître.

Si je retiens mieux ce que je vois et écris, j'ai plutôt une mémoire visuelle.

Pour réviser efficacement, je peux...
- ➡ **Souligner** les mots importants dans ma fiche de révision.
- ➡ Organiser ce que je dois apprendre sous forme de **schéma, carte mentale**.
- ➡ Regarder **des vidéos**.

❗ Ne surchargez pas trop vos documents (textes, images) et travaillez dans un **endroit calme**.

Si je retiens mieux lorsque je suis en activité et en mouvement, j'ai plutôt une mémoire corporelle.

Pour réviser efficacement, je peux...
- ➡ **Me déplacer** lorsque je révise (dans ma chambre, dehors).
- ➡ Apprendre en **associant des idées à des mouvements** ou des gestes.
- ➡ Reproduire ce que j'ai appris sous forme de **maquette, d'affiche**...

❗ Ne restez pas assis des heures si vous ne retenez rien !

Si je retiens mieux ce que j'entends, j'ai plutôt une mémoire auditive.

Pour réviser efficacement, je peux...
- ➡ **lire à voix haute** la leçon, les consignes...
- ➡ **répéter** à une autre personne ce que j'ai appris et compris.
- ➡ **m'enregistrer** lorsque je lis la leçon, puis écouter plusieurs fois mon enregistrement.

❗ Faites attention au bruit qui peut vous déranger.

Le cerveau nous réserve de belles surprises ! Il est capable de s'adapter aux nouvelles expériences. Vous pouvez apprendre à travailler d'une façon différente de votre habitude et ainsi développer votre capacité de mémorisation.

site élève
⬇ quiz interactif

Retrouve un quiz sur le site Nathan qui te permettra de mieux connaître ton type de mémoire, et donc ta manière d'apprendre !

collegien.nathan.fr/hg5

Je vérifie mes connaissances

1 **Je révise le vocabulaire en complétant ces mots croisés.**

1. Image sainte du Christ, de la Vierge ou des saints dans l'Empire byzantin.
2. Loi carolingienne.
3. Envoyé de Charlemagne dans les provinces de l'Empire.
4. Nom de l'Église chrétienne byzantine.
5. Séparation de l'Église chrétienne byzantine et d'Occident.
6. Titre donné à l'empereur byzantin.

2 **J'indique la (ou les) bonne(s) réponse(s).**

1. L'Empire byzantin avait pour capitale :
- a Aix-la-Chapelle.
- b Byzance.
- c Rome.

2. L'Empire byzantin était :
- a de langue grecque.
- b chrétien.
- c orthodoxe.

3. Charlemagne a été couronné empereur :
- a par le pape.
- b en l'an 800.
- c à Aix-la-Chapelle.

4. L'Empire carolingien était :
- a l'ancien Empire romain d'Orient.
- b de langue latine.
- c dirigé par le pape.

3 **J'utilise mes connaissances pour comprendre un document.**

Après avoir lu le texte, résumez-le en une phrase. Pour vous mettre sur la voie, indiquez qui parle, à qui il s'adresse et pourquoi il s'adresse à eux.

À vous les comtes, nous disons et nous vous avertissons de respecter et d'honorer la Sainte Église de Dieu, de vivre en accord avec vos évêques et de les aider à accomplir leur fonction, d'établir vous-même la paix et la justice dans vos comtés, et de veiller à exécuter ce que notre autorité aura décidé de faire.

Soyez, selon vos possibilités, les aides et les défenseurs des orphelins, des veuves et de tous les autres pauvres. Réprimez comme il convient les voleurs et les brigands qui troublent la paix commune en usant de violence [...].

■ D'après un capitulaire de Louis le Pieux, empereur, 825.

4 **Je connais les personnages du chapitre.**

Retrouvez ces personnages dans le chapitre et complétez leur biographie.

Nom :
Fonction :
Lieu d'exercice du pouvoir :
Réalisation :

Nom :
Fonction :
Lieu d'exercice du pouvoir :
Réalisation :

5 **Retrouvez d'autres exercices sous forme interactive sur le site Nathan.**

site élève ⤓ exercices interactifs

Exercices

1 Je comprends le sens d'une image sur un roi carolingien

↳ Socle : Domaines 1 et 5

La main de Dieu.

La couronne en or sertie de pierres précieuses. Sa forme ronde symbolise l'univers.

La croix dans une sphère signifie la domination de la foi chrétienne sur le monde.

Le sceptre, symbole du pouvoir absolu sur le monde.

1 Charles II le Chauve, petit-fils de Charlemagne, roi de Francie (843-877), proclamé empereur en 875.
Psautier de Charles le Chauve, école du palais de Charles le Chauve, avant 869, BnF, Paris.

QUESTIONS

1 Qui est représenté sur ce document ? À votre avis, dans quel lieu ?

2 Décrivez le personnage : son trône, ses vêtements, les objets qu'il porte sur la tête et dans les mains.

3 Quels éléments montrent qu'il est un roi chrétien ?

4 Charles II le Chauve vous paraît-il être un roi puissant ?

5 Quel est l'objet manquant qui fait du roi un guerrier protecteur ? Vous pouvez vous aider du document 8 p. 18.

2 Je m'informe sur les carolingiens avec le numérique

↳ Socle : Domaine 2

EMI

http://expositions.bnf.fr/carolingiens/

site élève
⬇ lien vers le site

Étape 1

Rendez-vous sur le site de l'exposition carolingienne de la BnF. Cliquez sur l'exposition en images puis sur les foyers de création.

1 À quoi correspondent les foyers de création ?

2 Donnez quelques exemples de foyers.

3 Que produisent ces lieux ?

Étape 2

Retrouvez dans les foyers celui de Metz. Cliquez sur le livre relié (*Sacramentaire de Drogon*) et lisez l'article concernant cette œuvre.

4 De quand date ce livre ? À qui était-il destiné ?

5 Quels matériaux ont été utilisés pour réaliser cette couverture ?

6 Quel est le thème de ce livre ?

③ Je formule des hypothèses sur les contacts entre les empires byzantin et carolingien

↳ SOCLE : Domaine 5

1 L'empereur carolingien Louis le Pieux (814-840) reçoit les envoyés de l'empereur byzantin Léon V
Chronique d'Adémar de Chabannes, milieu du XIᵉ siècle, BnF, Paris.

2 Une mosaïque byzantine dans une église carolingienne
Coupole de l'église de Germigny-des-Prés (Loiret) construite entre 799 et 818.

QUESTIONS

1 Qu'évoquent ces deux documents au sujet de l'Empire byzantin et de l'Empire carolingien ?

2 De quelle nature ont été les contacts entre les deux empires ? Justifiez votre réponse.

MON BILAN DE COMPÉTENCES

Domaines du socle	Compétences travaillées	Pages du chapitre
D1 Les langages pour penser et communiquer	• Je sais extraire des informations pertinentes d'un document.	J'enquête .... p. 16-19
	• Je sais pratiquer différents langages, écrits, graphiques.	Je découvre .... p. 20-21
	• Je m'exprime en utisant le langage des arts.	J'enquête .... p. 22-23
D2 Les méthodes et outils pour apprendre	• Je sais coopérer dans un groupe à l'élaboration d'une tâche commune.	J'enquête .... p. 16-19
	• Je sais juger par moi-même.	D'hier à aujourd'hui ..... p. 24-25
	• Je sais organiser mon travail personnel.	Apprendre à apprendre ...... p. 28
	• Je sais m'informer dans le monde du numérique.	Exercice 2 .... p. 30
D3 La formation de la personne et du citoyen	• Je sais faire preuve d'esprit de tolérance.	Je découvre .... p. 20-21
D5 Les représentations du monde et l'activité humaine	• Je sais me repérer dans le temps et dans l'espace.	Je me repère .... p. 14-15
	• Je sais mobiliser des connaissances pour comprendre les expressions artistiques des civilisations.	Je découvre .... p. 20-23
	• Je sais reconnaître les origines de la civilisation européenne d'aujourd'hui.	D'hier à aujourd'hui ..... p. 24-25
	• Je sais interpréter une image.	Exercice 1 .... p. 30
	• Je sais formuler des hypothèses.	Exercice 3 .... p. 31

2 Le monde de l'islam (VIᵉ–XIIIᵉ siècle)

→ **Comment naît et se développe le monde de l'islam entre le VIᵉ et le XIIIᵉ siècle ?**

Au cycle 3

En 6ᵉ, j'ai étudié la naissance de deux religions monothéistes : le judaïsme, dans l'Orient ancien vers 800 avant J.-C., et le christianisme, dans l'Empire romain (Iᵉʳ-Vᵉ siècle).

Ce que je vais découvrir

Une nouvelle religion monothéiste, l'islam, donne naissance au premier État musulman.

1 **La naissance en Arabie d'une nouvelle religion monothéiste, l'islam**

En 630, le prophète Mohammed (visage voilé) entre dans la ville de La Mecque. Il convertit des habitants à l'islam et fonde le premier État musulman.
Siyar-I Nabi, manuscrit ottoman, XVIᵉ siècle.

Le sais-tu ?

L'année zéro du calendrier musulman débute en 622, date de l'Hégire, quand l'Arabe Mohammed, prophète de l'islam, fuit La Mecque et se réfugie à Médine.

138

2 Le monde de l'islam, une brillante civilisation urbaine

Des voyageurs arrivent à Bagdad, capitale de l'Empire musulman des Abbassides. La ville symbolise la civilisation de l'islam, cœur de la vie religieuse (mosquée), politique, économique (marché).
Miniature extraite des *Séances*, Al-Harîrî, Bagdad, 1237, BnF, Paris.

Je me repère

De la naissance de l'islam à la prise de Bagdad par les Mongols

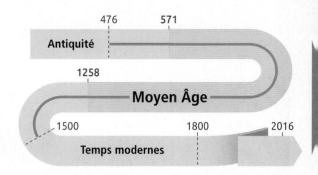

	476	571
Antiquité

1258

Moyen Âge

1500   1800   2016

Temps modernes

INFOS

En un siècle, les **Arabes** ont conquis un territoire immense, de l'Espagne à l'Indus. La plupart des populations adoptent la langue (l'arabe) et la religion (l'islam) des conquérants. Les chrétiens et les juifs qui vivent dans l'**Empire musulman** ont le droit de pratiquer leur religion en échange d'un impôt.

VOCABULAIRE

▶ **Arabes**
Descendants de la population de l'Arabie. Ils se convertissent à l'islam, et leur langue, l'arabe, devient celle de l'islam.

▶ **Califat**
Territoire soumis à l'autorité du calife (voir p. 38).

▶ **Coran**
De l'arabe *qur'an*, récitation. Seul texte sacré de la religion de l'islam, composé de 114 sourates et considéré par les musulmans comme la parole divine dictée à Mohammed.

▶ **Hégire**
Départ de Mohammed de La Mecque pour Médine. Point de départ du calendrier musulman.

QUESTIONS

▶ **Je me repère dans le temps et dans l'espace**

❶ D'où partent les conquêtes musulmanes ? Quand commencent-elles ?

❷ Sur quels continents s'étend l'Empire musulman à son apogée ?

❸ Citez les différents empires (califats) qui se succèdent.

L'expansion musulmane

- État musulman à la mort de Mohammed
- Extension de la religion de l'islam sous les premiers califes (632-660)
- Extension de la religion de l'islam sous les Omeyaddes (661-749)

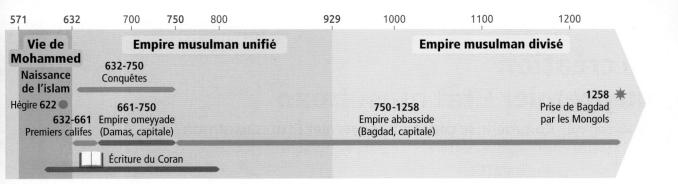

571   632   700   750   800   929   1000   1100   1200

Vie de Mohammed

Empire musulman unifié

Empire musulman divisé

Naissance de l'islam

632-750 Conquêtes

Hégire **622**

1258 Prise de Bagdad par les Mongols

632-661 Premiers califes

661-750 Empire omeyyade (Damas, capitale)

750-1258 Empire abbasside (Bagdad, capitale)

Écriture du Coran

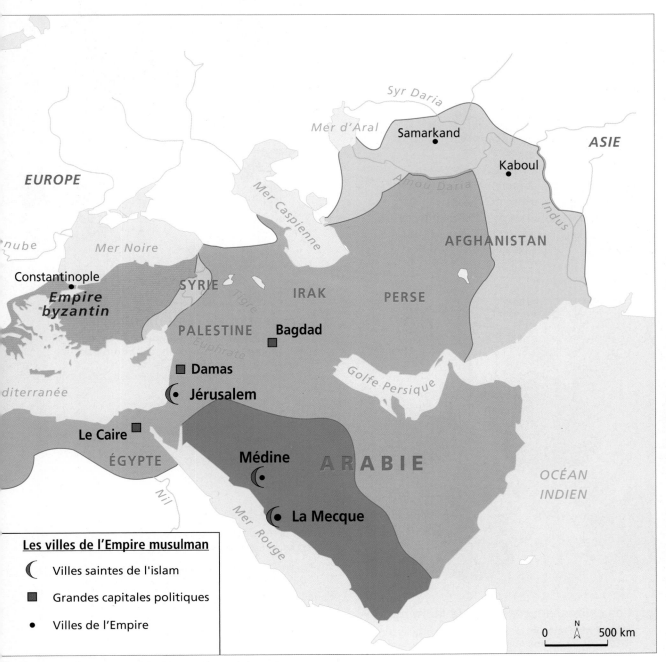

Les villes de l'Empire musulman

☾ Villes saintes de l'islam

■ Grandes capitales politiques

• Villes de l'Empire

0   N   500 km

Les conquêtes arabes et l'expansion territoriale de l'islam

La création du premier État musulman

Question clé **Comment se construit le premier État musulman ?**

BIOGRAPHIE

MOHAMMED, fondateur de l'État musulman

▶ Né en 571 à **La Mecque**, en Arabie, **Mohammed** devient marchand caravanier.

▶ À 40 ans, il aurait reçu la **« Révélation »** lui annonçant que le Dieu unique **Allah** faisait de lui son **prophète**.

▶ Il prêche alors cette nouvelle religion monothéiste, l'**islam**, à La Mecque. Mais devant l'hostilité des habitants, il fuit la ville en **622**, et se réfugie à Médine : c'est l'**Hégire**.

▶ En **630**, avec son armée, il s'empare de La Mecque puis de la plus grande partie de l'Arabie. Les populations se convertissent à l'**islam**.

▶ **Un État musulman** est créé, l'**Arabie**, dont il est le chef politique, religieux et militaire jusqu'à sa mort en 632.

2 **L'expansion de l'État musulman**
Les successeurs de Mohammed se lancent dans des conquêtes, c'est le djihad. L'État musulman devient un empire (voir p. 34-35).
Miniature tirée de *Kamasah*, 1442, British Library, Londres.

1 **Les califes, successeurs de Mohammed**
Mohammed entouré de ses premiers successeurs (632-661), les califes Abou Bakr, Omar, Othman et Ali.
Miniature ottomane, XVᵉ siècle, Bibliothèque nationale, Le Caire.

VOCABULAIRE

▶ **Allah**
Mot arabe signifiant Dieu.

▶ **Calife**
Voir p. 38.

▶ **Djihad**
Effort permanent que doit faire tout musulman afin de se purifier. Également droit de combattre l'occupant.

▶ **Islam**
« Soumission » à Allah et à l'État musulman. Nom de la religion prêchée par Mohammed.

▶ **Musulman**
Croyant de l'islam.

▶ **Prophète**
Homme chargé par Dieu de transmettre ses paroles.

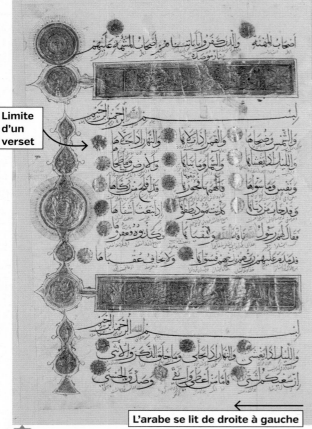

Limite d'un verset

L'arabe se lit de droite à gauche

3 Le Coran, livre sacré de l'État musulman

Le Coran (« récitation » en arabe) est considéré comme la parole de Dieu, dictée par Allah à Mohammed. Le Coran a été écrit à la demande des premiers califes en langue arabe.

Vellum, XIIᵉ-XIIIᵉ siècle, Museum of the Holy Ma'sumeh Shrine, Qom, Iran.

4 Les cinq piliers de l'islam

● La profession de foi

Dites « Nous croyons en Dieu, à ce qui nous a été révélé, [...] à ce qui a été donné aux prophètes de la part de leur Seigneur. » (Verset 136)

● La prière

Ceux qui s'acquittent de la prière, [...] voilà ceux qui suivent une Voie indiquée par leur Seigneur ! (Versets 3-5)

● L'aumône

L'homme est bon celui qui [...] pour l'amour de Dieu donne de son bien à ses proches, aux orphelins, aux pauvres, au voyageur, aux mendiants. (Verset 177)

● Le ramadan

Le coran a été révélé durant le mois de Ramadan [...]. Quiconque d'entre vous, verra la nouvelle lune, jeûnera le mois entier [...]. Mangez et buvez jusqu'à ce que l'on puisse distinguer à l'aube un fil blanc d'un fil noir. Jeûnez ensuite jusqu'à la nuit. (Versets 185 et 187)

● Le pèlerinage à La Mecque

Le pèlerinage a lieu en des mois déterminés [...]. Invoquez Dieu auprès du monument sacré (la Kaaba). [...] (Versets 197-199)

■ Coran

Activités

Question clé | **Comment se construit le premier État musulman ?**

ITINÉRAIRE 1

ou

▶ Je prélève des informations dans les documents

❶ Biographie. Quel a été le rôle de Mohammed dans la création du premier État musulman ?

❷ Biographie et Doc 1 à 3. Montrez que Mohammed et les califes sont les chefs religieux, politiques et militaires de l'État musulman.

❸ Biographie, Doc 2 à 4. Pourquoi peut-on dire que l'État créé par Mohammed et les premiers califes est un État musulman ?

▶ J'argumente à l'écrit

❹ À l'aide des questions 1 à 3, répondez en quelques phrases à la question clé.

ITINÉRAIRE 2

▶ Je m'exprime à l'oral

En groupes, à l'aide des documents, préparez un exposé qui répond à la question clé.

MÉTHODE

Votre exposé pourra suivre le plan suivant :

▶ Thème 1. Mohammed et la création de l'État musulman (Biographie)

▶ Thème 2. Le rôle des premiers califes dans la construction de l'État musulman (Doc 2, 3 et carte p. 35)

▶ Thème 3. La place de l'islam dans l'État musulman (Biographie, Doc 1, 3 et 4)

TÂCHE COMPLEXE

SOCLE Compétences
- **Domaine 1 :** j'argumente à l'écrit et à l'oral
- **Domaine 2 :** j'extrais des informations pertinentes des documents et je les classe

Le calife, chef de l'Empire musulman

CONSIGNE

Vous êtes un savant musulman renommé et vous voyagez dans l'Empire, allant de ville en ville. Vous êtes reçu à la cour du calife de Bagdad et vous rencontrez son entourage.

Vous rédigez un reportage sur les pouvoirs du calife et la manière dont il gouverne son empire. Puis vous le présentez oralement devant la classe.

VOCABULAIRE

▸ Calife
De l'arabe *khalifa*, successeur du prophète Mohammed. Chef religieux, politique et militaire de l'Empire musulman.

1 Le calife, un conquérant

Le calife omeyyade Yazid Ier lors de la bataille de Kerbala (Irak) en 680. Miniature du *Hadikat us-suada* de Fuzulî, XVIe siècle, British Library, Londres.

2 Les devoirs du calife

1. Maintenir la religion.

2. Exécuter les décisions rendues entre plaideurs et mettre fin aux procès [...] de façon à faire partout régner la justice.

3. Protéger les pays d'islam et en respecter les abords, pour que la population puisse gagner son pain et faire librement les déplacements qui lui sont nécessaires sans exposer ni sa vie ni ses biens.

4. Combattre ceux qui, après y avoir été invités, se refusent à embrasser l'islam, jusqu'à ce qu'ils se convertissent ou paient un tribut[1], [pour] établir les droits d'Allah en leur donnant la supériorité sur toute autre religion.

■ D'après Al-Mâwardî, *Al-Ahkâm al-sultâniyya* (« Statuts gouvernementaux »), Xe-XIe siècle, traduction E. Fagnan, Jourdan, Alger, 1915.

1. Les juifs et les chrétiens des territoires conquis par les califes peuvent continuer à pratiquer leur religion en échange du paiement d'un impôt.

3 Le calife, fondateur de ville

Le calife abbasside Al-Muta'sim quitte Bagdad et fait construire une nouvelle capitale, Samarra (836-892).

On dressa le plan des terrains, ainsi que le plan de la grande mosquée et des souks qui l'entouraient. Des avenues furent percées pour les terrains des officiers et des hommes de troupes. Il y avait aussi des rues pour les particuliers [...].

Puis, sur la rive occidentale du Tigre, le calife Al-Muta'sim fit construire des immeubles, établir des vergers et des jardins, creuser des canaux. [...] Il fait venir de partout des spécialistes de tous les métiers, des ouvriers habiles aux travaux de construction des maisons et des palais, des jardiniers, des ingénieurs. [...]

■ D'après le géographe Yakubi, *Les Pays*, IXe siècle.

INFOS

Loin du calife, les **émirs** qui dirigent l'armée et lèvent les impôts, ne lui sont pas toujours fidèles.

4 **Le calife Al-Ma'mûn (813-833)**

Le peuple exprime sa fidélité au nouveau calife abbasside.
Manuscrit indien, XVIᵉ siècle, San Diego Museum of Art, États-Unis.

5 **Le gouvernement de l'Empire musulman**

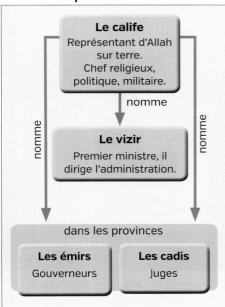

Le calife
Représentant d'Allah sur terre.
Chef religieux, politique, militaire.

nomme

nomme   nomme

Le vizir
Premier ministre, il dirige l'administration.

dans les provinces

Les émirs
Gouverneurs

Les cadis
Juges

6 **Un cadi rendant la justice**
Enluminure de 1237, BnF, Paris.

COUP DE POUCE

Pour vous aider à rédiger votre reportage, recopiez et complétez le tableau suivant.

	Doc 1	Doc 2	Doc 3	Doc 4	Doc 5	Doc 6
Quels sont les pouvoirs du calife ?						–
Comment le calife développe-t-il son prestige ?					–	–
Avec qui gouverne-t-il ? – dans la capitale	–	–	–	–		–
– dans les provinces de l'empire	–	–	–	–		

SOCLE Compétences

➤ **Domaine 1 et 2 :** j'explique et je confronte des documents
➤ **Domaine 2 :** je travaille en équipe pour élaborer une
production collective

La ville, au cœur du monde de l'islam

CONSIGNE

L'Empire musulman est un monde de villes aux multiples fonctions, politiques, religieuses, commerciales, culturelles. En groupes, vous travaillez sur la ville, cœur de la civilisation de l'islam, et expliquez, à l'aide des documents proposés et de recherches personnelles, comment s'y développent ces différentes fonctions.

Chaque groupe présente son travail au reste de la classe. À partir des présentations orales de chaque équipe, vous réaliserez un schéma qui définit les fonctions de la ville musulmane.

site élève
⬇ schéma à compléter

ÉQUIPE 1

La ville, centre du gouvernement

À partir de l'exemple de Bagdad, votre équipe doit expliquer à la classe la fonction politique de la ville.

❶ Comment voit-on que la ville est le lieu du gouvernement ?
❷ Comment ce lieu est-il protégé ?
❸ Comment le palais montre-t-il la richesse du calife ?

1 Bagdad, capitale des Abbassides (750-929)

« C'est bien la ville que, au dire de mon père, je dois fonder, où je dois vivre et où régneront ensuite mes descendants. [...] J'édifierai cette capitale et ce sera sans conteste la ville la plus prospère du monde. » [...]

Al-Mansur[1] fit la seule ville ronde au monde. [...] Au centre de la ville il y avait le palais du calife et à côté la grande mosquée. Plus loin on trouvait les demeures des jeunes enfants d'Al-Mansur, des esclaves noirs attachés à son service, le trésor, les ministères et les administrations. [...]

Dans chacune de ces rues habitaient les officiers supérieurs et tous les fonctionnaires qui inspiraient assez de confiance pour être logés à proximité du calife.

■ D'après Yakubi, *Les Pays*, IXe siècle.
1. Calife abbasside (754-775).

2 Le Bab al-Wastani, porte du milieu, VIIIe siècle

Bagdad est entourée d'un fossé d'environ 20 mètres de large. 112 tours longent le mur d'enceinte muni de portes de fer, hautes et épaisses.

3 Dans le palais d'Haroun al-Rachid

La pièce était entièrement tapissée de soie et son plafond était en coupole. La voûte au-dessus d'eux était un décor assorti, avec ses cent caissons au moins, dont les parties creuses mêlaient l'or et le cristal, sans parler des incrustations de pierreries.

■ D'après *Les Mille et Une Nuits*, *L'amour interdit*, vol. II, Phébus, 1986.

La ville, centre religieux

ÉQUIPE 2

Votre équipe doit expliquer à la classe la fonction religieuse de la ville.

❶ Quel monument montre que l'islam est présent dans la ville ?

❷ Comment les musulmans qui habitent la ville pratiquent-ils leur religion ?

INFOS

La **Grande Mosquée** de Cordoue a été construite entre le **VIIIe et le XIIe siècle**. Après la reconquête du califat de Cordoue par les chrétiens, au XIIIe siècle, elle est devenue une église.

4 **La salle des prières de la mosquée du Vendredi à Cordoue**

Elle compte 800 colonnes.

5 **Le *mihrab* de la mosquée du Vendredi à Cordoue**

C'est le symbole de la présence de Mohammed, devant lequel les musulmans prient.

6 **Le vendredi, jour de la prière**

La prière collective est dirigée par l'imam ❶, à la mosquée. Du *minbar*, il explique le Coran.
Miniature de Al-Wâsîtî, extraite de Al-Harîrî, *Les Séances*, Bagdad, 1237, BnF, Paris.

VOCABULAIRE

▸ **Imam**
En arabe, « celui qui guide ».
Sa bonne connaissance du Coran lui permet de diriger la prière.

▸ **Mosquée**
Lieu du culte musulman.

 ÉQUIPE **3**

La ville, centre économique

Votre équipe doit présenter à la classe les activités économiques de la ville.

❶ Où se situe le centre économique de la ville ?
❷ Quels produits y sont vendus ?
❸ Quelle est leur provenance ?

7 ▸ **Le souk al-Karkh de Bagdad, XIIIᵉ siècle**
C'est un vaste marché couvert.
Miniature extraite du roman d'amour *Warga et Gulsa*
(XIIIᵉ siècle), musée du Topkapi, Istanbul.

8 ▸ **Le parfum des marchés**

Il y a d'abord le grand espace nommé place du Pont. Puis le marché des Oiseaux, un marché où l'on peut trouver toutes les sortes de fleurs et sur les côtés duquel se trouvent les boutiques élégantes des changeurs. [...]

Puis celui des traiteurs, celui des boulangers, celui des bouchers, celui des orfèvres. [...] Puis il y a le marché des libraires, immense, qui est aussi le lieu de rassemblement des savants et des poètes.

Les parfumeurs ne se mélangent pas avec les marchands de graisse et de produits aux odeurs désagréables ; de même les marchands d'objets neufs ne se mélangent pas avec les marchands d'objets usagés.

▪ Ibn al-Jawzi, *Manaqib Baghdad* (« Les Vertus de Bagdad »), XIIIᵉ siècle.

9 ▸ **Le marché aux esclaves de Zabid (Yémen), XIIIᵉ siècle**
Il s'agit de l'un des plus grands marchés aux esclaves du Moyen Âge.
Manuscrit du XIIIᵉ siècle, BnF, Paris.

 INFOS

L'Empire musulman est à la croisée des routes commerciales. De l'Afrique arrivent l'or, l'ivoire, les esclaves. De l'Asie arrivent les épices, le bois, les parfums, la soie, les étoffes, les pierres précieuses. De l'Europe arrivent les fourrures, le miel, les métaux...

La ville musulmane, centre de culture

ÉQUIPE 4

Votre équipe doit présenter à la classe les activités culturelles de la ville.

❶ Pourquoi peut-on se cultiver à la ville ?
❷ Dans quels domaines ?
❸ Pourquoi peut-on parler d'une vie citadine raffinée ?

INFOS

Dans les villes, les **califes** et les **émirs** fondent des **madrasas**, lieux d'étude du droit et de la religion où sont logés les étudiants et les savants de passage.

10 La bibliothèque de Bagdad

C'est aussi un lieu de traduction en arabe de livres philosophiques, littéraires, scientifiques (grecs, persans et indiens).
Miniature extraite des *Séances*, Al-Harîrî, Bagdad, 1237, BnF, Paris.

12 Le raffinement de la vie citadine

Dans le jardin intérieur d'un palais, une dame et sa suite écoutent un joueur de luth.
Miniature extraite de *L'Histoire de Bayâd et Riyad*, Espagne ou Maroc, XIIIᵉ siècle, bibliothèque du Vatican.

11 L'enseignement par les savants arabes

Tolède, ville du califat de Cordoue, est connue pour les bibliothèques pleines de manuscrits gréco-arabes et la présence de savants juifs, musulmans et chrétiens.

La passion de l'étude m'avait chassé d'Angleterre. [...]
Comme de nos jours c'est à Tolède [Espagne] que l'enseignement des Arabes est dispensé aux foules, je me hâtais de m'y rendre pour y écouter les leçons des plus savants philosophes du monde. Invité à rentrer d'Espagne, je suis revenu en Angleterre avec une précieuse quantité de livres.

■ « Le Voyage de Daniel de Morley »[1], *Les Intellectuels au Moyen Âge*, Jacques Le Goff, éditions du Seuil, 1957, « Points Histoire », 2014.

1. Savant avide de culture, il rapporte en Occident des traités scientifiques arabes et des œuvres de savants grecs, qu'il fait traduire en latin.

D'hier à aujourd'hui

SOCLE Compétences
- **Domaine 2 :** je confronte des documents à ce que je sais du sujet étudié
- **Domaine 5 :** je comprends que le passé éclaire le présent

Que reste-t-il aujourd'hui des débuts de l'islam ?

A Les musulmans aujourd'hui dans le monde

CHIFFRES CLÉS

Répartition des musulmans dans le monde

➜ **1,6 milliard** de musulmans, soit **un quart** de la population mondiale.

- **Asie-Océanie** 61,9 %
- **Afrique** 35,4 %
- **Europe** 2,4 %
- **Amériques** 0,3 %

1 **Le pèlerinage à la Kaaba de La Mecque au Moyen Âge**
Miniature turque, XVIe siècle, musée du Topkapi, Istanbul.

INFOS

La **Kaaba** était un sanctuaire polythéiste des Bédouins d'Arabie. Mohammed en a fait un lieu saint de l'islam.

site élève
⬇ lien vers la vidéo

2 **Le pèlerinage à la Kaaba de La Mecque aujourd'hui**
Chaque année, plusieurs millions de musulmans viennent du monde entier en pèlerinage dans la grande mosquée de La Mecque (Arabie saoudite). Ils se rassemblent autour de la Kaaba.

L'héritage des savants et des artistes des débuts de l'islam

3 L'astronomie

Des astronomes arabes dans l'observatoire de Galata à Constantinople sous les califes abbassides (VIIIe-XIIIe siècle).

 Globe terrestre.

2 Observation des mouvements de la Lune, de la Terre et de la position des étoiles.

Shâhinshâhnameh of Murad III, vellum de l'école turque, Istanbul University Library, XVIe siècle.

INFOS

Les savants du monde de l'islam se passionnent pour les **œuvres des savants de l'Antiquité grecque et les traduisent en arabe**. Ils développent les mathématiques et inventent l'algèbre.

4 La médecine

Les médecins arabes savent pratiquer des césariennes, anesthésier les malades, opérer des yeux... Ici on pratique une saignée.

Manuscrit de médecine perse d'Abu Raihan Al-Biruni, XIe siècle, Bibliothèque universitaire d'Édimbourg.

5 La décoration des mosquées

Calligraphie sur les murs en céramique de la mosquée du Vendredi de Yazd, Iran.

QUESTIONS

J'observe les traces du passé

1 Doc 1, 3, 4 et Infos. Quels aspects des débuts de l'islam ces documents présentent-ils ?

2 Doc 3 à 5 et Infos. Que découvrez-vous au sujet des savants et artistes des débuts de l'islam ?

Je fais le lien entre le passé et le présent

3 Doc 1, 2 et Chiffres clés. Observez la pratique de l'islam et identifiez les lieux où résident les musulmans aujourd'hui. Sont-ils les mêmes qu'au début de l'islam (voir p. 34-35) ?

4 Doc 3 à 5 et Infos. Que nous ont transmis les savants et les artistes des débuts de l'islam ?

Le monde de l'islam (VIe–XIIIe siècle)

→ **Comment naît et se développe le monde de l'islam entre le VIe et le XIIIe siècle ?**

A Naissance de l'islam et du premier État musulman

1. La religion de l'**islam** naît au VIIe siècle en Arabie, peuplée de Bédouins polythéistes, les Arabes. L'un d'eux, **Mohammed**, affirme avoir reçu la **« Révélation »** et se dit le **prophète** du dieu unique Allah. Il veut réunir les Arabes en une communauté de croyants, les musulmans soumis à Allah.

2. Mohammed prêche l'islam à **La Mecque**, mais devant l'hostilité des habitants, il fuit la ville et se réfugie à **Médine**. C'est l'**Hégire (622)**. En 630, à la tête d'une armée, il s'empare de La Mecque, **convertit les Arabes** à l'islam, et crée en **Arabie** le premier **État musulman**. Il en devient le chef religieux, politique et militaire.

B L'expansion de l'islam et la création d'un empire

1. À la mort de Mohammed (632), ses successeurs prennent le titre de **calife**. Les **premiers califes** (632-661), puis les **Omeyyades** (661-750), conquièrent un vaste empire, depuis l'Espagne jusqu'aux portes de l'Inde. L'empire, trop vaste, se divise, et en 1258, les **Mongols** venus d'Asie détruisent **Bagdad**, capitale des **Abbassides** (750-1258).

2. Les peuples conquis se convertissent à l'**islam**, mais les **juifs** et les **chrétiens** peuvent garder leur religion, contre le paiement d'un impôt. Le **calife**, représentant d'Allah, gouverne l'empire avec le **vizir**, à la tête de l'administration, et avec les **émirs** et les **cadis**, qui le représentent dans les provinces.

C L'essor d'une brillante civilisation (VIIIe–XIIIe siècle)

1. L'**islam** et la **langue arabe** donnent à l'empire son **unité**. Le **musulman** obéit aux paroles d'Allah inscrites dans le **Coran**. Pour se purifier, il applique les **cinq piliers de l'islam**, il respecte le **djihad**.

2. La civilisation de l'islam est **urbaine**. La **ville** est un **centre religieux**, par la présence de la **mosquée**. Elle est un **centre politique**, **ville-palais** où réside le calife (Damas, Bagdad, Cordoue...). Elle est un **carrefour commercial** où, dans les **souks**, se rencontrent marchands et artisans. Une intense **activité culturelle** s'y développe : **écoles**, **bibliothèques**, rencontre des **plus grands savants du monde**, médecins, mathématiciens...

D'où vient le mot...
ARABE ?

Le terme **Arabe** désigne à l'origine les « **Bédouins** », tribus nomades du désert d'Arabie, et leur langue. L'**islam**, fondé par Mohammed, réunit ces tribus en une communauté élue de Dieu, le **peuple arabe**. Ce peuple va bâtir un vaste **empire**. **Arabe** désigne alors un **peuple**, une **langue**, une **religion**, un **empire**.

VOCABULAIRE

▸**Calife**
De l'arabe *khalifa*, successeur du prophète Mohammed. Chef religieux, politique et militaire de l'Empire musulman.

▸**Coran**
De l'arabe *qur'an*, récitation. Seul texte sacré de la religion de l'islam, composé de 114 sourates et considéré par les musulmans comme la parole divine dictée à Mohammed.

▸**Djihad**
Effort permanent que doit faire tout musulman afin de se purifier. Également droit de combattre l'occupant.

▸**Islam**
« Soumission » à Allah et à l'État musulman. Nom de la religion prêchée par Mohammed.

▸**Prophète**
Homme chargé par Dieu de transmettre ses paroles.

La naissance d'une religion, l'islam

- Un dieu unique, **Allah**
- Mohammed (571-632), **prophète** d'Allah
- Le **Coran**, livre sacré de l'islam
- Le respect des **cinq piliers de l'islam** par les **musulmans**

Le premier État musulman...

... fondé par le prophète Mohammed.

- **Hégire (622)** puis **conquête de La Mecque (623-630)**.
- **L'Arabie musulmane (630-632)** Mohammed, chef politique, religieux et militaire.

L'Empire musulman

- **La conquête de l'Empire...**
  - ... par les successeurs de Mohammed : les premiers califes (632-661), les **Omeyyades** (661-750).
  - ... qui s'étend en **Asie**, en **Afrique du Nord**, en Espagne.
  - ...et qui se divise. Destruction de Bagdad, capitale des **califes abbassides** par les **Mongols** (1258).
- **Le gouvernement de l'Empire**
  - Le **calife**, chef politique, religieux et militaire.
  - Les **émirs**, gouverneurs des provinces.

La civilisation arabo-musulmane

- **Des populations unies par :**
  - une religion, **l'islam**.
  - une langue, **l'arabe**.

- **Des sociétés urbaines**
  - **La ville** : une fonction **politique** (palais), **religieuse** (mosquée), **économique** (souk), **culturelle** (bibliothèques, écoles...).

- **Le rôle des califes**
  - Contribution à l'essor des sciences, des lettres et des arts et aide aux savants.
  - Autorisation, pour les juifs et les chrétiens, de pratiquer leur religion contre un impôt.

Je révise chez moi

● **Je vérifie que je connais les principaux repères du chapitre.**

Je sais définir et utiliser dans une phrase :

- islam
- Mohammed
- Coran
- calife
- Hégire

Je sais situer :

sur une frise :
- l'Hégire
- la naissance du premier État musulman
- la prise de Bagdad par les Mongols

sur une carte :
- l'Arabie
- les capitales des califes
- les villes de l'islam

site élève
⭳ fond de carte et frise

Je sais expliquer :

- le rôle de Mohammed dans la naissance de l'islam et du premier État musulman.
- les pouvoirs du calife à la tête de l'Empire musulman.
- les différentes fonctions de la ville musulmane.

Comment apprendre ma leçon ?

J'apprends en m'enregistrant

Parfois, on retient mieux ce que l'on entend. Pour mémoriser le cours, on peut s'enregistrer en récitant sa leçon, puis s'écouter plusieurs fois.

▶ **Étape 1**

- Pour commencer, il faut vous assurer que vous avez bien compris la leçon. Classez les connaissances du chapitre en 3 parties.

> 1. La naissance de l'islam et du premier État musulman
>
> 622 Hégire
> Arabie
> Prophète
> ...

> 2. L'expansion de l'islam
>
> Calife
> Empire : de l'Espagne jusqu'aux portes de l'Inde
> ...

Dans chaque partie, il faudra intégrer les dates, les lieux importants et les mots clés de la leçon.

> 3. Une brillante civilisation
>
> Souk
> Activités culturelles
> ...

▶ **Étape 2**

- Enregistrez-vous en racontant votre leçon. Pour cela vous pouvez utiliser votre téléphone portable, un dictaphone ou votre ordinateur (avec un logiciel comme Audacity).

- Lorsque vous vous enregistrez, récitez votre leçon en faisant des phrases claires et audibles. Ne parlez pas trop vite, il faut que cela soit agréable à écouter. N'hésitez pas à préciser les titres de vos parties au fur et à mesure.

▶ **Étape 3**

- Pour écouter votre enregistrement, mettez-vous au calme et concentrez-vous ! Vous pouvez l'écouter plusieurs fois, vous mémoriserez mieux la leçon.

En t'enregistrant, tu expliques à voix haute un cours que tu as compris : tu seras donc capable de l'utiliser à nouveau !

Je vérifie mes connaissances

1 **J'indique si ces affirmations sont vraies ou fausses.**

	Vrai	Faux
a. L'islam est une religion polythéiste.	☐	☐
b. Le calife est un gouverneur de province dans l'Empire musulman.	☐	☐
c. Damas et Bagdad ont été les capitales de l'Empire musulman.	☐	☐
d. L'Hégire correspond à la fuite de Mohammed de Médine.	☐	☐
e. La Mecque est la ville sainte de l'islam.	☐	☐
f. La civilisation de l'islam se développe dans les campagnes de l'Empire musulman.	☐	☐

2 **Je raconte à partir des images.**

Rédigez une phrase ou racontez oralement ce que chaque document, issu du chapitre, vous a appris sur les débuts de l'islam.

 a.
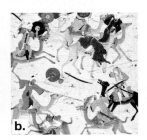 b.
 c.
 d.

3 **Je nomme les cinq piliers de l'islam.**

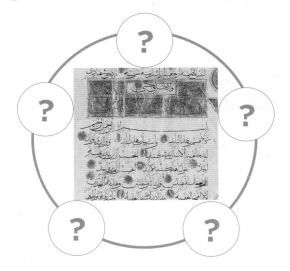

4 **Incollable sur l'islam ?**

Retrouvez dans ce documentaire les mots de votre leçon et classez-les dans un tableau.

La religion de l'islam	L'histoire des débuts de l'islam	La civilisation de l'islam

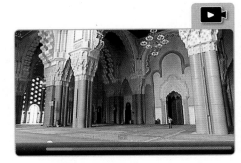

« L'islam de Mahomet à aujourd'hui », *C'est pas sorcier*, France Télévisions, 2010.

5 **Retrouvez d'autres exercices sous forme interactive sur le site Nathan.**

 site élève – exercices interactifs

1 J'analyse et je comprends une photographie de la Grande Mosquée de Damas

↳ SOCLE : Domaine 5

Parcours arts

La Grande Mosquée de Damas

site élève
↳ plan de la mosquée

1 Les minarets

2 La salle de prière (3 nefs)

3 La cour avec la fontaine aux ablutions

À l'intérieur de la mosquée

4 Le *mihrab*

5 Le *minbar*

6 La *qibla*, mur en face duquel les fidèles prient en direction de La Mecque

mémo ART

La Grande Mosquée de Damas,

▶ Construite entre 706 et 714 par le calife omeyyade al-Walid Ier, elle est considérée par les Arabes comme l'une des merveilles du monde.

▶ **Dimensions** : 260 x 90 m. Hauteur de la salle de prière : 27 m

▶ Les matériaux de construction sont la **pierre** et le **marbre sculpté**. Le **décor architectural** se compose de marbres de couleur, de mosaïques à fond d'or et d'argent, de nacre…

▶ Son **plan** sert de **modèle** à la plupart des **mosquées**. Il reprendrait celui de la maison du prophète Mohammed à Médine.

QUESTIONS

➤ **J'identifie et je situe l'œuvre d'art**

1 Quelle est la fonction de ce monument ? De quel siècle date-t-il ?

2 Qui a ordonné sa construction ?

➤ **Je décris l'œuvre et j'en explique le sens**

3 Nommez, définissez et expliquez la fonction des différentes parties de la mosquée correspondant aux numéros de la photographie.

4 Pourquoi la mosquée a-t-elle été construite au centre de la ville ?

2 J'utilise mes connaissances pour expliquer des documents : le calife dans la ville

↳ SOCLE : Domaine 1

1 Le calife et son peuple à Bagdad

Le roi se rend de son palais à la grande mosquée qui est à la porte de Bassora.

Sur le chemin qui mène à la mosquée, les murs des maisons sont couverts de toiles de soie et de pourpre ; des hommes et des femmes sont assis dans les rues et les places, ils jouent de toutes sortes d'instruments de musique, chantent et dansent devant le grand roi qu'on appelle al-khalifa. Ils le saluent à haute voix et lui crient : « Paix sur toi, ô seigneur notre roi ! »

■ Benjamin de Tudèle, *Voyages*, vers 1170.

2 Les séances du calife

Il y a pour le souverain obligation de consacrer deux séances par semaine à écouter les plaintes des opprimés et à rendre justice à ceux qui ont eu à souffrir de procédés [injustes].

Lorsque le bruit se répandra que le maître du monde admet deux fois par semaine, auprès de lui, les opprimés [...], tous ceux qui commettent des actes tyranniques seront saisis de crainte.

■ Nizam al-Mulk, *Siyâsat nâma* (« Traité de gouvernement »), 1091.

QUESTIONS

❶ Quels pouvoirs du calife sont illustrés par ces textes ?

❷ D'après ces documents, quelles semblent être les relations entre le calife et son peuple ?

MON BILAN DE COMPÉTENCES

Domaines du socle	Compétences travaillées	Pages du chapitre
D1 Les langages pour penser et communiquer	• Je sais argumenter à l'écrit de façon claire et organisée.	Je découvre .... p. 36-37
	• Je sais argumenter à l'écrit et à l'oral.	J'enquête .... p. 38-39
	• Je sais expliquer et confronter des documents.	J'enquête .... p. 40-41
	• Je sais utiliser mes connaissances pour expliquer des documents.	Exercice 2 .... p. 51
D2 Les méthodes et outils pour apprendre	• Je sais extraire des informations pertinentes des documents et les classer.	J'enquête .... p. 38-39
	• Je sais expliquer et confronter des documents.	J'enquête .... p. 40-41
	• Je sais travailler en équipe pour élaborer une production collective.	J'enquête .... p. 40-41
	• Je sais confronter des documents à ce que je sais du sujet étudié.	D'hier à aujourd'hui p. 44-45
	• Je sais organiser mon travail personnel.	Apprendre à apprendre .... p. 48
	• Je sais m'informer dans le monde du numérique.	Exercice 3 .... p. 51
D5 Les représentations du monde et l'activité humaine	• Je sais extraire des informations de documents pour comprendre un fait religieux, l'islam.	Je découvre .... p. 36-37
	• Je comprends que le passé éclaire le présent.	D'hier à aujourd'hui p. 44-45
	• Je sais analyser et comprendre un document.	Exercice 1 .... p. 50

3

Les contacts entre chrétiens et musulmans en Méditerranée

→ **Quelles relations se nouent entre les mondes chrétiens et musulmans dans l'espace méditerranéen des VIe–XIIIe siècles ?**

Au cycle 3

Au CM1, j'ai étudié l'histoire des Gaules et les contacts, entre les Celtes, les Gaulois, les Grecs et les Romains durant l'Antiquité.

Au cycle 4

Chapitres 1 et 2, j'ai découvert deux empires chrétiens (Byzance et l'Europe carolingienne) et l'Empire musulman.

Ce que je vais découvrir

Entre le VIe et le XIIIe siècle, la Méditerranée devient un espace d'échanges et d'affrontements entre les chrétiens et les musulmans.

1 **Des affrontements guerriers**
Le roi capétien Louis IX embarquant pour la septième croisade.
Guillaume de Saint-Pathus, *Vie et miracles de Monseigneur Saint Louis*, vers 1320, BnF, Paris.

De nombreux mots français sont directement issus des échanges commerciaux entre le monde arabo-musulman et l'Occident chrétien. C'est le cas de bazar, magasin, douane, mousseline…

2 Des échanges pacifiques

Un musulman et un chrétien jouant du luth en Espagne.
Miniature du *Cantigas de Santa Maria* d'Alphonse X le Sage, XIIIe siècle.

Je me repère

Contacts et rivalités entre les mondes chrétiens et musulman

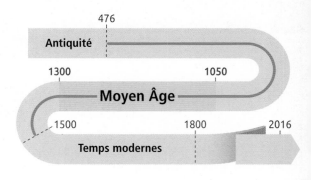

Antiquité — 476
1300 — Moyen Âge — 1050
1500 — Temps modernes — 1800 — 2016

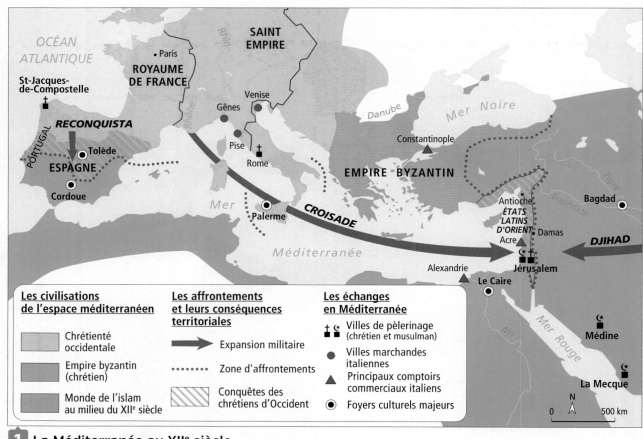

1 La Méditerranée au XIIᵉ siècle

Légende :

Les civilisations de l'espace méditerranéen
- Chrétienté occidentale
- Empire byzantin (chrétien)
- Monde de l'islam au milieu du XIIᵉ siècle

Les affrontements et leurs conséquences territoriales
- Expansion militaire
- Zone d'affrontements
- Conquêtes des chrétiens d'Occident

Les échanges en Méditerranée
- Villes de pèlerinage (chrétien et musulman)
- Villes marchandes italiennes
- Principaux comptoirs commerciaux italiens
- Foyers culturels majeurs

0 — 500 km

Chronologie des croisades

1089	1096-1099	1147-1149	1189-1192	1204
Début de la Reconquista	Première croisade	Deuxième croisade	Troisième croisade	Quatrième croisade

54

1050	1100	1150	1200	1250	1300

Temps des croisades

1095
Appel du pape pour
la première croisade

1142
Traduction du
Coran en latin

1212
Victoire chrétienne sur les musulmans
à Las Navas de Tolosa

1099
Prise de Jérusalem
par les croisés

1130-1154
Sicile normande

1187 Reprise de Jérusalem par Saladin

1204 Prise de Constantinople par les croisés

Reconquista

États latins d'Orient

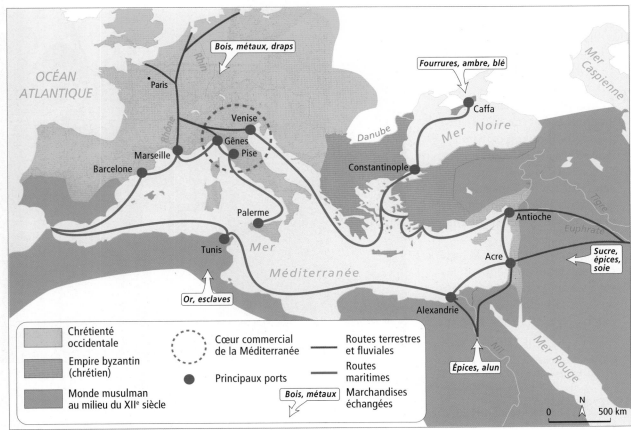

2 Le commerce en Méditerranée au XIIᵉ siècle

VOCABULAIRE

▶ **Comptoir**
Port établi par un pays dans
un autre pays, pour y organiser
un commerce.

▶ **Croisade**
Expédition militaire et religieuse
menée par les chrétiens
d'Occident pour délivrer les
Lieux saints passés sous
domination musulmane.

Un **croisé** est celui qui participe
aux croisades.

▶ **États latins d'Orient**
États créés puis administrés
par les chrétiens d'Occident
au lendemain de la première
croisade (fin du XIᵉ siècle).

▶ **Reconquista**
Reconquête de l'Espagne par les
rois catholiques (XIᵉ-XVᵉ siècle).

QUESTIONS

▶ Je me repère dans
le temps et l'espace

❶ Quelles civilisations
dominent l'espace
méditerranéen ?

❷ Quels sont les types de
contacts entre ces trois
civilisations ?

❸ Quand débutent les
croisades ?

Les croisades

Question clé **Quelles sont les relations entre chrétiens d'Occident et musulmans pendant les croisades ?**

1 L'appel d'Urbain II à la croisade (1095)

Il est urgent d'apporter en hâte à vos frères d'Orient[1] l'aide si souvent promise et d'une nécessité si pressante. Les Turcs et les Arabes les ont attaqués [...], en ont tué et fait captifs un grand nombre, ont détruit les églises et dévasté le royaume. Si vous les laissez à présent sans résister, ils vont étendre leur vague plus largement sur beaucoup de fidèles serviteurs de Dieu. [...]

Si ceux qui iront là-bas perdent leur vie pendant le voyage sur terre ou sur mer ou dans la bataille contre les païens, leurs péchés seront remis en cette heure [...].

■ D'après Foucher de Chartres, *Histoire du pèlerinage des Francs à Jérusalem*, XIIe siècle.

1. Populations chrétiennes qui vivent à l'est de la Méditerranée sous domination musulmane.

2 Les chrétiens assiègent et prennent Jérusalem (1099)
Miniature extraite du *Roman de Godefroy de Bouillon*, XIVe siècle, BnF, Paris.

1 Le moine Pierre l'Ermite encourage les croisés.
2 Le seigneur Godefroy de Bouillon indique le chemin de l'assaut.
3 Les musulmans à l'intérieur des murailles de Jérusalem.

VOCABULAIRE

▸**Croisade**
Expédition militaire et religieuse menée par les chrétiens d'Occident pour délivrer les Lieux saints passés sous domination musulmane.
Un **croisé** est celui qui participe aux croisades.

▸**États latins d'Orient**
États créés puis administrés par les chrétiens d'Occident au lendemain de la première croisade (fin du XIe siècle).

▸**Reconquista**
Reconquête de l'Espagne par les rois catholiques (XIe-XVe siècle).

▸**Terre sainte**
Région dans laquelle Jésus Christ a vécu.

INFOS

Godefroy de Bouillon a été convaincu de partir en **croisade** par le moine Pierre l'Ermite. Il fait partie de ceux qui prennent **Jérusalem**. Il meurt en **Terre sainte** en 1100.

3 Les relations entre communautés dans l'Espagne reconquise

Le roi d'Aragon a autorisé les musulmans à rester dans les maisons qu'ils ont à l'intérieur de la ville de Tudèle pendant un an. L'année écoulée, ils devront s'en aller devant les faubourgs avec leurs meubles, leurs femmes et leurs enfants. Celui qui voudra quitter Tudèle pour aller soit en terre musulmane, soit ailleurs, qu'il soit libre d'aller en sécurité.

Les musulmans conserveront leurs lois. On ne convoquera pas de force un musulman à la guerre, ni contre les musulmans, ni contre les chrétiens.

■ Charte accordée à Tudèle après sa conquête par Alphonse Ier, roi d'Aragon, 1119.

5 Des chevaliers chrétiens dans les États latins d'Orient

Nous qui étions occidentaux, nous sommes devenus orientaux. Nous avons oublié les lieux de notre origine. Untel possède ici des maisons en propre comme par droit d'héritage, tel autre a épousé une femme, non parmi ses compatriotes, mais syrienne, arménienne, parfois même une sarrasine[1] baptisée [...]. On se sert des diverses langues du pays. [...]

Ceux qui étaient là-bas pauvres, Dieu ici les a rendus riches. Pourquoi retourneraient-ils en Occident, ceux qui en Orient ont trouvé une telle fortune ?

■ Foucher de Chartres, *Histoire de Jérusalem*, XIIe siècle.

1. Nom donné aux musulmans par les chrétiens.

4 La Reconquista en Espagne
Combat entre chrétiens et musulmans en Espagne.
Enluminure du XIIIe siècle, bibliothèque de l'Escorial, Madrid.

Activités

Question clé Quelles sont les relations entre chrétiens d'Occident et musulmans pendant les croisades ?

ITINÉRAIRE 1

▶ **Je prélève des informations dans les documents**

❶ **Doc 1 et 2.** Pourquoi les chrétiens partent-ils pour la Terre sainte ? Quel est le résultat de la première croisade ?

❷ **Doc 4.** Qu'est-ce que la Reconquista ? Sur l'image, comment reconnaît-on les chrétiens et les musulmans ?

❸ **Doc 3 et 5.** Quelles relations s'établissent entre les chrétiens et les musulmans en Espagne ? Et en Orient ?

▶ **Je m'exprime à l'oral pour décrire et expliquer**

❹ À l'aide des questions 1 à 3, répondez en quelques phrases à la question clé.

ou

ITINÉRAIRE 2

site élève
⬇ schéma à compléter

▶ **Je construis un outil personnel de travail : un schéma**

Complétez le schéma ci-dessous en classant les informations relevées dans les documents.

SOCLE Compétences
- **Domaine 1 :** je m'exprime à l'écrit pour raconter, décrire, expliquer
- **Domaine 2 :** je comprends le sens des documents

Le commerce en Méditerranée

CONSIGNE

Vous êtes un grand marchand italien du XIIe siècle. Vous partez de Venise avec vos marchandises pour un long voyage en bateau vers Acre, en Terre sainte, en passant par Constantinople à l'aller, et par Alexandrie au retour.

Vous tenez un journal de bord dans lequel vous faites le récit des étapes de votre voyage commercial en Méditerranée, de vos rencontres et de vos impressions personnelles.

1 **Chargement de marchandises dans le port de Venise**
Fin du XIIIe siècle, Biblioteca Marciana, Venise.

2 **Privilèges accordés aux Pisans à Alexandrie**

Nous vous concédons [...] le droit d'exercer toutes vos affaires à Alexandrie et vous autorisons à habiter dans votre fondouk[1] d'Alexandrie. Tout ce que vous aurez à vendre, une fois payés les droits à la douane, vous pourrez le porter où vous voudrez dans notre royaume, et aussi bien le remporter chez vous si vous le voulez [...].

Et votre ambassadeur a demandé que si un Pisan se rendait au Saint-Sépulcre[2] sur un navire qui ne soit pas de bandits, et soit pris par notre flotte, au reçu de votre lettre nous vous le libérerions avec ses biens.

■ Lettre d'al-Abbas, vizir (ministre) du calife fatimide du Caire, à la cité de Pise en 1154.

1. Mot arabe pour désigner un comptoir de commerce (voir p. 54).
2. Tombeau du Christ à Jérusalem.

3 **L'empire commercial de Venise, XIe-XIIIe siècle**

OCÉAN ATLANTIQUE
La Tana
Venise
Aigues-Mortes — Gênes
Raguse
Mer Noire
Constantinople
Trébizonde
Valence
Rome
Naples
Salonique
Corfou
Grenade
Carthagène
Mer
Antioche
Alger
Tunis
Méditerranée
Candie
Beyrouth
Acre
Tripoli
Tobrouk
Alexandrie

- Possession vénitienne
- Comptoir ou ville ayant des accords économiques avec Venise
- Lignes de navigation vénitienne
- Voyage du marchand vénitien

INFOS

Les **Italiens** obtiennent, dans l'**Empire byzantin** et dans les **États latins d'Orient**, des **quartiers réservés** à leur activité commerciale. Ils bénéficient aussi parfois de la **suppression des taxes** sur les transactions effectuées.

4 La ville d'Acre vue par un musulman

En 1184, Ibn Jubayr, riche musulman, entreprend un pèlerinage à La Mecque. Il raconte son voyage dans un journal.

Acre c'est la capitale des Francs en Syrie, l'escale des bateaux aussi grands que des montagnes, le port que fréquentent tous les navires, comparable par son importance à celui de Constantinople, le rendez-vous des vaisseaux et des caravanes, le lieu de rencontre des marchands musulmans et chrétiens venus de tous les horizons. [...]

Les Francs l'ont conquise sur les musulmans au cours des dix premières années du XIIe siècle. [...] Ses mosquées ont été transformées en églises et leurs minarets en clochers.

■ D'après Ibn Jubayr (1145-1217), *Voyages*.

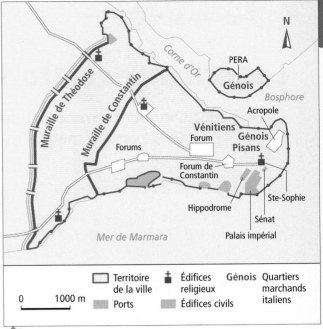

5 Plan de Constantinople au XIIe siècle

6 Palais de marchands à Venise

Les palais Loredan (à gauche) et Farsetti (à droite) ont été construits par de riches marchands, respectivement aux XIIe et XIIIe siècles.

COUP DE POUCE

Pour vous aider à rédiger votre journal de bord, recopiez et complétez le tableau suivant.

	Où se situe ce lieu ? Qui le domine ?	Quelles sont les marchandises échangées (voir p. 55) ?	Dans quels quartiers se fait le commerce ?	Quels sont les avantages ?	Quelles rencontres ? Quelles impressions ?
Venise					
Constantinople					
Acre					
Alexandrie					

Les échanges culturels en Méditerranée

Question clé Comment se rencontrent les cultures chrétiennes et musulmane dans l'espace méditerranéen entre le VIᵉ et le XIIIᵉ siècle ?

1 La traduction du Coran en latin

Pierre le Vénérable (1092-1156), abbé de Cluny, séjourne à Tolède en 1142 et confie la traduction du Coran en latin à une équipe de traducteurs.

Je suis donc allé trouver des spécialistes de la langue arabe [...]. Je les ai persuadés à force de prières et d'argent de traduire d'arabe en latin l'histoire et la doctrine de ce malheureux et sa loi même qu'on appelle Coran. Et pour que la fidélité de la traduction soit entière et qu'aucune erreur ne vienne fausser la plénitude de notre compréhension, aux traducteurs chrétiens j'en ai adjoint un sarrasin¹. [...] Cette équipe, après avoir fouillé à fond les bibliothèques de ce peuple barbare, en a tiré un gros livre qu'ils ont publié pour les lecteurs latins.

■ Pierre le Vénérable, *Lettre sur la traduction du Coran*, 1142.
1. Nom donné aux musulmans par les chrétiens.

2 L'influence des techniques et des arts orientaux

À gauche, gobelet syrien. À droite, gobelet vénitien. Gobelets du XIIIᵉ siècle, musée du Louvre et musée de Francfort.

3 Un roi chrétien soigné par un médecin arabe

Guillaume II, roi normand de Naples et de Sicile, soigné par un médecin et un astrologue arabes.
Miniature du *Liber ad honorem Augusti* de Petrus de Ebule, vers 1200, Burgerbibliothek, Berne.

4 L'avancée des sciences dans le monde musulman

Le calife Abd Allah Al-Mamun[1] s'occupa de chercher la science là où elle se trouvait. Il entra en contact avec les empereurs de Byzance, leur fit de riches présents et les pria de lui faire don des livres de philosophie qu'ils avaient en leur possession.

Ces empereurs lui envoyèrent des ouvrages de Platon, d'Aristote, d'Hippocrate, de Galien, d'Euclide, de Ptolémée[2].

Al-Mamun fit alors le choix de traducteurs de talent et les chargea de traduire ces ouvrages en arabe de leur mieux. Le calife poussa ses sujets à lire ces livres et les encouragea à les étudier.

■ Saïd Al-Andalusi, *Livre des catégories des nations*, XIe siècle.

1. Calife abbasside du IXe siècle.
2. Savants de l'Antiquité (philosophes, géographes, médecins, mathématiciens...).

5 Des traces de la présence musulmane en Andalousie (Espagne)

La tour de la Giralda (clocher de la cathédrale de Séville) est l'ancien minaret de la Grande mosquée (fin XIIe siècle).

Activités

Question clé : Comment se rencontrent les cultures chrétiennes et musulmane dans l'espace méditerranéen entre le VIe et le XIIIe siècle ?

ITINÉRAIRE 1

ou

▶ **Je prélève des informations dans les documents**

❶ **Doc 1 à 5.** Quels sont les domaines d'échanges entres les cultures chrétiennes et musulmane ?

❷ **Doc 1 et 4.** Qui agit pour faire connaître les livres des musulmans et des chrétiens ? De quelle manière ? Pourquoi ?

❸ **Doc 1, 3 et 4.** Comment les chrétiens considèrent-ils les musulmans ? Comment les musulmans considèrent-ils les chrétiens ?

▶ **Je réalise une carte mentale**

[site élève — ⬇ carte mentale à compléter]

❹ À l'aide de vos réponses aux questions 1 à 3, répondez à la question clé.

ITINÉRAIRE 2

▶ **Je me pose des questions et j'y réponds par des connaissances**

Relevez dans les documents les connaissances se rapportant au sujet d'étude et classez-les dans le tableau suivant. Répondez ensuite à la question clé.

Les rencontres culturelles entre les chrétiens et les musulmans (VIe-XIIIe siècle)			
	Les livres	Les sciences	Les arts
Domaines à l'origine des rencontres ? ➜ Doc 1 à 5			
Acteurs des rencontres ? Dans quel but ? ➜ Doc 1, 3 et 4			
Quels regards se portent ces acteurs ? ➜ Doc 1, 3 et 4			

Les contacts entre chrétiens et musulmans en Méditerranée

→ Quelles relations se nouent entre les mondes chrétiens et musulmans dans l'espace méditerranéen des VIe–XIIIe siècles ?

A Des affrontements : les croisades

1. Au XIe siècle, l'expansion des **Turcs musulmans** en Orient fait craindre aux chrétiens d'Occident de ne plus pouvoir se rendre en pèlerinage en **Terre sainte**. En 1095, le **pape** Urbain II lance la première croisade pour délivrer le tombeau du Christ. Les **croisés** s'emparent de **Jérusalem** (1099) et s'installent en Syrie-Palestine où ils créent les **États latins d'Orient**. En 1187 le chef musulman **Saladin** reprend Jérusalem. Les **croisades** de secours échouent et les États latins disparaissent. La **quatrième croisade** se termine à **Constantinople** où les croisés, éblouis par ses richesses, pillent la ville puis s'installent dans l'Empire byzantin.

2. En Espagne, les chrétiens se lancent à la reconquête des terres musulmanes, c'est la **Reconquista**. La victoire chrétienne de **Las Navas de Tolosa** (1212) marque le début de la reconquête de l'**Andalousie**.

B D'intenses échanges commerciaux

1. Le commerce est florissant autour de la **Méditerranée**. Jusqu'au XIe siècle, il est aux mains des Byzantins et des Arabes.

2. À partir du XIIe siècle, ce sont les **villes italiennes** qui tirent le plus d'avantages du commerce : Venise surtout, puis Gênes et Pise. Elles obtiennent le droit de créer des **comptoirs**, avant tout dans l'Empire byzantin, mais aussi dans les ports musulmans. Les marchandises orientales (épices, soie) sont très recherchées en Europe, ce qui assure leur richesse, visible dans les édifices que construisent les marchands.

C Des échanges culturels entre les civilisations

1. En Méditerranée, les échanges commerciaux et les expéditions militaires favorisent la **rencontre des civilisations chrétiennes et musulmane**. Les œuvres des savants de l'Antiquité gréco-romaine sont traduites en arabe et en latin. Le Coran est traduit en latin. Les Arabes diffusent leurs connaissances en mathématiques (utilisation du chiffre zéro) et en médecine.

2. Tolède, l'**Andalousie**, la **Sicile** sont les lieux où les civilisations de la Méditerranée sont les plus réunies. La **tolérance** permet aux fidèles des différentes **religions** (chrétiens, juifs, musulmans) de vivre ensemble en paix. Les **œuvres d'art** réunissent les influences byzantines, arabes, et occidentales.

D'où vient le mot...

ANDALOUSIE ?

Le nom de cette province, aujourd'hui espagnole, dérive directement de l'arabe **Al Andalus** qui désignait l'ensemble des **territoires dominés par les musulmans** dans cette région d'Europe à partir du **VIIIe siècle**.

VOCABULAIRE

▶ **Comptoir**
Port établi par un pays dans un autre pays, pour y organiser un commerce.

▶ **Croisade**
Expédition militaire et religieuse menée par les chrétiens d'Occident pour délivrer les Lieux saints passés sous domination musulmane. Un **croisé** est celui qui participe aux croisades.

▶ **États latins d'Orient**
États créés puis administrés par les chrétiens d'Occident au lendemain de la première croisade (fin du XIe siècle).

▶ **Reconquista**
Reconquête de l'Espagne par les rois catholiques (XIe-XVe siècle).

Des affrontements

Les croisades

- **Première croisade : prise de Jérusalem** par les chrétiens d'Occident (1099) et création des **États latins d'Orient**.

- **XIIIᵉ siècle : reconquête** de la **Terre sainte** par les musulmans.

- **Quatrième croisade** (1204) : pillage de **Constantinople** par les chrétiens d'Occident et conflit avec les **Byzantins**.

La Reconquista

- À partir du XIᵉ siècle en Espagne.

Quels contacts entre les mondes chrétiens et musulman en Méditerranée ? VIᵉ-XIIIᵉ siècle

La Méditerranée, carrefour commercial

- Circulation de **produits de luxe** depuis l'Asie, l'Europe et l'Afrique.

- **Comptoirs** en Méditerranée. Essor de Venise, Pise, Gênes…

La rencontre des civilisations chrétiennes et de l'Islam

- **Échanges entre les savants** Traduction du **Coran** et des œuvres des savants de l'**Antiquité gréco-romaine**…

- Transmission des **connaissances scientifiques** des Arabes.

- **Influences artistiques**.

● **Je vérifie que je connais les principaux repères du chapitre.**

Je sais définir et utiliser dans une phrase :

- croisade
- États latins d'Orient
- Reconquista
- comptoir

Je sais situer :

▶ **sur une frise :**
- le temps des croisades - la prise de Jérusalem par les chrétiens - la traduction du Coran en latin

▶ **sur un planisphère :**
- les mondes chrétiens et musulman - l'Espagne, les États latins d'Orient, Constantinople - Jérusalem

Je sais expliquer :

▶ ce que sont les croisades.

▶ comment se développe le commerce en Méditerranée aux XIIᵉ et XIIIᵉ siècles.

▶ quels sont les échanges culturels entre monde musulman et monde chrétien.

site élève
⬇ frise et fond de carte

Comment apprendre ma leçon ?

Je révise en équipe

Travailler en équipe, c'est pouvoir s'encourager les uns les autres et s'entraîner en se posant des questions.

▶ Étape 1

- Ensemble, révisez la leçon et dégagez ce qu'il faut retenir.

 Vous pouvez aussi vous répartir les parties du chapitre à apprendre, puis les expliquer aux autres.

▶ Étape 2

- **Organisez des défis**
  Faites deux groupes. Chaque groupe prépare des questions sur le thème du chapitre et les pose au groupe adverse.
  Chaque question rapporte des points en fonction de la qualité des réponses.
  Il faut vous mettre d'accord sur le nombre de questions à poser
  (2 questions faciles, 3 de compréhension et 1 de synthèse...).

- Reproduisez le tableau ci-dessous, puis à vous de jouer !

site élève
⤓ tableau à imprimer

Niveau de difficulté	Exemples de question	Aïe ! 0 point	À revoir 1 point	Bien 2 points	Bravo 3 points
NIVEAU 1 **Questions simples sur des connaissances précises**	• Date de la première croisade • Qu'est-ce qu'un comptoir ?				
NIVEAU 2 **Questions de compréhension** (Les points comptent double)	• Expliquez ce qu'est la Reconquista (où, quand, comment ?). • Que savez-vous sur Venise ?				
NIVEAU 3 **Questions de synthèse** (Les points comptent triple)	• Quelles sont les relations entre chrétiens d'Occident et musulmans pendant les premières croisades ?				

- Après le défi, faites le point sur les parties du cours qui ne sont pas encore maîtrisées, puis posez-vous à nouveau des questions.

N'hésite pas à questionner tes camarades si tu ne comprends pas quelque chose.

Je vérifie mes connaissances

1 J'indique la bonne réponse.

1. Qu'appelle-t-on la Reconquista ?

a La conquête par les musulmans de la péninsule Ibérique.

b La reconquête de l'Espagne depuis les royaumes chrétiens du nord de l'Espagne.

c La conquête des États latins d'Orient.

2. À quoi aboutit la première croisade ?

a À la prise de Jérusalem par les chrétiens.

b À la prise de Jérusalem par les musulmans.

c À la prise de Constantinople par les chrétiens.

3. Qui domine le commerce en Méditerranée à partir du XIᵉ siècle ?

a Les Byzantins.

b Les musulmans.

c Les villes italiennes.

2 Je localise les principaux éléments du chapitre.

1. Sur le fond de carte, placez les éléments suivants.

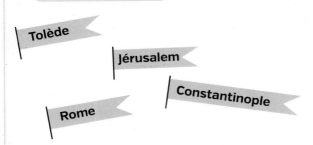

La mer Méditerranée

Tolède

Jérusalem

Constantinople

Rome

2. Complétez la légende de la carte avec les éléments suivants : le monde de l'islam, l'Empire byzantin, l'Occident chrétien, les État latins d'Orient, la Reconquista, les croisades.

3 Je raconte à partir d'une image.

Rédigez une phrase ou expliquez oralement ce que chacun de ces documents, issus du chapitre, vous a appris sur les relations et les échanges en Méditerranée :

a.

b.

c.

4 Je révise le vocabulaire en complétant les mots croisés.

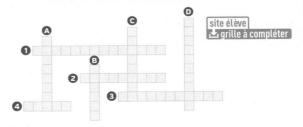

site élève
↳ grille à compléter

Horizontalement

1. Ville pillée en 1204 par les croisés d'Occident.

2. Ville prise par les chrétiens d'Occident en 1099.

3. Croisade des chrétiens d'Espagne.

4. Livre sacré traduit en latin.

Verticalement

A. Établissement commercial pour les marchands.

B. Ville marchande d'Italie.

C. Expédition militaire et religieuse en Terre sainte.

D. Région reprise aux musulmans par les chrétiens d'Espagne.

5 Retrouvez d'autres exercices sous forme interactive sur le site Nathan.

site élève
↳ exercices interactifs

Exercices

1 **Je m'exprime en utilisant le langage des arts : l'influence de l'art byzantin en Occident**

↳ **Socle :** Domaine 1

1 **Le couronnement de Roger II par le Christ**

Roger II, roi de Sicile (1130-1154), d'origine normande, couronné par le Christ. Mosaïque, église de la Martorana, Palerme (Sicile), XIIe siècle.

mémo ART

La mosaïque

▶ Une **mosaïque** est un assemblage de petits cubes de céramique, de verre ou de pierres colorées, les **tesselles**. Posées sur un **enduit frais**, elles forment des motifs et des figures. Au Moyen Âge, elles présentent souvent des couleurs vives et brillantes sur fond doré.

▶ La **mosaïque** était utilisée par les **Romains** pour décorer l'intérieur de leur maison. Les **Byzantins** les utilisent pour décorer les murs intérieurs de leurs **églises**. Elles représentent le Christ, la Vierge ainsi que les empereurs et impératrices.

QUESTIONS

▶ J'identifie un document et son point de vue particulier

1 Où cette mosaïque a-t-elle été réalisée ? À partir de la carte page 54, indiquez dans quelle civilisation nous nous trouvons.

2 Quand vous regardez cette œuvre, qu'avez-vous envie de dire ? Faites la liste de 5 mots qui vous viennent à l'esprit ou écrivez deux questions que vous vous posez en regardant cette œuvre.

3 Décrivez cette mosaïque. Quels éléments vous permettent d'identifier chacun des personnages ?

4 Quelle civilisation a pour habitude, au Moyen Âge, d'utiliser cette technique artistique ?

5 D'après ce document, quelles civilisations chrétiennes se rencontrent en Sicile ?

Parcours ARTS

2 Je construis des hypothèses et je les vérifie : deux points de vue sur la prise de Jérusalem

↳ SOCLE : Domaine 2

1 Le récit d'un croisé

Tous ceux qui étaient entrés avec le duc Godefroy de Bouillon dans Jérusalem parcouraient les rues et les places, l'épée à la main, frappant indistinctement tous les ennemis qui s'offraient à leurs coups. On dit qu'il périt dans l'enceinte même du temple environ dix mille ennemis. Ceux qui avaient profané[1] le sanctuaire du Seigneur subirent la mort.

■ D'après Guillaume de Tyr, homme d'Église, XIIe siècle.
1. Traiter un lieu de façon irrespectueuse en brisant son caractère sacré.

2 Le récit d'un musulman

Les Francs assiégèrent Jérusalem pendant plus de quarante jours. Après la prise de la ville, ils massacrèrent les musulmans durant une semaine. Plus de soixante dix mille dans la mosquée al Aqsa[1], parmi lesquels un grand nombre d'imams[2], de savants et de personnes menant une vie pieuse et austère. Les Francs pillèrent un énorme butin.

■ D'après Ibn Al Athîr (1160-1233), *Somme des histoires*, XIIe siècle.
1. Mosquée construite au VIIe siècle à Jérusalem sur l'esplanade des Mosquées, troisième Lieu saint de l'islam.
2. Homme religieux musulman qui dirige la prière et prononce des sermons.

MÉTHODE

▸ Pour comparer les deux documents, recopiez et remplissez le tableau suivant.

	Doc 1	Doc 2
Question 1		
Question 2		
Question 3		
Question 4		
Question 5		

QUESTIONS

▸ Je compare deux documents

❶ À quel monde appartiennent les auteurs ?

❷ Combien de musulmans sont morts d'après ces récits ?

❸ Quels sont les motifs de la croisade selon les auteurs ?

❹ Quels mots sont utilisés par les auteurs pour parler des morts ?

❺ D'après les auteurs, l'attaque est-elle juste ou injuste ? Justifiez votre réponse à l'aide des documents.

▸ Je m'interroge en historien

❻ Ces deux points de vue disent-ils la vérité sur la prise de Jérusalem ?

MON BILAN DE COMPÉTENCES

Domaines du socle	Compétences travaillées	Pages du chapitre	
D1 Les langages pour penser et communiquer	• Je sais m'exprimer à l'oral de façon claire et organisée.	Je découvre	p. 56-57
	• Je sais m'exprimer à l'écrit pour raconter, décrire, expliquer.	J'enquête	p. 58-59
	• Je sais prélever des informations dans des documents.	Je découvre	p. 60-61
	• Je sais m'exprimer en utilisant le langage des arts.	Exercice 1	p. 66
D2 Les méthodes et outils pour apprendre	• Je sais construire un outil personnel de travail, un schéma.	Je découvre	p. 56-57
	• J'ai compris le sens des documents.	J'enquête	p. 58-59
	• Je sais organiser mon travail professionnel.	Apprendre à apprendre	p. 64
	• Je sais construire et vérifier des hypothèses.	Exercice 2	p. 67
D5 Les représentations du monde et l'activité humaine	• Je sais me repérer dans le temps et dans l'espace.	Je me repère	p. 54-55
	• Je sais me poser des questions et y répondre par des connaissances.	Je découvre	p. 60-61

4 Les campagnes dans l'Occident médiéval (XIᵉ–XVᵉ siècle)

→ Comment se développe le monde rural entre le XIᵉ et le XVᵉ siècle ? Qui l'habite ? Qui le domine ?

Au cycle 3

Au CM1, j'ai appris que les seigneurs imposent leur domination sur les terres et les paysans.

Au cycle 3

En 6ᵉ, j'ai étudié la révolution néolithique : les populations aménagent leur environnement, inventent l'agriculture et se regroupent en villages.

Ce que je vais découvrir

Au Moyen Âge, l'agriculture se transforme et connait un véritable essor. Les seigneurs dominent les campagnes, peuplées de paysans.

1 Des campagnes dominées par les seigneurs
Château du XIIᵉ siècle et village de Castelnaud-la-Chapelle, Dordogne (France).

2 **Des campagnes habitées et cultivées par les paysans**

Fresque du *Cycle des mois*, XVe siècle, Trente, Italie.

Je me repère

Les campagnes dans l'Occident médiéval (XIᵉ–XVᵉ siècle)

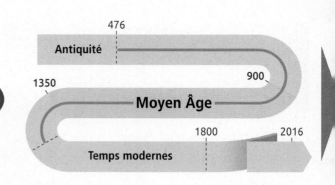

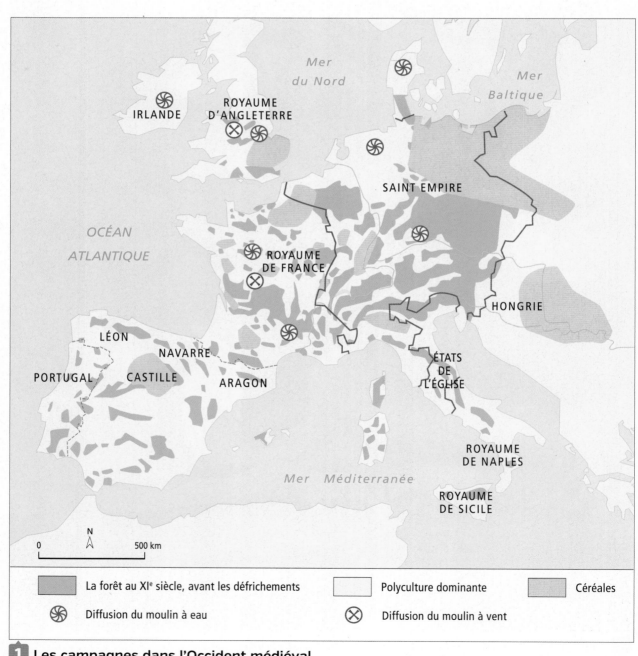

Légende :

- La forêt au XIᵉ siècle, avant les défrichements
- Polyculture dominante
- Céréales
- Diffusion du moulin à eau
- Diffusion du moulin à vent

1 Les campagnes dans l'Occident médiéval

70

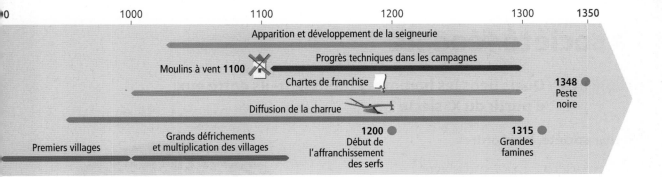

Apparition et développement de la seigneurie

Moulins à vent **1100**

Progrès techniques dans les campagnes

Chartes de franchise

1348
Peste
noire

Diffusion de la charrue

1200
Début de
l'affranchissement
des serfs

1315
Grandes
famines

Premiers villages

Grands défrichements
et multiplication des villages

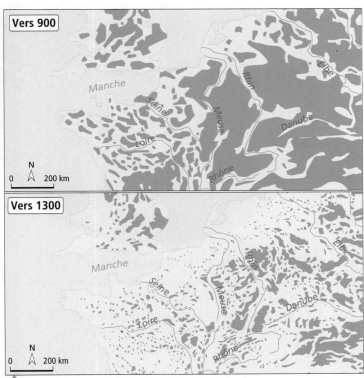

Vers 900

Vers 1300

2 **Les défrichements dans l'Europe du Nord-Ouest (900-1300)**

VOCABULAIRE

▸ **Défrichement**
Destruction de la végétation pour cultiver de nouvelles terres.

▸ **Occident**
Au Moyen Âge, ce sont les pays chrétiens de l'Europe de l'Ouest.

▸ **Seigneurie**
Vaste domaine agricole sur lequel le seigneur exerce son pouvoir.

▸ **Serf**
Paysan qui appartient au seigneur et qui ne peut ni quitter sa terre, ni se marier, ni hériter sans l'accord de son seigneur.

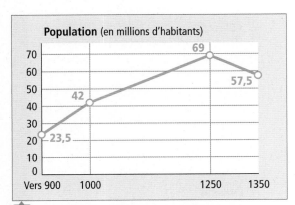

Population (en millions d'habitants)

69

57,5

42

23,5

Vers 900   1000   1250   1350

3 **L'évolution de la population en Europe occidentale (900-1350)**

QUESTIONS

▸ **Je me repère dans le temps et dans l'espace**

❶ Dans l'Occident médiéval, quand apparaissent la seigneurie et le village ?

❷ Quelle action sur l'environnement permet la mise en culture de nouvelles terres et la création des villages ? Combien de temps dure-t-elle ?

❸ Quels progrès techniques favorisent le développement des campagnes ? De quand datent-ils ?

❹ Comment a évolué la population en Europe entre le XIe et le XVe siècle ? À votre avis, pourquoi ?

La société féodale

Question clé **Quels liens les hommes établissent-ils entre eux à partir du Xe siècle ?**

1 Une société, trois ordres

La société est partagée en trois ordres : certains prient, d'autres combattent et d'autres travaillent.

Ces trois « ordres » vivent ensemble et ne souffriraient pas une séparation. Les services de l'un permettent les services des deux autres.

Chacun, tour à tour, prête son appui à tous.

■ L'évêque de Laon, *Aldaberon, poème au roi Robert*, XIe siècle.

Un religieux, un chevalier, un paysan.
Enluminure tirée de *Li Livres dou Santé*, Aldobrandino da Siena, vers 1285, British library, Londres.

2 L'hommage et la remise du fief

① Le seigneur (en tenue civile, à la mode aristocratique)
② Le vassal en tenue de chevalier
③ Le bâton, symbole du don du fief au vassal
Sceau de Raymond de Mondragon, XIIe siècle.

INFOS

Au Xe siècle, des **invasions** détruisent l'Europe carolingienne. Face à l'incapacité des souverains à défendre leur territoire, les populations se placent sous la **protection** de chefs locaux puissants, qui construisent les premiers **châteaux forts**. Cette interdépendance marque le début de la **féodalité**.

VOCABULAIRE

▶ **Clercs**
Hommes d'Église (prêtres, moines...) qui forment le clergé. L'Église, avec un É majuscule, désigne l'ensemble du clergé.

▶ **Fief**
Terre remise à un vassal par un seigneur, en échange de sa fidélité et de son aide.

▶ **Hommage**
Cérémonie au cours de laquelle le vassal prête serment de fidélité à son seigneur.

▶ **Vassal**
Guerrier qui a prêté hommage à un seigneur.

3 **Ceux qui combattent**

La guerre, activité principale des seigneurs.
Miniature du *Roman de toute chevalerie*, Eustache
ou Thomas de Kent, vers 1300, BnF, Paris.

4 **Ceux qui travaillent**

Des paysans se présentent devant leur seigneur.
Miniature du *Livre des profits champêtres et ruraux*,
Pierre de Grescens, 1480, bibliothèque de l'Arsenal, Paris.

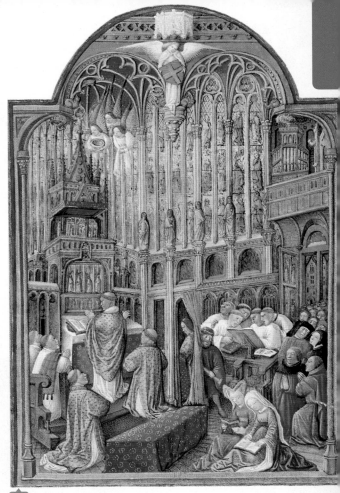

5 **Ceux qui prient**

Les clercs encadrent les chrétiens et prient
pour leur salut.
Miniature tirée des *Très Riches Heures du duc
de Berry*, XVe siècle, musée Condé, Chantilly.

Activités

Question clé **Quels liens les hommes établissent–ils entre eux à partir du Xe siècle ?**

ITINÉRAIRE 1

**Je prélève des informations
dans les documents**

1 **Doc 1, 3, 4 et 5.** Comment s'organise la
société féodale ?

2 **Doc 2 et Infos.** Qu'est-ce que
l'hommage ? Pourquoi a-t-il été créé ?

3 **Doc 1, 3, 4 et 5.** Quelle est la fonction des
trois ordres de la société féodale ? Quelles
relations ces ordres établissent-ils entre eux ?

**Je m'exprime à l'écrit de façon claire
et organisée**

4 À l'aide des questions 1 à 3, rédigez un
paragraphe qui répond à la question clé.

ou

ITINÉRAIRE 2

À l'oral, je comprends le langage des arts

Afin de répondre à la question clé et de
préparer votre exposé, vous observez
les images puis vous en proposez une
interprétation.

MÉTHODE

Réalisez un diaporama qui servira de support
à votre exposé. Vous pouvez suivre le plan
suivant :

▸ Les trois ordres de la société féodale
▸ Les liens d'homme à homme
▸ Les relations entre les ordres

SOCLE Compétences
▶ **Domaine 1 :** je comprends le sens général d'un document
▶ **Domaine 5 :** je réalise une production (un livret)

Au Moyen Âge, des campagnes qui changent

CONSIGNE

Le Musée national du Moyen Âge à Paris présente une nouvelle exposition « Les campagnes au Moyen Âge : que de changements ! », et vous demande de réaliser un livret destiné au jeune public. Que se passe-t-il de nouveau dans les campagnes du Moyen Âge ? À vous de l'expliquer.

N'oubliez pas : le musée est très régulièrement visité par des scolaires. Sur le livret, vous écrirez des textes courts. Il vous faudra aussi les illustrer.

VOCABULAIRE

▶ **Cens**
Somme d'argent (**loyer**) versée par le paysan en échange de la terre qu'il cultive (**tenure**).

▶ **Défrichement**
Destruction de la végétation pour cultiver de nouvelles terres.

▶ **Jachère**
Terre laissée sans culture, pour retrouver sa fertilité.

1 **Les défrichements**

Les défrichements, ou essartages, ont permis aux paysans de créer de nouveaux espaces cultivables et habitables.
Tapisserie, atelier Jehan Grenier, 1400-1450, musée des Arts décoratifs, Paris.

2 **La mise en valeur de nouvelles terres**

Moi Wichmann [...] archevêque de la sainte église de Magdebourg[1], attentif aux intérêts de l'église qui m'est confiée, j'ai racheté pour une certaine somme d'argent [...] un endroit situé près des murs de la cité, au-delà du fleuve Elbe, avec les prés et marais attenants.

Et cet endroit, avec tout ce qui en dépend, je l'ai donné à un nommé Werner [...] et à un nommé Gottfried, à condition qu'ils y établissent de nouveaux habitants, pour que soit asséchée, labourée, ensemencée et rendue féconde la terre [...] marécageuse et herbeuse, impropre à tout et ne rapportant rien, à part herbe et foin, et pour que par la suite un cens annuel provenant des cultures soit à certaines dates payé et mis à la disposition de l'archevêque.

■ Extrait de la Charte de Magdebourg, XIIe siècle.

1. Allemagne

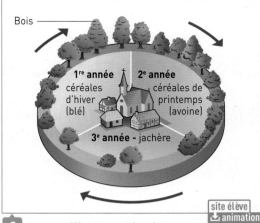

4 De meilleures récoltes avec l'assolement triennal

L'assolement triennal permet, sur une période de trois ans, l'alternance des types de cultures sur une même parcelle de terre. Avant, l'assolement biennal ne permettait la culture des terres qu'un an sur deux.

3 Des innovations techniques

❶ La herse enfouit les graines.

❷ Le collier d'épaule permet de tirer des charges plus lourdes que le collier de cou.

❸ La charrue, avec son soc en fer laboure la terre plus en profondeur.

❹ La faucille sert à couper les végétaux.

❺ Le fléau sert à battre les épis de blé pour récolter le grain.

❻ Le moulin moud les céréales et les transforme en farine.

Enluminure extraite du *Livre du régime des princes*, Gilles de Rome, XVe siècle, BnF, Paris.

6 Un exemple de spécialisation agricole

Salimbene de Parme, moine de passage en Auxerrois en 1245, constate les faits suivants :

Les gens de ce pays ne sèment point, ne moissonnent point, n'amassent point dans les greniers. Il leur suffit d'envoyer leur vin à Paris par la rivière toute proche [l'Yonne]. La vente du vin en cette ville leur procure de beaux profits qui leur paient entièrement le vivre et le vêtement.

■ Extrait de la *Chronique de Salimbene de Parme*, XIIIe siècle.

5 Élevage et cultures dans la seigneurie

Les Très Riches Heures du duc de Berry, les frères de Limbourg, 1411-1416, musée Condé, Chantilly.

COUP DE POUCE

Pour vous aider à rédiger votre livret, recopiez et complétez le tableau suivant.

	Informations prélevées dans les documents
1. Les défrichements	
2. Les outils et nouvelles techniques agricoles	
3. Les productions agricoles	

Je découvre

SOCLE Compétences

▶ **Domaine 1** : j'émets des hypothèses et je les vérifie
▶ **Domaine 2** : je construis des outils personnels : le schéma

La seigneurie, domaine du seigneur

Question clé Qu'est-ce qu'une seigneurie ? Comment s'exerce la domination du seigneur sur les paysans ?

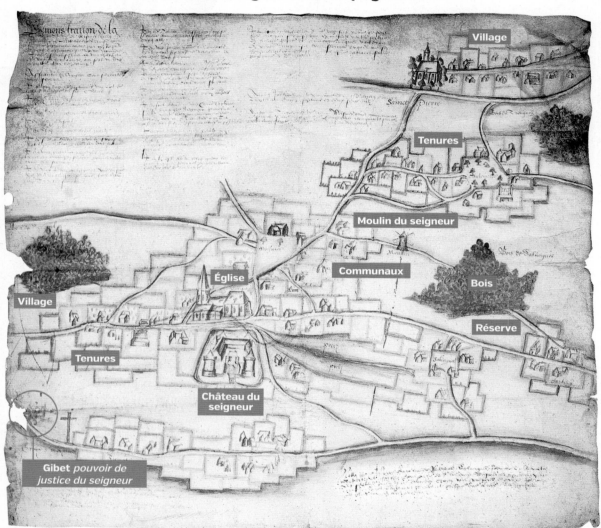

1 La seigneurie de Wismes

Une seigneurie est composée d'une **réserve** (terres que le seigneur se réserve et qu'il fait cultiver par les paysans, au titre des **corvées**) et de **tenures** (terres qui appartiennent au seigneur et dont l'usage est confié aux paysans en échange d'un loyer en argent ou en nature ou de corvées).

Les **communaux** sont des terres du seigneur laissées aux paysans pour y faire paître leurs bêtes. Plan du XIVᵉ siècle.

VOCABULAIRE

▶ **Cens**
Somme d'argent (loyer) versée par le paysan en échange de la terre qu'il cultive (tenure).

▶ **Corvées**
Travail obligatoire effectué gratuitement sur le domaine du seigneur.

▶ **Redevance**
Nom des taxes en argent ou en nature versées au seigneur par les paysans.

▶ **Seigneurie**
Vaste domaine agricole sur lequel le **seigneur** exerce son pouvoir.

2 Les pouvoirs du seigneur

[Dans sa seigneurie,] le seigneur détient le pouvoir de commandement (droit de ban) sur la population. Il possède un pouvoir militaire (il assure la défense du territoire et peut imposer des corvées pour entretenir les fortifications), un pouvoir de justice (il juge les paysans et peut les condamner à la pendaison) et le pouvoir de lever des redevances. Le seigneur peut construire des installations collectives et obliger le paysan à les utiliser contre des redevances. Le seigneur est le propriétaire de toutes les terres. Les paysans installés sur des tenures sont ses locataires. Il a le devoir de les protéger.

■ D'après B. Dumézil, *La Société médiévale en Occident*, Ellipses, 2006.

Enluminure, *Livre des profits champêtres et ruraux*, Pierre de Crescens, 1480, bibliothèque de l'Arsenal, Paris.

 INFOS

Le **seigneur**, maître de la seigneurie, est soit un **laïc**, noble qui vit au château, soit un **religieux**, abbé d'un monastère ou évêque.

La domination seigneuriale 3

Un agent du seigneur surveille la moisson.
Miniature du XVe siècle, BnF, Paris.

Activités

Question clé | Qu'est-ce qu'une seigneurie ? Comment s'exerce la domination du seigneur sur les paysans ?

ITINÉRAIRE 1

OU

ITINÉRAIRE 2

▶ **Je prélève des informations dans les documents**

❶ **Doc 1.** Comment se nomment les différents éléments de la seigneurie ? Quelle est leur fonction ?

❷ **Doc 2 et 3.** Quels sont les pouvoirs du seigneur sur les paysans ? Illustrez chaque pouvoir par un exemple.

▶ **J'émets des hypothèses**

❸ À l'aide des documents, proposez une définition du pouvoir économique du seigneur : pourquoi le seigneur est-il riche ?

▶ **J'argumente à l'écrit**

❹ À l'aide des questions 1 à 3, répondez en quelques phrases à la question clé.

▶ **Je réalise une production graphique**

À l'aide des documents, réalisez un schéma qui répond à la question clé.

MÉTHODE

▶ Pour construire les différents encadrés du schéma, classez d'abord les informations relevées dans les documents :
– Les éléments de la seigneurie et leur fonction ➜ Doc 1
– La seigneurie : territoire agricole ➜ Doc 1 et 3
– La seigneurie : territoire où s'exercent les pouvoirs du seigneur ➜ Doc 2 et 3
– La seigneurie : les obligations des paysans.
➜ Doc 1 à 3

J'enquête

EN ÉQUIPES !

SOCLE Compétences
- **Domaine 1 :** je comprends le sens général d'un document
- **Domaine 2 :** je coopère dans le cadre d'un groupe, pour élaborer une production commune

Vivre au village au Moyen Âge

CONSIGNE

Le réalisateur d'une série télévisée consacrée à la vie d'un village au Moyen Âge contacte votre classe pour l'un de ses épisodes. Vous devez lui expliquer quelle était la vie quotidienne des paysans.

Chaque groupe exposera oralement son travail devant le reste de la classe. Puis, tous ensemble, vous rédigerez le bilan de ce qui a été appris sur la vie au village au Moyen Âge, pour aider le réalisateur à rédiger son scénario.

ÉQUIPE 1

Les travaux des paysans dans la seigneurie

Les paysans vivent dans la seigneurie et y travaillent.

❶ Quelles sont leurs activités ?
❷ Quelles sont leurs conditions de travail ?

1 **La vie des paysans rythmée par le travail de la terre**

Le fauchage des blés, le battage des blés, la semence des grains, le ramassage des glands.
Calendrier de Pierre Grescens, *Ruralium commodorium opus*, vers 1306, musée Condé, Chantilly.

2 **Les conditions de vie du paysan**

L'ÉLÈVE : Les uns sont laboureurs, d'autres bergers, pêcheurs, certains marchands ou cordonniers, sauniers[1], meuniers ou cuisiniers.

LE MAÎTRE : Peux-tu me dire, laboureur, comment tu travailles ?

LE LABOUREUR : Maître, je dois travailler très dur. Je me lève à l'aube pour conduire les bœufs dans les champs et les atteler à la charrue. Et même en plein cœur de l'hiver, je n'oserais pas rester à la maison, par peur de mon seigneur. [...] Je dois accomplir un si difficile travail, car je ne suis pas un homme libre.

LE MAÎTRE : Dis-nous, bouvier, quel travail fais-tu ?

LE BOUVIER : Lorsque le laboureur a fini de labourer, j'emmène les bœufs à la pâture et les garde contre les voleurs jusqu'au coucher du soleil, puis je les ramène au laboureur, rassasiés et abreuvés.

■ Aelfric d'Eynsham, *Colloques*, fin du Xe siècle.
1. Ils salent la viande et les poissons pour la conservation.

La communauté villageoise

Dans la seigneurie, le village s'organise en communauté villageoise, qui dispose de droits mais qui doit aussi se soumettre au seigneur.

1 Comment fonctionne cette communauté ?
2 Quelles sont ses relations avec le seigneur ?

3 Une charte de franchise

Arnoud, abbé, et tout le couvent de Ferrières, affranchissent et libèrent à perpétuité de [toute servitude] tous leurs hommes de corps[1], tant mâles que femmes, qui habitent actuellement dans la paroisse Saint-Éloi et dans toute la banlieue de Ferrières [...]. En récompense de cet affranchissement chaque maison possédant un foyer devra annuellement à l'église 5 sous de cens [...].

■ Charte de Ferrières-en-Gâtinais, 1185.

1. Serfs.

4 L'obligation d'utiliser le four du seigneur contre une redevance

Femmes cuisant du pain.
Miniature extraite de *Tacuinum sanitatis*, Ibn Butlân, 1445-1451, BnF, Paris.

5 Une révolte paysanne

Chroniques de Jean Froissart, XVe siècle, BnF, Paris.

6 Le rôle de la communauté villageoise

Les chefs de la communauté villageoise défendent les droits des paysans auprès du seigneur, répartissent l'impôt dû au seigneur... Ils s'expriment ici.

Nous ordonnons que tout chef de famille sera tenu de faire aménager un jardin de poireaux et une plate-bande de ciboule, quatre cents petits oignons et cinquante têtes d'ail. Il est tenu à cela par le serment fait à la commune. [...]

Au contrevenant, le chambrier[1] est tenu de prendre cinq sous par jardin.

■ Statut de la commune de Montagutolo dell'Ardinghescas, Italie (1280-1297), cité par Georges Duby dans *L'Économie rurale et la vie des campagnes dans l'Occident médiéval*, tome 1, Aubier, 1962.

1. Paysan choisi par les chefs de la communauté villageoise pour contrôler le respect des règles.

VOCABULAIRE

▸ **Charte de franchise**
Droits accordés par le seigneur à la communauté villageoise.

▸ **Serf**
Paysan qui appartient au seigneur et qui ne peut ni quitter sa terre, ni se marier, ni hériter sans l'accord de son seigneur.

J'enquête

EN ÉQUIPES !

ÉQUIPE
3

Le village, un lieu de vie sociale et d'entraide

Au village, les paysans sont unis par des valeurs communes : entraide au travail, pratiques religieuses qui rythment leur vie, réjouissances communes, aides aux pauvres.

1 Comment vivent-ils ensemble au village ?
2 Quelles fêtes rythment leur vie ?

7 Travailler ensemble

Après la moisson, les paysans battent ensemble le blé pour en récolter le grain.
Heures de Charles d'Angoulême, 1490-1495, BnF, Paris.

8 Des fêtes qui rythment l'année

Les réjouissances autour de Noël terminent l'année paysanne et en commencent une autre. C'est le moment où l'on sacrifie les porcs, où l'on finit de battre le grain rentré en gerbe, pour préparer les copieux dîners entourant les messes de la nuit. [...] Le mardi gras voit, outre les déguisements et beuveries, des matchs disputés entre voisins, le jeu de « soule », ancêtre du football. [...] D'autres occasions permettaient de se réunir, surtout les évènements familiaux bénis par l'Église. Un baptême, des fiançailles, un mariage sont de grands évènements dans la vie d'un village, et donnent lieu à des festins.

■ Robert Delort, *La Vie au Moyen Âge*, Points Histoire, Éditions du Seuil, 1982.

9 Les fêtes villageoises

Danse paysanne pour célébrer le printemps.
Enluminure, *Heures de Charles d'Angoulême*, vers 1464, BnF, Paris.

Le village, une paroisse

ÉQUIPE **4**

L'Église a organisé sa présence au sein des populations. Chaque village est une paroisse dirigée par un prêtre qui guide les villageois, tous chrétiens, pour « gagner leur paradis ».

❶ Quel est le rôle de l'Église chrétienne dans les villages ?
❷ Quels sont les devoirs des paysans à l'égard de l'Église ?

INFOS

Le **prêtre** est chargé du baptême, du mariage et de l'enterrement des villageois. Ils viennent prier et se retrouver à l'église le dimanche.

10 Faire son salut

Au Moyen Âge, les chrétiens croient au Jugement dernier : après leur mort, les bons obtiendront la vie éternelle (salut) et iront au paradis alors que les méchants seront voués à l'enfer.
Tympan de l'église de Conques, XIIᵉ siècle.

11 Les impôts payés à l'Église

Les dîmes[1] de la moisson, du vin, des toisons de moutons, des poulains, des veaux, des porcs, des agneaux, des oies, du chanvre, du lin et de tous les légumes [...] seront exactement acquittées au prêtre ; les paroissiens les offriront à Noël et à Pâques, à la fête de la Toussaint [...].

■ Cartulaire de Sainte-Melaine, 1220, B. Merdrignac, *La Vie religieuse en France au Moyen Âge*, Éditions Ophrys, 1994.

1. Dixième des revenus, versé en impôt à l'Église.

VOCABULAIRE

▸ **Paroisse**
Territoire sous l'autorité religieuse d'un prêtre.

12 Dans chaque village, une église

Château et village de Cautrenon (Auvergne), XVᵉ siècle.
Armorial de Guillaume Revel, BnF, Paris.

Que reste-t-il du monde des campagnes de l'Europe médiévale ?

A Des traces dans les paysages

1 Les traces des défrichements du Moyen Âge

Village de défrichement par assèchement d'un marais.

❶ Village ❷ Église ❸ Champs ❹ Bois
Village de Zuytpeene, Nord, France, 2015.

2 L'église romane de Saint-Hilaire à Melle (Poitou-Charentes), construite au XIIe siècle.

http://www.guedelon.fr/

l'actualité billetterie boutique autour de guédelon

GUÉDELON

le cadre historique et architectural

site élève
⬇ lien vers site

3 Les ruines des châteaux forts

Au Moyen Âge, le château est la demeure du seigneur, il témoigne de la puissance du seigneur. En cas d'attaques ennemies, les paysans se réfugient dans l'enceinte du château.
Le château de Najac dans l'Aveyron, construit vers 1253.

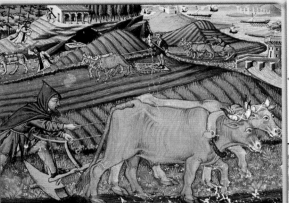

4 La charrue, hier et aujourd'hui
Manuscrit du XIVe siècle, Florence, Biblioteca Ricciardiana.

Un tracteur multi-socs en 2015.

INFOS

Le paysan d'hier est aujourd'hui appelé **agriculteur**. Il vit dans un village et est propriétaire de son exploitation agricole. Il paie des impôts à l'État.
En France, aujourd'hui, on compte 604 000 agriculteurs et 66 millions d'habitants.

Le meunier est un chef d'entreprise.

5 L'exploitation agricole, hier et aujourd'hui
Manuscrit du XVe siècle, Bibliothèque municipale de Metz.

Traite des vaches dans une exploitation moderne.

6 Le moulin, hier et aujourd'hui
Manuscrit du XVe siècle, Bibliothèque municipale de Metz.

QUESTIONS

▶ **J'observe les traces du passé**

1 Doc 1 à 3. Quels aspects de la vie dans les campagnes de l'Europe médiévale sont encore visibles aujourd'hui ?

2 Doc 1 à 3. À votre avis, pourquoi est-il important de préserver ces traces ?

▶ **Je fais le lien entre le passé et le présent**

3 Doc 4 à 6. Quels aspects de la vie agricole du Moyen Âge sont toujours présents ? Quels changements constatez-vous ?

4 Doc 2 et 3. À votre avis, le seigneur et l'Église ont-ils toujours leur place dans les villages d'aujourd'hui ?

Les campagnes dans l'Occident médiéval (XIᵉ–XVᵉ siècle)

→ **Comment se développe le monde rural entre le XIᵉ et le XVᵉ siècle ? Qui l'habite ? Qui le domine ?**

A Les campagnes changent

1. Entre le XIᵉ et le XVᵉ siècle, la population augmente en Occident et doit, pour se nourrir, procéder à de grands **défrichements**. Les forêts et les marais sont mis en culture par les paysans. Le paysage de l'Europe est transformé.

2. À partir du XIᵉ siècle, les **progrès techniques** facilitent le travail agricole. Grâce à la **charrue**, qui laboure en profondeur, et à l'**assolement triennal**, qui diminue la superficie de la jachère, les récoltes augmentent. Le **moulin à vent** permet de moudre le grain.

B La seigneurie, cadre de vie de la société rurale

1. L'Occident médiéval est divisé en vastes domaines agricoles, les **seigneuries**. Elles appartiennent à des **seigneurs** laïques ou ecclésiastiques. Les **paysans**, **hommes libres** ou **serfs**, y travaillent la terre. Ils cultivent la **réserve**, pour l'usage du seigneur, et les **tenures**, lots de terre que leur loue le seigneur.

2. Le seigneur est le **maître** de la seigneurie. Il détient le pouvoir de commandement, le **ban**, sur tous les paysans. Il **rend la justice** et peut les punir. Mais il a l'obligation de les protéger. En échange, il exige d'eux des **redevances**, les **banalités** (usage obligatoire de son moulin, de son pressoir et de son four) et des **corvées**.

C Le village, lieu de vie des paysans

1. Soumis au seigneur, le village s'organise autour du château, de l'église et du cimetière, du marché. Les paysans forment une **communauté villageoise**. Ils se réunissent en conseils, pour décider du partage des **communaux**, de l'entretien de l'église, ou de l'aide aux pauvres. Face aux exigences du seigneur, il arrive qu'ils se révoltent et obtiennent des **chartes de franchise**.

2. Le village est une **paroisse**, encadrée par l'**Église** (prêtres ou moines) qui prélève un impôt, la **dîme**, et accompagne les villageois pour les aider à préparer leur **salut**. La vie collective est réglée par les cloches et la **messe** du dimanche, par les fêtes chrétiennes (baptême, mariage…) et de village (carnaval…).

D'où vient le mot... CHANDELEUR ?

Au Moyen Âge, tout au long de l'année de nombreuses fêtes égayaient la vie des villageois.
La **Chandeleur**, le 2 février, était une procession aux **chandelles** associée à la confection de **crêpes**, symboles de la Lune.

VOCABULAIRE

▸ **Charte de franchise**
Droits accordés par le seigneur à la communauté villageoise.

▸ **Communaux**
Terres collectives réservées à la pâture des bêtes du village.

▸ **Défrichement**
Destruction de la végétation pour cultiver de nouvelles terres.

▸ **Paroisse**
Territoire sous l'autorité religieuse d'un prêtre.

▸ **Serf**
Paysan qui appartient au seigneur et qui ne peut ni quitter sa terre, ni se marier, ni hériter sans l'accord de son seigneur.

Les campagnes dans l'Occident médiéval

- **Défrichements** pour nourrir la population qui augmente.
- Nouvelles **techniques agricoles** pour accroître les récoltes : charrue, assolement triennal, moulin.

dominées par

La seigneurie
cadre de la vie rurale

Un domaine agricole, propriété du seigneur

- Il comprend **la réserve** (à l'usage du seigneur) et **les tenures** louées aux paysans par le seigneur.
- **Les paysans** travaillent la terre : **hommes libres** et **serfs**.

Le seigneur, maître de la seigneurie

- Il habite le **château**.
- Il dispose de pouvoirs : **pouvoir de commandement, pouvoir de justice, pouvoir militaire, pouvoir économique** (taxes et corvées).

Les seigneurs
laïques ou ecclésiastiques

Les paysans
9 habitants sur 10

Des paysans regroupés en villages

- **Ils s'organisent en communautés villageoises qui**
  - prennent des décisions : partage des communaux, réparations de l'église…
  - **se révoltent** contre le seigneur, pour obtenir des **chartes de franchise**.
- **Ils sont encadrés par l'Église :**
  - le village, une **paroisse** (messes, fêtes religieuses, accompagnement vers le salut…).
  - paiement de la **dîme**, impôt sur les récoltes.

Je révise chez moi

● **Je vérifie que je connais les principaux repères du chapitre.**

Je sais définir et utiliser dans une phrase :
▸ seigneur
▸ paysan
▸ paroisse

Je sais situer :
▸ **sur une frise :**
  - la naissance du village et de la seigneurie
  - les grands défrichements
  - la diffusion de la charrue
▸ **sur une carte :**
  - l'Occident médiéval

site élève
⤓ frise et fond de carte

Je sais expliquer :
▸ comment et pourquoi les populations, au Moyen Âge, ont conquis de nouvelles terres.
▸ quelles étaient les relations entre les paysans et les seigneurs.
▸ comment les paysans vivaient dans les villages.

Comment apprendre ma leçon ?

J'apprends en réalisant un mur de mots

Pour mémoriser la leçon et bien se préparer aux évaluations, il faut connaître tous les mots clés de la leçon.

▶ Étape 1

- Relisez votre leçon. Sur une feuille en format paysage, placez au fur et à mesure les mots importants, les dates clés et les espaces géographiques étudiés.

> En étant capable de lier les mots importants à la leçon, tu maîtrises mieux ton cours et tu sauras plus facilement comment répondre lors des évaluations.

Seigneurie   XIe siècle

Cens   Paysans   Paroisse

Château   Défrichement

Occident

XVe siècle   Charrue   Seigneur

▶ Étape 2

- Votre mur de mots est construit. Demandez à un camarade de vous interroger.

 Vous pouvez aussi créer un nuage de mots sur internet ! Utilisez un logiciel comme Wordle.

▶ **Exemple** pour le mot « **paroisse** »

Le village est une paroisse, un territoire religieux encadré par l'Église (le prêtre, le moine). La vie collective est réglée par les cloches et la messe du dimanche, par les fêtes chrétiennes (baptême, mariage...).

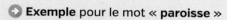

Je vérifie mes connaissances

1 Dans chacun des encadrés, je coche la (ou les) bonne(s) réponse(s).

1. Au Moyen Âge,
- [a] 1 personne sur 10 est un paysan.
- [b] 6 personnes sur 10 sont des paysans.
- [c] 9 personnes sur 10 sont des paysans.

2. La seigneurie est :
- [a] une terre cultivée par le seigneur.
- [b] un territoire qui appartient au seigneur.
- [c] des villages de paysans.

3. Le village médiéval est :
- [a] le lieu de vie du seigneur.
- [b] une communauté de paysans solidaires.
- [c] un lieu où les fêtes sont interdites.

4. La dîme est :
- [a] une monnaie au Moyen Âge.
- [b] un impôt versé à l'Église par les paysans.
- [c] une corvée effectuée le dimanche.

2 Je raconte à partir d'images.

Observez les documents ci-dessous. Pour chacun d'entre eux, écrivez une phrase dans laquelle vous utiliserez l'un des mots de vocabulaire suivants : *défrichement, charrue, seigneurie, four.*

a

b

c

d

3 Énigme : qui suis-je ?

Je suis une région du monde peuplée de chrétiens, je me situe en Europe de l'Ouest, je suis…

Je suis le logis du seigneur, je suis aussi un lieu de refuge pour les paysans en cas d'attaque, je suis…

Je suis une terre cédée aux paysans par le seigneur en échange d'une taxe, je suis…

Mon principal pouvoir est de posséder le ban, je tire mes richesses des ressources de la terre, je suis…

Je dirige la paroisse, je célèbre la messe et les cérémonies religieuses tout au long de l'année, je recueille la dîme, je suis…

4 Je complète un plan.

Placez les éléments de la seigneurie dans les cases correspondantes.
- **a.** Tenures
- **b.** Réserve
- **c.** Bois
- **d.** Église
- **e.** Château
- **f.** Village
- **g.** Moulin
- **h.** Communaux

site élève
⬇ plan à compléter

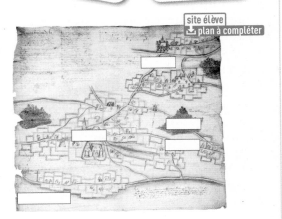

5 Retrouvez d'autres exercices sous forme interactive sur le site Nathan.

site élève
⬇ exercices interactifs

Exercices

1 J'analyse et je comprends un document sur un paysage rural

↳ **SOCLE :** Domaine 1

Enluminure extraite des *Chroniques de Hainaut*,
Jacques de Guise, XVᵉ siècle, BnF, Paris.

QUESTIONS

❶ Décrivez ce document. Que représente-t-il ?

❷ Classez les différents éléments qui composent le paysage.

❸ Qui sont les personnages représentés ?

❹ À votre avis, pourquoi peut-on affirmer que ce paysage se situe dans une seigneurie ?

2 Je m'exprime à l'oral sur une révolte de paysans

↳ **SOCLE :** Domaine 1

En Normandie, dans le royaume de France à la fin du XIᵉ siècle, les paysans se révoltent contre leur seigneur, le duc de Normandie.

En Normandie, les paysans formèrent des assemblées qui prétendaient appliquer leurs propres lois, tant pour l'exploitation des forêts que pour l'usage des eaux. Lorsque le duc l'apprit, il expédia contre eux une multitude de chevaliers. Ceux-ci s'emparèrent de leurs chefs et, après leur avoir coupé mains et pieds, ils renvoyèrent ces hommes devenus bons à rien.

Après cet épisode, les paysans renoncèrent à vouloir appliquer leurs propres lois. Ils abandonnèrent leurs assemblées et retrouvèrent leurs charrues.

■ D'après Guillaume de Jumièges, *Histoire des Duc de Normandie*, XIᵉ siècle.

QUESTIONS

❶ Quel est l'objet du conflit entre les paysans et leur seigneur ?

❷ Quelle est la réaction du seigneur ?

❸ Qu'est-ce qui montre que, dans la seigneurie, le seigneur est le maître ?

MÉTHODE

Après avoir répondu aux questions, vous préparez votre présentation orale de la révolte des paysans.

▶ Vous jouez le rôle des paysans et justifiez leur attitude.

▶ Vous jouez le rôle du seigneur et justifiez son attitude.

③ Je comprends ce qu'est une seigneurie ecclésiastique

↳ SOCLE : Domaine 5

① Charte de l'abbé de Saint-Denis

Nous voulons faire savoir aux présents et aux futurs que moi, Suger, par la grâce de Dieu abbé de l'église des saints martyrs du Christ Denis, Rustique et Éleuthère, avec l'accord unanime de notre chapitre[1], <u>nous avons accordé que quiconque voudra habiter dans une ville neuve[2] que nous avons édifiée et que l'on appelle Vaucresson, puisse avoir une mesure de terre</u> [...] contre 12 deniers de cens et soit exempté de toute taille.

■ Charte de colonisation de Vaucresson, 1145.

1. Communauté de moines sous la direction d'un abbé.
2. Village créé à la suite de défrichements.

② Les travaux des paysans

Au XIIe siècle, l'abbé Suger entreprend des travaux pour agrandir l'église de l'abbaye. Il fait réaliser trois portails sculptés. Sur l'un des portails figurent les divers travaux agricoles accomplis par les paysans.

QUESTIONS

❶ **Doc 1 et 2.** Qui est Suger ? Qu'a-t-il fondé ?

❷ **Doc 1.** Expliquez la phrase soulignée dans le texte : qu'est-ce qu'une ville neuve ? Qui a le droit de l'habiter ? À quelles conditions ?

❸ **Doc 1 et 2.** Montrez que l'abbaye de Saint-Denis s'enrichit grâce aux paysans.

MON BILAN DE COMPÉTENCES

Domaines du socle	Compétences travaillées	Pages du chapitre
D1 Les langages pour penser et communiquer	• Je sais analyser une œuvre d'art et en proposer une interprétation. • Je comprends le sens général d'un document.	Je découvre .... p. 72-73 J'enquête ..... p. 74-75, p. 78-81 et Exercice 1 .... p. 88
	• Je sais émettre et vérifier des hypothèses. • Je sais m'exprimer à l'oral.	Je découvre .... p. 76-77 Exercice 2 .... p. 88
D2 Les méthodes et outils pour apprendre	• Je sais construire des outils personnels : le schéma. • Je sais coopérer dans le cadre d'un groupe pour élaborer une production commune. • Je sais organiser mon travail personnel.	Je découvre .... p. 76-77 J'enquête .... p. 78-81 Apprendre à apprendre .... p. 86
D5 Les représentations du monde et l'activité humaine	• Je sais me repérer dans le temps et dans l'espace. • Je sais m'approprier un lexique historique. • Je sais réaliser une production (un livret). • Je comprends que le passé éclaire le présent. • Je comprends ce qu'est une seigneurie ecclésiastique.	Je me repère .... p. 70-71 Je découvre .... p. 72-73 J'enquête .... p. 74-75 D'hier à aujourd'hui .... p. 82-83 Exercice 3 .... p. 89

5 Une nouvelle société urbaine (XIᵉ–XVᵉ siècle)

→ **Comment s'organise la vie des habitants des villes du Moyen Âge ?**

Au cycle 3
En 6ᵉ, j'ai étudié la ville de Rome et les villes de l'Empire romain.

Au cycle 4
Au chapitre 2, j'ai découvert la vie des sociétés dans les villes du monde de l'islam.

Ce que je vais découvrir
À partir du XIᵉ siècle, les villes se développent et stimulent le commerce. Elles font apparaître de nouveaux modes de vie.

1 **La ville, un nouveau paysage dans l'Occident européen**
Ville médiévale fondée au milieu du XIIIᵉ siècle par Alphonse de Poitiers, frère de Louis IX. Monflanquin (Lot-et-Garonne) est une bastide (ou ville neuve), c'est-à-dire une ville créée à partir de rien par un seigneur.

Le sais-tu ?

En Allemagne, au XIIIᵉ siècle, plus de 3 000 villes ont été créées.

2 La ville, de nouveaux modes de vie

1 Murailles

2 Porte principale par laquelle entrent les marchandises.

3 Un atelier de bottier

4 Une école

5 Un charcutier

6 Un marchand lisant son livre de comptes.

Les Effets du bon gouvernement, Ambrogio Lorenzetti, 1338-1340, fresque, Palais public, Sienne (Italie).

L'essor des villes et du grand commerce en Occident

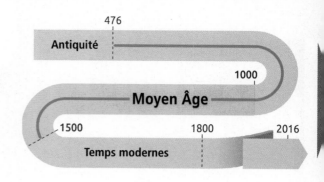

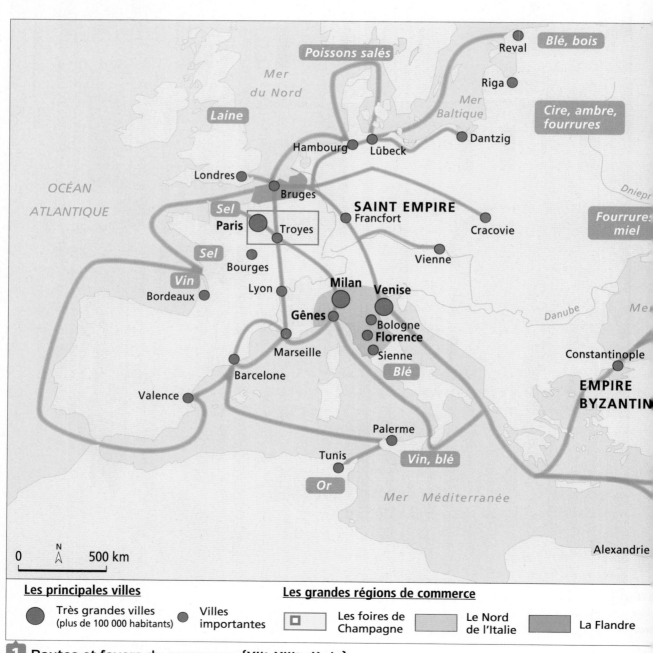

1 Routes et foyers du commerce (XIIe-XIIIe siècle)

Les principales villes

- ● Très grandes villes (plus de 100 000 habitants)
- • Villes importantes

Les grandes régions de commerce

- ☐ Les foires de Champagne
- Le Nord de l'Italie
- La Flandre

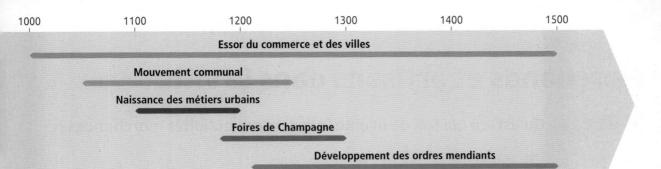

| 1000 | 1100 | 1200 | 1300 | 1400 | 1500 |

Essor du commerce et des villes

Mouvement communal

Naissance des métiers urbains

Foires de Champagne

Développement des ordres mendiants

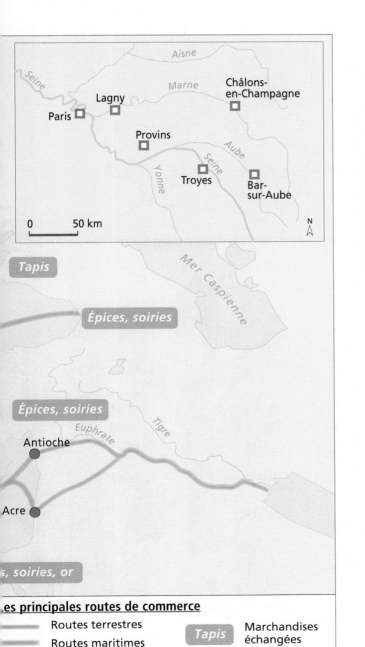

les principales routes de commerce

| Routes terrestres |
| Routes maritimes |

Tapis — Marchandises échangées

VOCABULAIRE

▸ **Commune**
Au Moyen Âge, association d'habitants pourvue de droits (avantages fiscaux, militaires…) accordés par un seigneur ou par le roi.

▸ **Essor des villes**
Croissance des villes. Les villes sont plus nombreuses, plus peuplées et développent leurs activités.

▸ **Métier urbain**
Associations de personnes qui exercent un même métier dans une ville.

▸ **Ville**
Au Moyen Âge, bourg fortifié où s'exercent des activités artisanales et marchandes. Devenue une commune, elle est administrée par des représentants de sa population.

QUESTIONS

▸ **Je me repère dans le temps et dans l'espace**

❶ Quand l'essor des villes commence-t-il ?

❷ Où se situent les plus grandes villes d'Occident ?

❸ Quels sont les grands foyers du commerce en Europe ?

Je découvre

Marchands et artisans dans la ville

Question clé Qu'est-ce qui fait de la ville le centre des activités marchandes ?

1 Bruges, un grand centre commercial

Bruges est une grande ville très riche, et l'un des principaux marchés au monde. On considère généralement que deux villes luttent pour la suprématie commerciale : à l'ouest, Bruges, et, à l'est, Venise. Il me semble pourtant [...] que l'activité commerciale de Bruges dépasse celle de Venise. [...] Tous les pays s'y rencontrent donc et l'on prétend que le nombre de navires qui quittent le port brugeois est supérieur à sept cents certains jours. [...]

On trouve ici des produits d'Angleterre, d'Allemagne, du Brabant, de Hollande [...] et d'une bonne partie de la France. [...] J'ai vu des oranges et des citrons de Castille [...], des fruits et du vin de Grèce, [...] des étoffes et des épices d'Alexandrie et de tous les coins du Levant et des peaux de la région de la mer Noire. On y trouvait tous les produits d'Italie : brocart, soie, armes [...].

■ Pero Tafur, *Voyages et aventures*, 1435-1439.

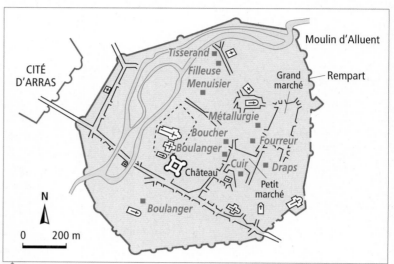

2 Commerçants et artisans du bourg Saint-Vaast, Arras.

3 Le marché dans la ville

Scène de marché dans une ville italienne au XIVe siècle : vente de produits alimentaires, de vin, d'un cheval...
Codex Justinien, 1350, Bibliothèque nationale de Turin, Italie.

VOCABULAIRE

▸ **Artisan**
Celui qui exerce une activité manuelle nécessitant un savoir-faire, ou art.

▸ **Bourgeois**
Habitant du bourg, de la ville.

4 Une boutique dans la ville

Des femmes boulangères, XIIIe siècle.
Miniature des *Cantigas de Santa María* d'Alphonse X le Sage,
XIIIe siècle, Bibliothèque nationale de Florence, Italie.

5 La protection des marchands de Cologne à Londres

Le roi d'Angleterre demande aux seigneurs qui administrent la ville de Londres en son nom, d'assurer la protection des marchands allemands de Cologne.

Henri, par la grâce de Dieu, roi d'Angleterre, duc de Normandie et d'Aquitaine, comte d'Anjou, à ses juges, vicomtes et tous officiers d'Angleterre, salut.

Je vous prescris de garder, veiller et protéger comme mes propres sujets, les hommes et bourgeois de Cologne ainsi que leurs biens et marchandises. Vous ne leur ferez ou ne leur laisserez subir aucun tort ou préjudice. [...] Car ils me sont fidèles, eux et tous leurs biens sont sous ma sauvegarde et protection. Qu'ils soient assurés d'une paix entière en suivant leurs justes coutumes. Ne leur imposez aucune taxe ou réglementation nouvelles [...] auxquelles ils ne sont pas astreints. Et si quelqu'un tente quoi que ce soit à ces [règles], faites-en sans délai [...] justice.

■ Charte d'Henri II, 1173-1179.

Activités

Question clé | Qu'est-ce qui fait de la ville le centre des activités marchandes ?

ITINÉRAIRE 1

ou

▶ **Je comprends le sens général des documents**

❶ **Doc 1.** Qu'est-ce qui fait de Bruges l'une des plus grandes villes commerçantes d'Europe ?

❷ **Doc 2 à 4.** Quelles sont, dans la ville, les différentes activités des artisans et des marchands ? À votre avis, qui sont les acheteurs ?

❸ **Doc 1 et 5.** Qui sont ces marchands que l'on peut rencontrer à Bruges et à Londres ? À votre avis pourquoi le roi d'Angleterre exige-t-il qu'ils soient protégés à Londres ?

▶ **J'argumente à l'écrit**

❹ À l'aide des questions 1 à 3, répondez en quelques lignes à la question clé. Vous pouvez organiser votre texte en reprenant les thèmes suivants : qu'est-ce qui se vend ? Qui vend et achète ? Où achète-t-on ? Qui encourage le commerce ?

ITINÉRAIRE 2

site élève
⬇ tableau à compléter

▶ **J'extrais des informations des documents et je les classe**

Seul(e) ou avec votre voisin(e), à l'aide des documents, vous devez montrer que vous avez compris la question clé.

Thème	Document utilisé	Idée retenue
Les produits vendus	1 à 4	
Les lieux du commerce	1 à 5	
Les acteurs du commerce		
• ceux qui produisent	2 et 4	
• ceux qui vendent	2 à 4	
• ceux qui achètent	1, 3 et 4	
La protection du commerce	5	

J'enquête

TÂCHE COMPLEXE

SOCLE Compétences
▶ **Domaine 2 :** je respecte la consigne donnée
▶ **Domaine 3 :** je comprends l'engagement politique et social d'une société

La société urbaine s'organise

CONSIGNE

Vous êtes Gontran, le fils d'un grand marchand de Bruges. Pour apprendre le métier de votre père, vous devez voyager en Europe, de ville en ville, pendant une année. Vous découvrez comment s'organisent les sociétés urbaines et vous prenez des notes.

À votre retour, vous rédigez un rapport illustré pour la guilde des marchands de Bruges. Vous y présentez le gouvernement des villes et la diversité de ses habitants.

1 Quand la ville devient une commune

Moi Thibaut, comte de Champagne et de Brie, nommerai chaque année 13 hommes[1] de la commune de Troyes, et ces 13 personnes éliront l'une d'entre elles comme maire. Ces 13 personnes jureront sur les saints Évangiles de garder et gouverner la ville et les affaires de la ville en toute bonne foi. Les 12 jurés et le maire lèveront les impôts.

Je donne aux habitants de la commune de Troyes la justice sur la ville. Je conserve la justice et la garde de mes églises, de mes chevaliers et de mes vassaux.

■ D'après la charte de commune de Troyes, 1230.
1. Marchands et artisans de la ville.

INFOS

Les villes sont dirigées par des **magistrats élus**, ou **choisis** par le **seigneur**. Ils élaborent les **règlements de la commune**. Très vite, les grandes familles de marchands s'emparent de la fonction municipale.

2 Au cœur de la ville, le palais communal
Le *campo* (place publique) de Sienne (Italie) et l'hôtel de ville ❶, première moitié du XIIIe siècle.

3 Des métiers urbains organisés

a. Le règlement du métier des tisserands de Paris (vers 1250)

Nul tisserand de laine ne peut avoir métier de tisserandier s'il ne sait pas faire le métier de tisserandier. Il peut avoir dans sa maison un apprenti, sans plus. Nul du métier ne doit commencer son ouvrage avant l'heure du soleil levant.

b. Le règlement de la guilde des marchands de Saint-Omer (XIe siècle)

Un marchand habitant en notre ville qui n'est pas de la guilde et qui fixerait le prix d'une marchandise, s'il survient un membre de la guilde, vendra, même contre son gré, au prix fixé par ce dernier.

4 Tensions et révoltes dans la ville

Beaucoup de discordes surviennent dans les villes [...] car il arrive souvent que les riches qui administrent les affaires de la ville se taxent moins, eux et leurs parents [...] et de la sorte font retomber toutes les dépenses de la communauté sur les pauvres.

C'est ce qui explique tant de maux parce que les pauvres ne le voulaient pas mais qu'ils ne savaient pas la bonne manière de faire valoir leur droit si ce n'est de se rebeller contre les riches.

■ Philippe de Beaumanoir (1250-1296), *Les Coutumes du Beauvaisis.*

5 Le gouvernement des communes

Sceau de la commune de Saint-Omer, XIIIe siècle, représentant les échevins de la ville. Apposée sur un acte officiel, cette marque en garantissait l'authenticité Archives nationales, Paris.

VOCABULAIRE

▸ **Beffroi**
Haute tour construite par une commune. Elle abrite une cloche qui avertit les habitants en cas de danger et qui sonne les horaires de travail.

▸ **Commune**
Au Moyen Âge, association d'habitants pourvue de droits (avantages fiscaux, militaires...) accordés par un seigneur ou par le roi.

▸ **Guilde / Métier**
Association de marchands ou d'artisans d'une ville.

▸ **Hôtel de ville**
Édifice où se réunissent ceux qui dirigent la commune, les **magistrats** (échevins...).

COUP DE POUCE

Pour rédiger votre rapport, recherchez dans les documents les informations qui vous permettront d'expliquer l'organisation des sociétés urbaines.

	Doc 1 et Infos	Doc 2	Doc 3	Doc 4	Doc 5
L'organisation de la ville en commune		–	–	–	–
L'organisation des artisans et des marchands de la ville	–	–		–	–
Le gouvernement de la ville			–		

L'Église dans la ville

Question clé Quelles sont les relations entre l'Église et la société urbaine ?

1 **La cathédrale, résidence de l'évêque dans la ville**

Une cathédrale gothique en construction.
Enluminure de Jean Fouquet, XVe siècle, BnF, Paris.

2 **Les ordres mendiants, à la rencontre des habitants des villes**

Le moine franciscain Saint Bernardin prêche sur la place publique de Sienne.
Sano di Pietro, huile sur bois, 1455, Sienne (Italie).

3 **La prise en charge de l'enseignement**

École de l'évêché. L'Église a également en charge les universités.
Enluminure, XIVe siècle, BnF, Paris.

INFOS

Nés au XIIIe siècle, les **ordres mendiants** s'installent à la ville dans des couvents. Ils ont fait vœu de pauvreté et vivent de la charité. Ils se consacrent à la **prédication** (l'enseignement de la religion) et aux **pauvres**.

4 **L'assistance aux pauvres**
Scène de la vie d'Andrea Gallerani (vers 1200-1251) qui fonda la Congrégation des Frères de la Miséricorde.
Attribué à Guido da Siena, vers 1275, Pinacoteca Nazionale, Sienne (Italie).

5 **La prise en charge des malades**
L'hôpital de l'Hôtel-Dieu à Paris.
Miniature, XVe siècle.

VOCABULAIRE

▸ **Cathédrale**
Église de l'évêque, du grec *cathedra*, « siège de l'évêque ».

▸ **Évêque**
Du mot gallo-romain *episcu*, « surveillant ». Clerc à la tête d'une communauté de chrétiens sur laquelle il exerce son autorité.

▸ **Hôtel-Dieu**
Hôpital au Moyen Âge, fondé et entretenu par l'Église.

Activités

Question clé **Quelles sont les relations entre l'Église et la société urbaine ?**

ITINÉRAIRE 1

▸ **Je prélève des informations dans des documents**

1 **Doc 1, 3 et 5.** Quels bâtiments marquent la présence de l'Église dans la ville ?

2 **Doc 1, 3 et 5.** Quelles fonctions quotidiennes l'Église exerce-t-elle auprès des habitants de la ville ?

3 **Doc 2 et 4.** Qui sont les ordres mendiants ? Quelles relations s'établissent entre eux et les habitants de la ville ?

▸ **J'argumente à l'oral**

4 À l'aide des questions 1 à 3, répondez à la question clé en quelques phrases que vous présenterez à l'oral.

OU

ITINÉRAIRE 2

▸ **Je réalise une production graphique**
À l'aide des documents, réalisez une carte mentale qui répond à la question clé.

MÉTHODE

▸ Pour construire votre carte mentale, posez-vous d'abord des questions.
L'Église dans la ville : qui ? Quelles fonctions ? Pourquoi ces fonctions ? Quelle présence visible dans la ville ?

> **Les relations entre l'Église et les sociétés urbaines**

▸ Construisez ensuite votre carte mentale de manière personnelle (encadrés, flèches, dessins...) pour expliquer la question clé.

SOCLE Compétences
➤ **Domaine 5 :** je comprends que le passé éclaire le présent

Que reste-t-il des sociétés urbaines du Moyen Âge ?

A Les traces des sociétés urbaines médiévales

1 L'Hôtel de ville
Le palais communal Dei Priori (XIIIe-XIVe siècle), dont la cloche rythmait la vie de la ville au Moyen Âge, est aujourd'hui l'Hôtel de ville de Pérouse (Italie).

2 La cathédrale gothique de Burgos, Espagne, XIIIe-XVe siècle

3 La préservation du patrimoine urbain
Restauration des vitraux de la cathédrale de Chartres, France, 2011.

INFOS

La préservation des archives urbaines :
En France, les **chartes de fondation** des communes sont conservées aux **Archives nationales**. Documents très fragiles, ils doivent être protégés de la lumière et des moisissures. Ils sont aujourd'hui numérisés afin de permettre au public de les **consulter sans les abîmer**.

4 À la tête des communes, les élus municipaux

a. Du conseil de ville de Toulouse au XIVe siècle...

Les capitouls du conseil de la ville pour l'année 1353-1354.
Miniature extraite des *Annales*, Livre 1, 1369, musée des Augustins, Toulouse.

b. ... au Conseil municipal de Toulouse en 2015

5 Le marché, au cœur de la ville
Marché de Fleurance (France) en 2014.

6 Faire revivre la société urbaine médiévale

Dans la ville de Volterra en Toscane, on fait revivre chaque année, en août, tous les aspects de la ville médiévale (2012).

QUESTIONS

▶ J'observe les traces du passé

1 Doc 1 à 3. Quelles traces les habitants du Moyen Âge ont-ils laissées dans leurs villes ?

2 Doc 3 et Infos. Comment sont préservées ces traces du passé ?

▶ Je fais le lien entre le passé et le présent

3 Doc 4 à 6. Sous quelles formes le gouvernement et les métiers des villes médiévales sont-il toujours présents dans les villes d'aujourd'hui ?

4 Doc 4 à 6. À votre avis, habiter la ville au Moyen Âge et habiter la ville aujourd'hui, est-ce différent ?

Une nouvelle société urbaine

➡️ **Comment s'organise la vie des habitants des villes du Moyen Âge ?**

A L'essor des villes

1. À partir du XIe siècle, le dynamisme des **campagnes** et la paix en Europe occidentale expliquent le développement des **villes**. Leurs populations, venues de la campagne, se regroupent dans des **lieux favorables à la circulation** : croisement de routes, port, pont sur un fleuve...

2. En Europe occidentale, environ 20 % des habitants vivent en ville au début du XIVe siècle. Si beaucoup de villes ne comptent que quelques milliers d'habitants, les plus grandes peuvent atteindre 100 000 habitants à la fin du XIIIe siècle. L'**Italie du Nord** et l'**Europe du Nord** sont des régions particulièrement **urbanisées** (Venise, Bruges...).

B La ville, un monde de marchands et d'artisans

1. Les villes sont d'abord le lieu du **marché** où s'échangent les produits locaux. Elles animent aussi le **grand commerce** qui se développe à travers l'Europe occidentale et enrichit les **grands marchands** d'Italie, de Flandre et d'Allemagne. Ces grands négociants se rencontrent aux **foires** internationales, comme celles de **Champagne**, où ils échangent des étoffes, des épices...

2. L'essor du commerce stimule les productions de la ville. Les artisans fabriquent **les tissus de laine, de coton et de soie**. Ils se regroupent en quartiers où ils disposent d'**ateliers** et de **boutiques**. Parmi eux, se côtoie une diversité de métiers (bouchers, boulangers, cordonniers...).

C Une nouvelle société urbaine

1. Pour défendre leurs intérêts, les marchands se regroupent en **guildes** et les artisans en **métiers**. Ces **bourgeois** se libèrent de l'autorité des seigneurs et obtiennent des **chartes de franchise** qui leur reconnaissent le droit de se gouverner eux-mêmes. Les villes deviennent des **communes** et se dotent d'édifices publics (**hôtels de ville**, **beffroi**). Les **riches marchands** s'emparent des **magistratures** (fonctions de **maire**, d'**échevins**). Écarté du gouvernement, le **peuple** se révolte.

2. L'**Église** est très présente en ville. L'**évêque** rassemble les chrétiens **à la cathédrale**, et les **ordres mendiants** renforcent l'emprise de l'Église sur les populations de la ville. L'Église prend également en charge l'**enseignement** (écoles et universités), l'**assistance aux malades** (**Hôtels-Dieu**), l'**aumône** aux pauvres.

D'où vient le mot...

BOURGEOIS ?

Au XIe siècle, en Europe occidentale, il désigne celui qui habite le **bourg**, petite agglomération rurale fortifiée, où se tient le **marché** et qui est la **résidence de l'évêque**. À partir du XIIe siècle, le bourg s'étend et donne naissance à la **ville**. Dans le cadre de la **commune**, le **bourgeois** désigne le **riche habitant** de la ville, celui qui a le privilège de participer à son **gouvernement**.

VOCABULAIRE

▸ **Commune**
Au Moyen Âge, association d'habitants pourvue de droits (avantages fiscaux, militaires...) accordés par un seigneur ou par le roi.

▸ **Hôtel de ville**
Édifice où se réunissent ceux qui dirigent la commune, les **magistrats** (échevins...).

Croissance démographique.

Augmentation de la **production** et de la **consommation**.

Croissance des **échanges**.

Croissance urbaine

Plus de villes, et des villes plus peuplées.

Fonction économique

- Organisation en **métiers**.
- Forte activité **commerciale** (parfois internationale).
- **Des marchés, des boutiques, des ateliers.**

Fonction politique

- Obtention de **chartes de franchise** et naissance des **communes**.
- Gouvernement urbain par les **riches bourgeois**.
- **Des bâtiments publics,** (halles, beffroi…).

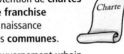

Charte

Fonction religieuse

- Construction de **cathédrales**.
- Essor des **ordres mendiants**.
- **Hôtels-Dieu** (hôpitaux).
- Développement des universités.

Développement d'une société et d'une culture urbaine

Société hiérarchisée et fortement inégalitaire.

Je révise **chez moi**

● **Je vérifie que je connais les principaux repères du chapitre.**

Je sais définir et utiliser dans une phrase :

▶ commune
▶ bourgeois
▶ métiers et guilde

Je sais situer :

▶ **sur une frise :**
 - l'essor du commerce
 - l'essor des villes d'Occident

▶ **sur une carte :**
 - les principales villes d'Occident - les principales régions du grand commerce

site élève
⤓ frise et fond de carte

Je sais expliquer :

▶ l'essor du commerce et des villes en Occident.
▶ les activités des habitants de la ville.
▶ l'organisation du gouvernement de la ville.

Apprendre à apprendre

Comment apprendre ma leçon ?

Je crée mes outils de révision : les cartes mémoire

Pour réviser la leçon, il faut connaître les thèmes du chapitre et les idées importantes qui s'y rapportent.

▶ **Étape 1**

Observez ces 3 cartes : elles représentent les grands thèmes du chapitre.

Croissance des villes et des activités commerciales

Une société hiérarchisée

▶ **Étape 2**

Imprimez ou reproduisez les 3 cartes, puis découpez-les. Vous pouvez aussi créer votre propre dessin.

site élève
⬇ carte à imprimer

L'Église dans la ville

▶ **Étape 3**

Sur le verso de chaque carte, notez les idées et les mots clés du thème.

L'Église est très présente en ville :

– assistance aux pauvres et aux malades ;

– prise en charge de l'enseignement au sein des universités ;

– XIIe siècle > de nouvelles cathédrales sont construites ;

– des ordres comme les ordres mendiants apparaissent au XIIIe siècle. Ils se consacrent à l'enseignement de la religion.

L'Église dans la ville

À toi de jouer !

Tu peux ensuite utiliser tes cartes à chaque fois que tu veux réviser la leçon.
Pense à les construire au fur et à mesure du chapitre.

Je vérifie mes connaissances

1 J'identifie la fonction des bâtiments.

Reliez les bâtiments à leur fonction. Plusieurs bâtiments peuvent correspondre à une seule fonction.

Portes et remparts

Beffroi

Hôtel de ville

Halles

Cathédrale

Fonction politique   **Fonction religieuse**   **Fonction économique**

2 Je révise le vocabulaire.

Recopiez les paragraphes suivants en remplaçant les expressions en gras par le mot de vocabulaire qui correspond. Donnez ensuite un titre à chacun des paragraphes.

a À partir du XIᵉ siècle, des villes obtiennent de leur seigneur **un texte garantissant leurs libertés**. Pour symboliser cette nouvelle autorité, **une haute tour abritant une cloche** et un **édifice dans lequel se réunissent les dirigeants** sont construits dans la ville. Des **magistrats municipaux chargés d'administrer la ville** sont désignés.

b L'Église est très présente dans les villes. Des **églises où siège l'évêque** sont construites. Les **ordres religieux formés de frères ayant choisi de vivre dans la pauvreté** prêchent dans la ville. Les malades sont accueillis dans **les hôpitaux fondés et entretenus par l'Église**.

3 Je me repère sur une carte.

1. Indiquez le nom des grandes villes.

2. Complétez la légende.

4 Retrouvez d'autres exercices sous forme interactive sur le site Nathan.

site élève
exercices interactifs

Exercices

1 Je comprends et mets en relation des documents sur la commune de Bruges

↳ **SOCLE** : Domaine 2

1 La Charte de franchise de Bruges

Art. 1. Le comte nommera tous les ans à Bruges treize échevins. Quand il prend possession du pays, le comte doit jurer devant les échevins de conserver à la ville ses coutumes et ses règlements.

Art. 10. Le comte se réserve les amendes et les délits concernant les monnaies ainsi que le soin de réprimer les crimes commis contre la Sainte Église.

Art. 26. Si une personne est bannie de la ville, le comte ne pourra pas mettre la main sur ses biens.

Art. 49. Si le comte accuse les échevins d'avoir mal rendu la justice, et que leur décision est confirmée par les échevins des bonnes villes [Gand, Ypres, Lille, Douai], leur comte leur doit réparation du déshonneur.

Art. 65. Les échevins ont le pouvoir d'établir des assemblées pour payer les dépenses et les dettes de la ville.

■ Extrait de la Charte de franchise de Bruges, 1281-1304.

2 La halle et le beffroi de Bruges

Édifiée aux XIIIᵉ et XIVᵉ siècles, la halle aux draps de Bruges était un marché couvert. Le beffroi, haut de 83 m et ses 47 cloches rythmaient la journée de travail dans la ville.

QUESTIONS

❶ **Doc 1.** Qui accorde des droits aux habitants de Bruges ? Citez-en quelques-uns.

❷ **Doc 1.** Qui va désormais diriger la ville ?

❸ **Doc 1.** Comment se répartissent les pouvoirs entre le comte et la commune ?

❹ **Doc 2.** Comment le beffroi symbolise-t-il la liberté acquise par les habitants de Bruges ?

2 J'utilise mes connaissances pour expliquer un document : l'Église dans la ville

↳ **SOCLE** : Domaine 5

Les Siennois ont porté une belle et riche peinture jusqu'à la cathédrale le neuvième jour de juin, dans une procession qui réunit l'évêque de Sienne et tous les religieux de Sienne, les seigneurs[1] avec tous les officiers de la ville, et tous les citoyens les plus notables de la ville, en ordre, avec des cierges à la main. Puis les femmes et les enfants se joignirent à la procession à travers la ville autour du campo[2], tandis que les cloches sonnaient. Et ce jour, les boutiques restèrent closes, de nombreuses aumônes furent données aux pauvres, et de nombreuses prières s'élevèrent pour le bon gouvernement de Sienne. Et c'est ainsi que le tableau fut placé dans la cathédrale.

■ Agnolo di Tura del Grasso, « Chroniques siennoises », *Rerum Italicarum Scriptores*, Bologne, 1933-1935.

1. Les membres du conseil communal. 2. Place publique.

QUESTIONS

❶ Relevez les mots qui évoquent la place de l'Église dans la ville.

❷ Quelle cérémonie religieuse est présentée dans le document ? Qui est concerné par cette cérémonie ?

❸ Comment le texte montre-t-il l'importance de l'Église dans la vie de la commune et de ses habitants ?

3 Je m'informe dans le monde du numérique sur la foire du Lendit EMI

↳ **SOCLE :** Domaine 2

http://www.saint-denis.culture.fr/fr/index.html

Saint-Denis
une ville au Moyen Âge

→ la ville et l'abbaye
→ les hommes et les femmes
→ les travaux et les jours
→ archéologie, territoire et citoyenneté

Saint-Denis en images

Langue des signes

Jeux

Miniature extraite du *Pontifical de Sens*, XIVᵉ siècle, BnF, Paris.

site élève
↳ lien vers le site

Rendez-vous sur le site Saint-Denis Culture et cliquez sur « Les travaux et les jours », puis « Les marchés et les foires »..

Dans le texte, cliquez sur le mot clé « Lendit ».

1 Où et quand cette foire se déroule-t-elle ?

2 D'où viennent les marchands ?

3 Que vendent-ils ?

4 Comment sont-ils installés ?

5 Qui est le personnage au centre et que fait-il ?

Imprimez l'image et faites partir des flèches de l'image pour décrire et expliquer les différents éléments de l'enluminure (réponses aux questions 3, 4 et 5).

MON BILAN DE COMPÉTENCES

6 L'affirmation des rois capétiens et valois (XIe–XVe siècle)

→ Comment, dans le royaume de France, les rois capétiens et valois s'imposent-ils face aux seigneurs ?

Au cycle 3	Au cycle 4	Ce que je vais découvrir
Au CM1, j'ai découvert un roi capétien (Louis IX) et le fonctionnement de la monarchie au XIIIe siècle.	**Chapitre 4** J'ai étudié la société féodale.	Entre le XIe et le XVe siècle, par l'action des rois, la France devient un État monarchique.

1 Par le sacre, le roi tient son pouvoir de Dieu

Couronnement du roi Louis VIII et de la reine Blanche de Castille dans la cathédrale de Reims, en présence du haut clergé et des grands seigneurs du royaume (1223).
Miniature de Jean Fouquet extraite des *Grandes Chroniques de France*, vers 1455-1460.

Le sais-tu ?

À la fin du XIIe siècle, le bleu devient la couleur du roi de France, celle de ses vêtements, des décors de ses châteaux, des grandes fêtes royales.

2 **Il renforce son pouvoir en réunissant les États généraux**

Réunion des représentants de l'Église, des seigneurs et des bourgeois, par le roi Louis XI (1468) pour faire accepter sa politique. Ils « s'engagent à servir et aider le roi, à lui obéir ».
Enluminure extraite des *Mémoires* de Philippe de Commynes, fin du XVe siècle.

En France, l'affirmation de l'État monarchique (XIᵉ–XVᵉ siècle)

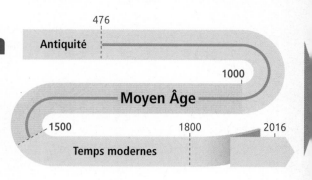

476
Antiquité
1000
Moyen Âge
1500
1800
2016
Temps modernes

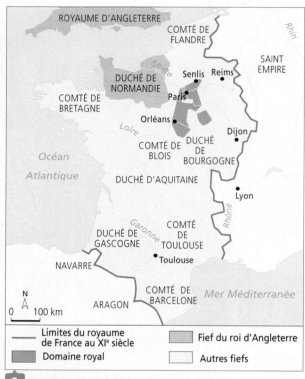

1 La France au XIᵉ siècle

Légende :
Limites du royaume de France au XIᵉ siècle
Domaine royal
Fief du roi d'Angleterre
Autres fiefs

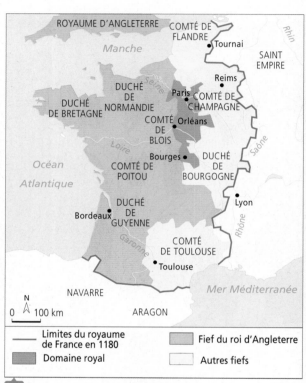

2 Le royaume de France à l'avènement de Philippe Auguste (1180)

Légende :
Limites du royaume de France en 1180
Domaine royal
Fief du roi d'Angleterre
Autres fiefs

5 Gisants de Charles VI (1368-1422) et de sa femme Isabeau de Bavière (1371-1435)

Basilique de Saint-Denis, lieu des tombeaux des rois capétiens et valois.

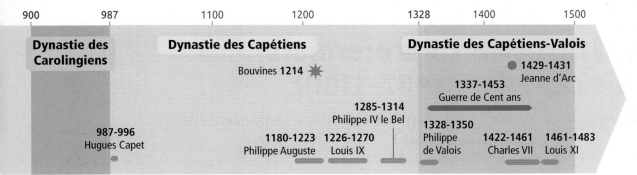

Dynastie des Carolingiens

Dynastie des Capétiens

Dynastie des Capétiens-Valois

Bouvines **1214**

1429-1431
Jeanne d'Arc

1337-1453
Guerre de Cent ans

1285-1314
Philippe IV le Bel

1328-1350
Philippe de Valois

987-996
Hugues Capet

1180-1223
Philippe Auguste

1226-1270
Louis IX

1422-1461
Charles VII

1461-1483
Louis XI

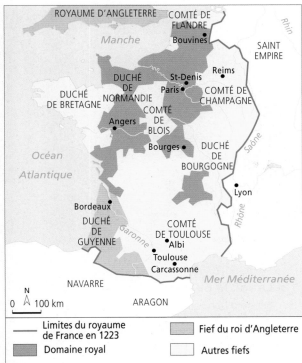

3 **Le royaume de France à la mort de Philippe Auguste (1223)**

Légende :
Limites du royaume de France en 1223
Domaine royal
Fief du roi d'Angleterre
Autres fiefs

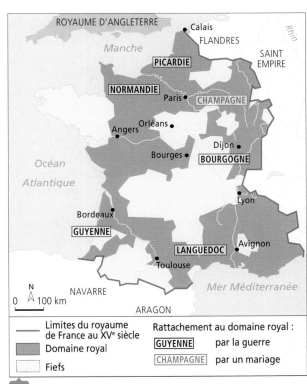

4 **La France au XVe siècle**

Légende :
Limites du royaume de France au XVe siècle
Domaine royal
Fiefs
Rattachement au domaine royal :
GUYENNE par la guerre
CHAMPAGNE par un mariage

VOCABULAIRE

▶ **Domaine royal**
Ensemble des terres dont le roi est le seigneur et dont il tire des revenus.

▶ **Dynastie**
Succession de rois d'une même famille.

▶ **État**
Territoire délimité par des frontières, sur lequel s'exerce un pouvoir politique souverain (celui du roi au Moyen Âge) qui impose des règles communes.

▶ **Monarchie**
Du grec *mono*, un seul, et *arke*, pouvoir. Régime politique dirigé par une seule personne : un roi héréditaire.

QUESTIONS

▶ **Je me repère dans le temps et dans l'espace**

❶ Quelles dynasties se succèdent à la tête du royaume de France entre le XIe et le XVe siècle ?

❷ Comment évolue le domaine royal entre le XIe et le XVe siècle ?
À votre avis, comment cela a-t-il été possible ? Aidez-vous de la frise chronologique.

❸ Au XVe siècle, les rois de France ont-ils renforcé leur pouvoir face aux seigneurs ?

❹ Le royaume de France s'est-il agrandi entre le XIe et le XVe siècle ?

SOCLE Compétences
- **Domaine 1 :** je m'exprime à l'écrit et à l'oral
- **Domaine 5 :** je situe des faits dans une période historique

L'affirmation des premiers rois capétiens (987–1180)

Question clé Comment les premiers Capétiens s'imposent-ils face aux seigneurs ?

1 Hugues Capet, un roi couronné par l'Église

En 987, à la mort du dernier roi carolingien, Hugues Capet, soutenu par l'Église, est élu roi par les grands seigneurs du royaume. L'archevêque Adalbéron leur adresse le discours suivant :

« Si vous voulez la prospérité de l'État, donnez la couronne à l'éminent duc Hugues. Choisissez le duc qui se recommande par ses actions, sa noblesse et sa puissance militaire ; vous trouverez en lui un défenseur non seulement pour l'État, mais encore pour vos intérêts privés. Grâce à son dévouement, vous aurez en lui un père [...]. »

Cet avis fut adopté et unanimement approuvé ; le duc fut élevé sur le trône du consentement de tous et couronné à Noyon par l'archevêque et les autres évêques, proclamé roi des Francs, des Bretons, des Normands, des Aquitains, des Goths, des Espagnols, des Gascons, le premier jour de juin.

■ D'après Richer, *Histoire de France (888-995)*, par R. Latouche © Les Belles Lettres, Paris, 1930.

2 Le roi, le plus puissant des seigneurs

Scène d'hommage entre un vassal et son seigneur, le roi. Le roi n'est le vassal de personne car il est au-dessus de tous les seigneurs.
Miniature tirée de *Meliadus, frère de Tristan*, XIVe siècle, Venise, Biblioteca Marciana.

INFOS

À l'avènement d'Hugues Capet, le **royaume de France** est divisé en un très **grand nombre de fiefs**. Certains, très étendus, appartiennent à des **seigneurs** plus puissants que le **roi**, et qui ne le respectent pas (voir carte p. 110).

3 Le roi Hugues Capet soumet le dernier Carolingien

Hugues Capet se fait remettre les clés de Laon.
Miniature de Jean Fouquet extraite des *Grandes Chroniques de France*, vers 1450, BnF, Paris.

Fleur de lys

Couronne

Sceptre

Trône

Roi des Francs

Philippe Par la grâce de Dieu

4 **Se parer des insignes royaux**

Sceau en majesté du roi Philippe Auguste, XIIᵉ siècle, Archives nationales, Paris.

5 **Créer une dynastie**

Comme ses prédécesseurs, Philippe Auguste (1180-1223) est sacré roi du vivant de son père, Louis VII (1137-1180).

1 Le roi Louis VII

2 Son fils Philippe Auguste

Enluminure, *Grandes Chroniques de France*, 1314, BnF, Paris.

Activités

Question clé | **Comment les premiers Capétiens s'imposent-ils face aux seigneurs ?**

ITINÉRAIRE 1

ou

ITINÉRAIRE 2

▸ **J'analyse et je comprends les documents**

1 Doc 1, Infos et carte p. 110. Comment Hugues Capet est-il devenu roi ? Est-il respecté par les seigneurs ?

2 Doc 2 et 3. Dans quelles situations le roi montre-t-il qu'il est le plus puissant des seigneurs ?

3 Doc 4 et 5. Par quels moyens les rois capétiens montrent-ils que leur autorité est supérieure à celle des seigneurs ?

▸ **J'ordonne des faits les uns par rapport aux autres**

4 À l'aide des questions 1 à 3, répondez à la question clé.

▸ **Je m'exprime à l'oral**

À l'aide des documents, imaginez un jeu de rôle qui réponde à la question clé.

MÉTHODE

▸ Choisissez un personnage dans les documents proposés : un roi, un seigneur fidèle, un vassal félon, un membre de l'Église.

▸ Sélectionnez dans les documents les informations utiles pour jouer votre personnage. Notez les mots clés et écrivez les phrases que votre personnage doit prononcer.

▸ Jouez le rôle de ce personnage en vous exprimant en son nom : indiquez qui vous êtes et comment vous agissez, soit pour affirmer le pouvoir du roi, soit pour l'affaiblir.

Les rois capétiens et valois, à l'origine de l'État moderne

CONSIGNE

Vous participez à la rédaction des *Grandes Chroniques de France* qui retracent l'histoire des rois de France. En équipes, vous devez établir comment, à partir du XIIIe siècle, les rois capétiens et valois ont consolidé leur pouvoir en transformant leur royaume en un État moderne, celui d'une monarchie.

Pendant les présentations orales de chaque équipe, vous prenez des notes. Puis vous rédigez un récit historique qui explique les actions des rois capétiens et valois pour devenir les maîtres dans le royaume de France.

site élève
↧ de l'oral à l'écrit

VOCABULAIRE

▸ **État**
Voir p. 111.

▸ **États généraux**
Assemblée des représentants de l'Église, des seigneurs et des bourgeois, réunie par le roi pour faire accepter sa politique.

▸ **Monarchie**
Voir p. 111.

ÉQUIPE 1

Philippe Auguste : roi de France (1180–1223)

Votre équipe doit expliquer à la classe comment Philippe Auguste a renforcé son pouvoir.

❶ Que devient son domaine royal ? (voir p. 110-111)
❷ Comment s'impose-t-il face à ses vassaux ?
❸ À votre avis, pourquoi se fait-il appeler « roi de France » ?

1 La bataille de Bouvines (1214)
À l'issue de la bataille, Philippe Auguste confisque à son vassal, le roi d'Angleterre, une partie de ses fiefs.
Miniature extraite des *Grandes Chroniques de France*, vers 1450, BnF, Paris.

2 L'accueil triomphal au retour de Bouvines

Le roi de France, joyeux d'une victoire si inespérée, rendit grâces à Dieu, qui lui avait accordé de remporter sur ses adversaires un si grand triomphe. Il emmena avec lui, chargés de chaînes et destinés à être enfermés dans de bonnes prisons, les trois comtes [...], ainsi qu'une foule nombreuse de chevaliers [...]. À l'arrivée du roi, toute la ville de Paris[1] fut illuminée de flambeaux et de lanternes, retentit de chants, d'applaudissements, de fanfares et de louanges le jour et la nuit qui suivit. Des tapis et des étoffes de soie furent suspendus aux maisons ; enfin ce fut un enthousiasme général.

■ D'après Roger de Wendower, *Chronique*, vers 1220.
1. Paris devient la capitale du royaume.

Philippe Auguste est le premier Capétien à prendre le titre de roi de France, à la place de roi des Francs. Il agrandit le domaine royal (cartes p. 110–111).

Louis IX (1226–1270) et Philippe IV le Bel (1285–1314) : la construction de l'État royal

Votre équipe doit expliquer à la classe comment la France est devenue un État royal au XIIIe siècle.

1 Quelles décisions prennent ces rois ?

2 Comment renforcent-elles leur pouvoir sur leur royaume ?

> **INFOS**
>
> Ayant pendu trois hommes soupçonnés à tort de braconnage, le seigneur Enguerrand de Coucy fut condamné par le roi à une amende très élevée, à la confiscation de son droit de justice dans sa seigneurie, à des messes et à des pèlerinages.

3 Le roi impose sa justice

Jugement de sire Enguerrand de Coucy par Louis IX.
Miniature extraite de *Vie et miracles de Saint Louis*, Guillaume de Saint-Pathus, vers 1320.

4 Le roi dialogue avec son peuple

Le 1er août [1314], Philippe le Bel, roi de France, assembla à Paris de nombreux barons et évêques et surtout il fit venir de nombreux bourgeois de chaque cité du royaume [...]. Enguerrand de Marigny, gouverneur de tout le royaume, parlant au nom du roi de France, [...] leur parla de la guerre de Flandre, des dépenses qu'elle avait entraînées. Il dit aux bourgeois du royaume que le roi voulait savoir lesquels lui feraient aide pour faire la guerre en Flandre [...]. Les bourgeois répondirent que volontiers ils lui feraient aide. Le roi les en remercia.

■ D'après *Les Grandes Chroniques de France*, 1314.

5 Le roi crée l'impôt royal

Philippe V le Long (1316-1322), aidé d'un membre de la Chambre des comptes, lève l'impôt dans le royaume.
Enluminure de Robert Testart, extraite des *Grandes Chroniques de France*, 1474.

J'enquête

EN ÉQUIPES !

ÉQUIPE 3

Charles VII (1422–1461) : restaurer le pouvoir du roi

Vous devez expliquer à la classe comment Charles VII a pu devenir roi de France.

❶ Quelle situation l'empêche d'être roi ?
❷ Comment devient-il roi de France ?
❸ Comment consolide-t-il son pouvoir ?

BIOGRAPHIE

Charles VII (1403-1461)

Au cours du XIVᵉ siècle, le conflit reprend entre le roi de France et son vassal, le roi d'Angleterre. C'est la « **guerre de Cent ans** » (1337-1453). **Charles VII**, héritier du trône, est alors écarté de la succession royale en 1420, au profit du roi d'Angleterre. **Jeanne d'Arc**, une jeune paysanne lorraine, veut « bouter les Anglais hors de France » et faire reconnaître Charles, roi de France. Elle le fait **couronner à Reims** (juillet 1429). Le roi Charles VII met fin à la « guerre de Cent ans » dont il sort victorieux en 1453.

7 ## Charles VII crée une armée royale permanente

a. Création de garnisons, les compagnies de la grande ordonnance[1] (1445)

Pour faire cesser la pillerie qui longuement a eu cours en notre royaume [...], nous avons ordonné [...] que les [gens d'armes seront logés dans les bonnes villes] pour qu'aucun mal ne soit fait à nos sujets et à notre pays.

b. Création des francs-archers, les compagnies de la petite ordonnance (1448)

Nous avons avisé que, en chaque paroisse de notre royaume, il y aura un archer qui sera et se tiendra continuellement en équipement suffisant [...]. Ils seront tenus de s'entraîner à toutes les fêtes, pour nous servir toutes les fois que nous le leur demanderons.

1. Une loi royale.

6 **La rencontre de Charles VII et de Jeanne d'Arc à Chinon en 1429**

Tapisserie allemande, 1450.

Jeanne d'Arc s'adressant au roi

❝ Moi je te dis de la part [du roy des cieux] que tu es vray héritier de France et fils du roy ; il m'a envoyée vers toi pour te conduire à Reims pour que tu y reçoives couronnement et consécration si tu le désires. ❞

■ Déposition de Jean Pasquerel, 1456.

Louis XI (1461–1483) : la « grande monarchie de France »

ÉQUIPE 4

Vous devez expliquer à la classe comment, à la fin du XVe siècle, Louis XI a fait de son royaume un État monarchique.

❶ Comment Louis XI gouverne-t-il son royaume ? Quel est son pouvoir ?
❷ Quels rapports le roi entretient-il avec les grands seigneurs du royaume ?
❸ De qui a-t-il le soutien ?

BIOGRAPHIE

Louis XI (1423-1483)

Pendant tout son règne Louis XI lutte contre les grands seigneurs du royaume unis contre lui. Il gouverne avec autorité, soutenu par le peuple. Il rend permanents les impôts royaux pour payer les gens de guerre.

8 L'entrée du roi dans la ville de Brive-la-Gaillarde (27 juin 1463)

Les rois de France des XIVe et XVe siècles voyagent à travers leur royaume à la rencontre de leur peuple. L'entrée royale dans les villes est une cérémonie : la Fête-Roi.

Un consul, au nom de toute la ville, prononça ces paroles : « Sire, nous sommes ici vos très humbles sujets, consuls et habitants de votre pauvre ville de Brive-la-Gaillarde, qui nous venons présenter à votre royale Majesté, et nous vous apportons les clés des portes de votre ville. » [...]

Les consuls revinrent devant lui et lui firent présenter, de la part de la ville, deux douzaines de chapons, six douzaines de poulets, deux douzaines d'oies, et dix [mesures] de vin.

■ D'après Bernard Guenée et Françoise Lehoux, *Les Entrées royales françaises de 1328 à 1515.* CNRS, 1968.

9 Louis XI crée l'ordre de Saint-Michel, 1469

Cet ordre réunit 36 grands seigneurs du royaume qui s'engagent à une fidélité absolue envers le roi.
Miniature attribuée à Jean Fouquet, 1470, Paris.

10 L'administration royale sous Louis XI

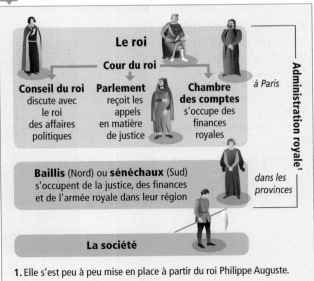

Le roi

Cour du roi

Conseil du roi
discute avec le roi des affaires politiques

Parlement
reçoit les appels en matière de justice

Chambre des comptes
s'occupe des finances royales

à Paris

Baillis (Nord) ou **sénéchaux** (Sud) s'occupent de la justice, des finances et de l'armée royale dans leur région

dans les provinces

La société

Administration royale[1]

1. Elle s'est peu à peu mise en place à partir du roi Philippe Auguste.

Que reste–t–il des rois capétiens et valois dans la France d'aujourd'hui ?

A · Des traces dans le patrimoine de la France

1 Paris au XVe siècle, capitale de la France depuis Philippe Auguste

Très Riches Heures du duc de Berry, manuscrit des Frères Limbourg, vers 1411-1415, Chantilly, musée Condé.

1 Palais royal, aujourd'hui Palais de justice
2 Jardin du roi
3 Sainte-Chapelle
4 Tribunaux du Parlement
5 Grande-Salle accueillant les séances royales les plus importantes

http://www.chateau-vincennes.fr/index.php

site élève
⬇ lien vers le site

2 Le château de Vincennes, 2015

Construit au XIVe siècle par le roi valois Charles V (1364-1380), il est le siège du gouvernement du royaume, et le lieu de résidence de la cour du roi.

Rendez-vous sur le site Internet du château de Vincennes pour en faire une visite virtuelle et découvrir quelle est aujourd'hui la fonction du château !

3 La Sainte-Chapelle, 2015

Chapelle du palais construite au XIIIe siècle sur ordre de Louis IX. Elle abritait les reliques de la Passion ramenées des croisades.

L'héritage des Capétiens et des Valois : l'invention de l'État moderne

Parcours citoyen

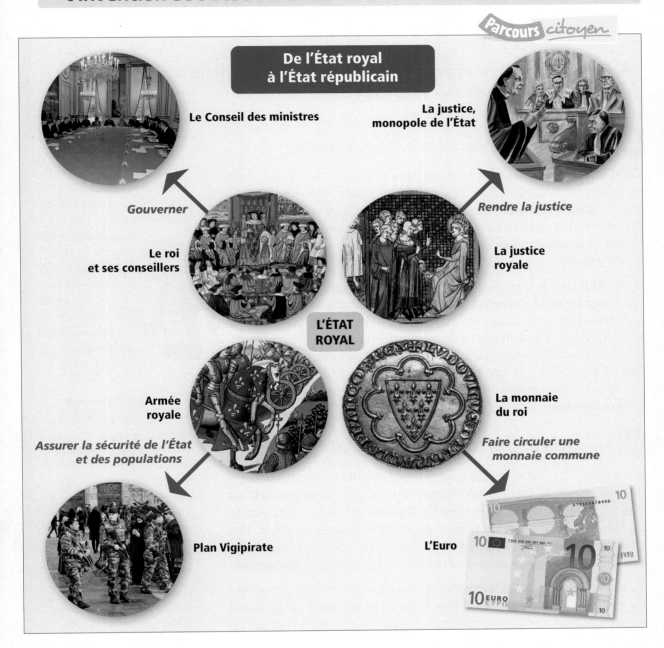

De l'État royal à l'État républicain

Le Conseil des ministres

La justice, monopole de l'État

Gouverner

Rendre la justice

Le roi et ses conseillers

La justice royale

L'ÉTAT ROYAL

Armée royale

La monnaie du roi

Assurer la sécurité de l'État et des populations

Faire circuler une monnaie commune

Plan Vigipirate

L'Euro

QUESTIONS

▶ **J'observe les traces du passé**

❶ Recherchez sur Internet quelles traces des rois capétiens et valois des XIᵉ-XVᵉ siècles sont encore visibles en France aujourd'hui ? Que sont-elles devenues ?

❷ À votre avis, pourquoi est-il important de conserver ces traces du passé ?

▶ **Je fais le lien entre le passé et le présent**

❸ Quels points communs y a-t-il entre l'État créé par les Capétiens et les Valois, et l'État républicain de la France d'aujourd'hui ?

❹ À votre avis, pourquoi est-il nécessaire de vivre dans un État ? Que serait la vie dans un pays sans État ?

L'affirmation des rois capétiens et valois (XIe–XVe siècle)

→ Comment, dans le royaume de France, les rois capétiens et valois s'imposent-ils face aux seigneurs ?

A Du roi féodal au souverain (Xe–XIIIe siècle)

1. En **987**, les seigneurs élisent **Hugues Capet** roi de France, mais ils sont peu disposés à lui obéir car leurs fiefs sont plus vastes que le **domaine royal**. Par le **sacre**, le roi est leur seigneur. Aussi les premiers **Capétiens** combattent leurs vassaux les plus récalcitrants et associent leur fils aîné au trône de leur vivant, imposant leur **dynastie**.

2. Au **XIIIe siècle**, le pouvoir royal s'accroît. **Philippe Auguste** [1180-1223] **agrandit le domaine royal** par la confiscation des fiefs de son plus puissant vassal, le roi d'Angleterre. **Louis IX,** dit Saint Louis [1226-1270], renforce l'**administration royale** et impose dans le royaume sa monnaie, sa justice et ses **ordonnances**. **Philippe le Bel** [1285-1314] s'entoure de **légistes** et crée les **États généraux**. Par leur autorité renforcée sur le royaume, les rois en deviennent les **souverains**.

B La naissance de l'État monarchique (XIVe–XVe siècle)

1. Au début du XIVe siècle, le conflit reprend avec le roi d'Angleterre qui revendique la succession au trône de France. La **guerre de Cent ans** [1337-1453] dévaste le royaume. **Charles VII** [1422-1461], écarté du trône, est sacré roi de France avec l'aide de **Jeanne d'Arc**, des seigneurs français et des villes. Il reconquiert son royaume par la création d'une **armée royale** permanente et rétablit la **monarchie**.

2. Louis XI [1461-1483] triomphe des seigneurs les plus puissants du royaume qui menaçaient son autorité et agrandit le domaine royal. Il accroît ses ressources par la création d'impôts royaux. Le royaume devient un **État**, sous l'autorité du roi, entouré de conseillers à Paris et de représentants dans les provinces.

C L'héritage des rois capétiens du Moyen Âge

1. Les Capétiens nous ont légué un riche patrimoine : la cathédrale gothique de Reims, le château de Vincennes, la basilique de Saint-Denis, les Archives royales...

2. Ils ont créé l'État, en réalisant **l'unité territoriale** du royaume, gouverné et administré sous leur seule autorité. L'organisation politique de la France d'aujourd'hui en est l'héritière.

Qu'est-ce que... L'ÉTAT MONARCHIQUE ?

Un **État** est un territoire délimité par des **frontières**, sur lequel s'exerce un **pouvoir souverain**. À la tête de l'État monarchique, le roi exerce son pouvoir au-dessus de tous. Il est le **souverain** ou **monarque**.

VOCABULAIRE

▶ **Domaine royal**
Ensemble des terres dont le roi est le seigneur et dont il tire des revenus.

▶ **États généraux**
Assemblée des représentants de l'Église, des seigneurs et des bourgeois, réunie par le roi pour faire accepter sa politique.

▶ **Légistes**
Spécialistes du droit et de la loi.

▶ **Monarchie**
Du grec *mono*, un seul, et *arke*, pouvoir. Régime politique dirigé par une seule personne : un roi héréditaire.

▶ **Ordonnance**
Décision du roi pour tout le royaume, qui a valeur de loi.

▶ **Sacre**
Cérémonie religieuse au cours de laquelle l'Église couronne un souverain.

Je retiens autrement

Le roi féodal XIe-XIIe siècle

Les premiers Capétiens

- **Des rois faibles :** petit domaine royal, de puissants seigneurs, qui se partagent les terres du royaume et en sont les maîtres.

Mais

- **Des rois sacrés par l'Église.**

- Ils imposent leur **dynastie**.

- Ils confisquent **les terres des vassaux** insoumis du domaine royal.

Le souverain XIIIe siècle

Les Capétiens

Philippe Auguste

Il agrandit le domaine royal en confisquant les terres de son vassal le plus puissant, le roi d'Angleterre.

Louis IX ou Saint Louis

Il renforce son autorité sur le royaume et les seigneurs :

- **justice du roi,**
- **lois royales,**
- **monnaie royale.**

Philippe IV le Bel

Il consolide l'administration et l'unité du royaume sous son autorité :

- recours aux **légistes,**
- création des **États généraux.**

L'État monarchique XIVe-XVe siècle

Les Valois-Capétiens

Charles VII

Il reconquiert son royaume ravagé par la **guerre de Cent ans :**

- il se fait **sacrer roi**, avec l'aide de Jeanne d'Arc,

- il crée une **armée royale permanente** et chasse les Anglais de France.

Louis XI

Il met en place l'**État monarchique :**

- **soumission des seigneurs,**

- le **domaine royal** est le plus vaste territoire du royaume,

- l'**organisation de l'État : administration** sous son autorité souveraine, **impôts royaux permanents.**

Je révise chez moi

● **Je vérifie que je connais les principaux repères du chapitre.**

Je sais définir et utiliser dans une phrase :

- dynastie
- monarchie
- États généraux

Je sais situer :

- sur une frise :
  la dynastie des Capétiens ;
  la dynastie des Valois

- sur une carte :
  le domaine royal d'Hugues Capet dans le royaume de France ; le domaine royal de Louis XI dans le royaume de France

  site élève
  ⬇ frise et fond de carte

Je sais expliquer :

- comment, du XIe au XIIIe siècle, les rois capétiens ont consolidé leur pouvoir face aux seigneurs.

- comment, aux XIVe et XVe siècles, les rois valois ont fait du royaume de France un État monarchique.

Comment apprendre ma leçon ?

Je crée mes outils de révision : le coffre des savoirs

Pour apprendre sa leçon, on peut s'imaginer un coffre avec l'ensemble des connaissances « rangées » par compartiment.

▶ Étape 1

- Imprimez ou dessinez un coffre.
  Inscrivez la question clé et le code secret sous la forme d'une date à retenir.

> Cet exercice te permet de dégager ce que tu dois retenir, de classer les informations par thème et donc de mémoriser la leçon !

L'affirmation des rois capétiens et valois dans le royaume de France (XIᵉ -XVᵉ siècle)

▶ **Quelle est la question clé ?**

....

▶ **Quel est le code secret ?**

Date de l'avènement d'Hugues Capet

....

site élève
⬇ coffre à imprimer

▶ Étape 2

- Ouvrez le coffre et classez au bon endroit les éléments de la leçon qu'il faut retenir.

Du roi féodal au roi souverain : qui ? comment ?

....

La naissance de l'État monarchique
Donnez le nom d'au moins 2 rois, expliquez leur action.

....

Un souverain puissant qui tire son prestige de la cérémonie du sacre
Rédigez 5 lignes de résumé sur ce sujet.

....
....

Domaine royal

Monarchie

Sacre

BOÎTE À MOTS

Classez dans cette boîte tous les mots importants !

Je vérifie mes connaissances

1 Je vérifie les repères historiques.

Reliez les rois capétiens et valois aux faits qui les concernent.

❶ Hugues Capet

❷ Charles VII

❸ Louis IX

❹ Philippe Le Bel

❺ Philippe Auguste

- a. Il crée la justice royale.
- b. Il fonde la dynastie capétienne.
- c. Il crée une armée royale permanente.
- d. Il s'entoure d'une administration efficace.
- e. Il crée et réunit les États généraux.
- f. Il réduit les seigneurs à l'obéissance.
- g. Il crée une monnaie pour tout le royaume.
- h. Il chasse les Anglais du royaume.

2 J'indique la bonne réponse.

1. Quel roi accède au trône en 987 ?
- a. Robert le Fort.
- b. Hugues le Grand.
- c. Hugues Capet.

2. Quelle circonstance facilite l'installation de la dynastie royale ?
- a. La présence chaque fois d'un fils pour succéder au roi.
- b. La paix entre les grands seigneurs.
- c. Le soutien du pape.

3. Quel roi commence à porter sur ses actes le titre de roi de France ?
- a. Henri Ier.
- b. Louis VI.
- c. Philippe Auguste.

4. Quelle cérémonie donne l'autorité au roi de diriger ses sujets ?
- a. Une entrée à Paris.
- b. Une messe à Saint-Denis.
- c. Le sacre à Reims.

3 J'explique par quels moyens s'affirme le pouvoir royal entre le XIe et le XVe siècle.

b.

a.

c.
Le roi assembla à Paris de nombreux barons et évêques et de nombreux bourgeois de chaque cité du royaume.

d.

Retrouvez ces documents dans le chapitre et lisez leur légende.
Pour chacun expliquez en une ou deux phrases comment les rois de France ont renforcé leur pouvoir face aux seigneurs.
Utilisez les mots clés suivants :

administration royale   États généraux
sacre   domaine royal

4 Retrouvez d'autres exercices sous forme interactive sur le site Nathan.

site élève
exercices interactifs

Exercices

1 Je comprends le langage des arts et le rôle de l'image : les entrées royales, le roi à la rencontre de son peuple

↳ SOCLE : Domaines 1 et 2

1 **Entrée du roi Jean II le Bon (1350-1364) à Paris**

En 1350, après son sacre, Jean II le Bon entre solennellement à Paris avec son épouse Jeanne d'Auvergne. Par ces entrées royales, les Valois réaffirment leur légitimité.
Enluminure de Jean Fouquet, *Grandes Chroniques de France*, vers 1455-1460, BnF, Paris.

 INFOS

L'entrée royale, dialogue entre le roi et la ville
Les rois capétiens font régulièrement des « entrées royales » dans les villes du royaume. Elles symbolisent l'union du roi et de ses sujets. C'est l'occasion, pour le roi, de manifester son pouvoir sur la ville, et pour la ville, d'exprimer des souhaits.

mémo ART

La miniature

▶ Du latin, *miniatulus*, **coloré** au minium, pigment anti-rouille sous la peinture. C'est une **peinture** de petite dimension destinée à **enluminer** les livres au Moyen Âge.

L'enluminure

▶ Du latin *illuminare*, **éclairer**. C'est une peinture sur **parchemin** traité pour fixer l'encre (noir, rouge, violet, bleu, rose, bleu-vert). La **miniature** décore une page écrite.

QUESTIONS

▶ **J'identifie et je situe l'œuvre d'art**

1 Quelle est la nature de cette œuvre d'art ?

2 Quel moment de l'histoire de France illustre-t-elle ? Comment la miniature le montre-t-elle ?

▶ **Je décris l'œuvre et j'en explique le sens**

3 Décrivez la scène : le lieu, les personnages (individus, groupes), l'ambiance.

4 Que raconte cette scène ? Comment le roi manifeste-t-il son pouvoir ? Comment la ville manifeste-t-elle son attachement au roi ?

2 Je m'informe par le numérique sur les tombes royales de la basilique de Saint-Denis (Seine-Saint-Denis)

↳ SOCLE : Domaine 2

site élève
↧ lien vers le site

http://www.tourisme93.com/basilique/le-tombeau-de-dagobert.html

Basilique Cathédrale de Saint-Denis

Découvrir ▾   Agenda ▾   Grandes Robes ▾   Visites, activités ▾   Pratique ▾   Restauration ▾   CMN ▾   Jeu ▾   Fouilles ▾

Étape 1

Rendez vous sur le site Tourisme93 et cliquez sur « Les incontournables »

1 Quel lien y a-t-il entre la basilique de Saint-Denis et les rois capétiens et valois ?

Étape 2

Cliquez sur « Collections uniques de tombeaux et de gisants ».

2 Qu'est-ce qu'un gisant ? Combien y en a-t-il dans la basilique de Saint-Denis ?

3 Pourquoi, pour une même personne, parle-t-on de trois gisants ?

4 Entre le XIIIe et le XVe siècle, quelle évolution connaît la représentation des gisants ?

5 Nommez des rois capétiens et valois du Moyen Âge qui ont leur tombeau dans la basilique. Qui est à leurs côtés ?

3 J'utilise mes connaissances pour expliquer des documents et faire preuve d'esprit critique : du roi féodal à l'État monarchique

↳ SOCLE : Domaine 1

a. Aldebert, comte de Périgord, s'étant emparé de Tours par un siège, en avait reçu soumission. Le roi Hugues le menaça d'une guerre et lui dit : « Qui t'a fait comte ? ». Aldebert répondit : « Qui vous a fait roi ? ».

■ D'après Adémar de Chabannes, *Chroniques*, vers 1030.

b. En ce royaume tant oppressé, après la mort de notre roi Louis XI, les princes et les sujets se mirent-ils en armes contre leur jeune roi[1] ? Tous le reconnurent pour roi et lui firent serment et hommage.

■ D'après Commynes, *Mémoires*, fin du XVe siècle.

1. Le fils de Louis XI, Charles VIII.

QUESTIONS

1 Qui sont les deux rois cités dans les textes ?

2 Quel texte montre la faiblesse des premiers rois capétiens ? Justifiez votre choix par une phrase du texte.

3 Quel texte montre un roi plus puissant ? Justifiez votre choix par une phrase du texte.

MON BILAN DE COMPÉTENCES

Domaines du socle	Compétences travaillées	Pages du chapitre
D1 Les langages pour penser et communiquer	• Je sais m'exprimer à l'écrit et à l'oral. • Je sais raconter de façon claire et argumentée. • Je comprends le langage des arts. • Je sais faire preuve d'esprit critique.	Je découvre .... p. 112-113 J'enquête .... p. 114-117 Exercice 1 .... p. 124 Exercice 3 .... p. 125
D2 Les méthodes et outils pour apprendre	• Je sais organiser mon travail dans le cadre d'un groupe, pour élaborer une tâche collective. • Je sais organiser mon travail personnel. • Je m'informe dans le monde du numérique.	J'enquête .... p. 114-117 Apprendre à apprendre ..... p. 122 Exercice 2 .... p. 125
D5 Les représentations du monde et de l'activité humaine	• Je me repère dans le temps et dans l'espace. • Je sais situer des faits dans une période historique. • Je comprends que le passé éclaire le présent.	Je me repère .... p. 110-111 Je découvre .... p. 112-113 D'hier à aujourd'hui .. p. 118-119

7 Le monde au temps de Charles Quint et Soliman le Magnifique

→ Quelle expansion l'Europe connaît-elle au XVᵉ et XVIᵉ siècle ? Que devient l'espace méditerranéen ?

Au cycle 3

En 6ᵉ, j'ai appris que les Romains connaissaient déjà des mondes lointains, comme la Chine des Han.

Au cycle 4

Chapitre 3, j'ai découvert qu'au Moyen Âge, la Méditerranée était un lieu de conflits mais aussi d'échanges entre chrétiens et musulmans.

Ce que je vais découvrir

Au XVᵉ et XVIᵉ siècle, les Européens découvrent et conquièrent de « nouveaux mondes ». En Méditerranée, l'Europe chrétienne et l'Empire ottoman s'opposent.

1 Charles Quint et Soliman le Magnifique se disputent le contrôle de la Méditerranée, au XVIᵉ siècle

a. Charles Quint, roi d'Espagne (1516-1558) et empereur du Saint Empire romain germanique (1519-1555).
Charles Quint à Mühlberg, Titien, 1548, Musée du Prado, Madrid.

b. Soliman le Magnifique, sultan de l'Empire ottoman (1520-1566).
Le Sultan Soliman, Hans Eworth, 1549.

2 Dans le monde, au XVIᵉ siècle, les Européens découvrent des terres qui leur étaient inconnues

À l'ouest de l'Amérique du Sud, une mer porte le nom de Magellan, premier navigateur à avoir fait le tour du monde (1519-1522). Carte française de 1550, British Library, Londres.

Le monde au XVIe siècle

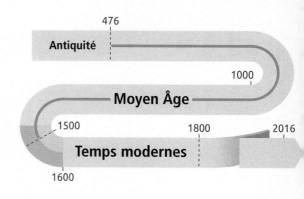

Antiquité — 476

1000

Moyen Âge

1500

1800   2016

Temps modernes

1600

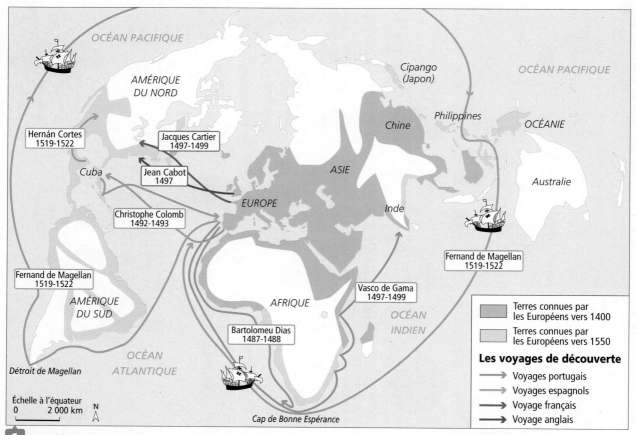

OCÉAN PACIFIQUE

AMÉRIQUE DU NORD

Cipango (Japon)

OCÉAN PACIFIQUE

Chine

Philippines

OCÉANIE

Hernán Cortes 1519-1522

Jacques Cartier 1497-1499

Cuba

Jean Cabot 1497

ASIE

Australie

EUROPE

Inde

Christophe Colomb 1492-1493

Fernand de Magellan 1519-1522

Fernand de Magellan 1519-1522

Vasco de Gama 1497-1499

AMÉRIQUE DU SUD

AFRIQUE

OCÉAN INDIEN

Bartolomeu Dias 1487-1488

OCÉAN ATLANTIQUE

Détroit de Magellan

Terres connues par les Européens vers 1400

Terres connues par les Européens vers 1550

Les voyages de découverte

→ Voyages portugais
→ Voyages espagnols
→ Voyage français
→ Voyage anglais

Échelle à l'équateur
0   2 000 km
N

Cap de Bonne Espérance

1 La découverte de « nouveaux mondes » par les Européens au XVe et XVIe siècle

▸ **Comptoir**
Port établi dans un pays par un autre pays pour y faire du commerce.

▸ **Empire colonial**
Territoire conquis, exploité et dominé par un État étranger.

▸ **Ibériques**
Portugais et Espagnols.

QUESTIONS

▶ **Je me repère dans le temps et dans l'espace**

❶ Quand et où les Portugais et les Espagnols partent-ils à la découverte du monde ?

❷ Quelles régions du monde sont sous la domination des Portugais et des Espagnols ? Comment ? À quelle période ?

❸ Quand et sur quelles régions du monde s'étend l'Empire ottoman ?

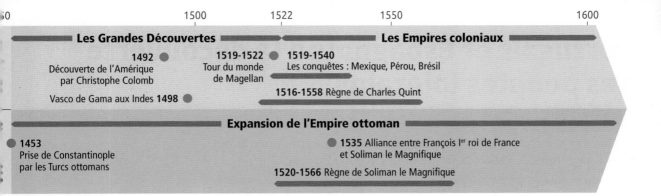

| | 1500 | 1522 | 1550 | 1600 |

Les Grandes Découvertes

1492
Découverte de l'Amérique
par Christophe Colomb

1519-1522
Tour du monde
de Magellan

Vasco de Gama aux Indes **1498**

Les Empires coloniaux

1519-1540
Les conquêtes : Mexique, Pérou, Brésil

1516-1558 Règne de Charles Quint

Expansion de l'Empire ottoman

1453
Prise de Constantinople
par les Turcs ottomans

1535 Alliance entre François Iᵉʳ roi de France
et Soliman le Magnifique

1520-1566 Règne de Soliman le Magnifique

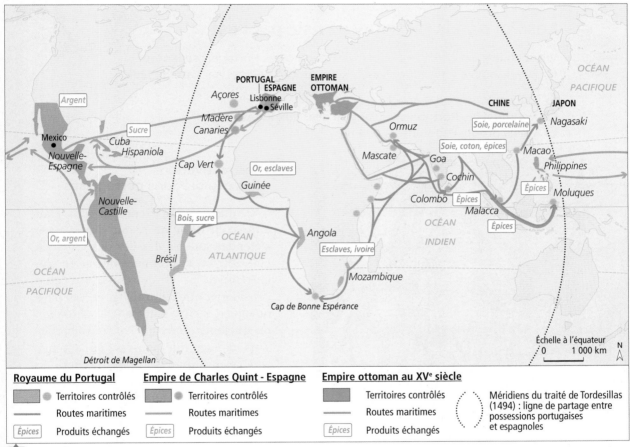

Royaume du Portugal
- Territoires contrôlés
- Routes maritimes
- Épices : Produits échangés

Empire de Charles Quint - Espagne
- Territoires contrôlés
- Routes maritimes
- Épices : Produits échangés

Empire ottoman au XVᵉ siècle
- Territoires contrôlés
- Routes maritimes
- Épices : Produits échangés

Méridiens du traité de Tordesillas
(1494) : ligne de partage entre
possessions portugaises
et espagnoles

2 **Le monde au temps de Charles Quint et de Soliman le Magnifique**

INFOS

Le traité de Tordesillas (1494)
Signé entre l'Espagne et le Portugal,
sous l'autorité du pape, il partage le
monde entre les deux États pour limiter
les conflits entre ces deux puissances
rivales dans la conquête du monde.

Portugais et Espagnols à la découverte des peuples lointains

CONSIGNE

Chroniqueurs renommés, vous participez aux expéditions maritimes des explorateurs Vasco de Gama et Christophe Colomb.

Chaque équipe présente oralement son travail à la classe. À partir de ces présentations, vous rédigerez un récit de la découverte du monde et des peuples lointains par les Portugais et les Espagnols.

Lisbonne

Voyage de Vasco de Gama

Calicut

ÉQUIPE 1

Les Portugais : atteindre l'Asie par l'est

Votre équipe est chargée d'expliquer pourquoi les Portugais se lancent dans des expéditions maritimes aux XVe et XVIe siècles (voir carte p. 128).

1. Qui est Vasco de Gama ?
2. Pourquoi les Portugais veulent-ils aller aux Indes ?
3. Quels profits espèrent-ils en tirer ?

1 **Le port de Lisbonne au XVIe siècle**
Gravure de Théodore de Bry.

« Vers la [grande] Lisbonne, [tout] se dirige : [...] or, perles et pierreries, résines et épices, [...] porcelaine, diamants [...]. »
Diogo Velho, *Cancioneiro geral*, 1516.

2 **Les motivations des explorations portugaises**

L'Infant Dom Henrique[1] [...] était animé du désir de savoir quelle terre s'étendait au-delà des îles des Canaries [...]. Ceci fut la première raison de son entreprise. Et la deuxième fut qu'il considérait que s'il trouvait en ces pays quelques lieux habités de chrétiens ou quelques ports où l'on pût aborder sans danger, on pourrait en amener vers ce royaume[2] un grand nombre de marchandises qu'on se procurerait à bon marché puisque personne de nos régions ni d'aucune région ne commerçait avec eux.

■ D'après Gomes Eanes de Zurara, *Chronique de Guinée*, 1453.

1. Fils héritier du roi du Portugal, surnommé le Navigateur (1394-1460). 2. Le Portugal.

BIOGRAPHIE

Vasco de Gama (1469-1524)

Premier navigateur européen à atteindre l'Asie, il quitte Lisbonne en 1497 et atteint le port indien de Calicut un an plus tard.
« Nous venons chercher des chrétiens et des épices. » Il effectue deux autres voyages et est nommé vice-roi des Indes en 1524.

Les Espagnols : atteindre l'Asie par l'ouest

Votre équipe est chargée d'expliquer pourquoi les Espagnols se lancent dans des expéditions maritimes aux XVe et XVIe siècles. (voir carte p. 128)

❶ Qui est Christophe Colomb ?
❷ Pourquoi les Espagnols veulent-ils aller aux Indes ?
❸ Quels profits peuvent-ils tirer des terres découvertes ?

3 Le journal de bord de Christophe Colomb

Depuis le 12 octobre, Christophe Colomb navigue dans les Caraïbes et explore les îles.

16 décembre 1492

Que Vos Altesses veuillent croire que toutes ces terres sont bonnes et fertiles et que ces îles sont [à elles]. Les indigènes sont propres à être commandés, à travailler, à semer, à bâtir des villes, à ce qu'on leur enseigne à aller vêtus et à prendre nos coutumes.

24 décembre 1492

Des Indiens d'Amérique viennent tous les jours à sa rencontre en canoë.

Un homme[1] amena un de ses compagnons ou de ses parents, et tous deux nommèrent entre autres lieux où se trouvait de l'or Cipango[2] qu'ils appelaient Civao. Là, affirmaient-ils, il y en avait en grande quantité.

[...] Il ne peut y avoir de gens meilleurs ni plus paisibles. Vos Altesses [...] bientôt en auront fait des chrétiens.

■ D'après Christophe Colomb, *La Découverte de l'Amérique*, Éditions La Découverte, 2002.

1. Un indigène. 2. Nom donné au Japon.

BIOGRAPHIE

Christophe Colomb (1451-1506)

Il est le premier navigateur à traverser l'océan Atlantique pour atteindre les Indes par l'ouest. La reine et le roi d'Espagne, Isabelle de Castille et Ferdinand d'Aragon, lui apportent financement et navires.

1492 : 1er voyage et « découverte » de l'Amérique.
1493-1496 : 2e voyage en Amérique et début de la colonisation espagnole.
1498-1504 : 3e et 4e voyages en Amérique.

4 Séville, « la porte de l'Amérique »

Les galions, navires de commerce, arrivent d'Amérique chargés d'or, d'argent et de plantes médicinales...
Peinture anonyme, *Vue de Séville depuis Triana*, fin du XVIe siècle, musée du Prado, Madrid.

J'enquête EN ÉQUIPES !

ÉQUIPE 3

Les Portugais et la rencontre des peuples d'Asie

Votre équipe est chargée d'expliquer à la classe comment s'effectue la rencontre entre les Portugais et les peuples d'Asie.

❶ Quel est le regard des Portugais sur les Indes qu'ils découvrent ?
❷ Que pensent d'eux les habitants des Indes ?
❸ Quelles sont les relations entre les Portugais et les Japonais ?

5 **Calicut, premier comptoir portugais aux Indes, XVIᵉ siècle**
Gravure sur bois, Georg Braun et Franz Hogenberg, 1572-1598, BnF, Paris.

> L'arrivée à Calicut : « L'un de ces Maures [dit] dès qu'il fut à bord : "Bonne fortune ! Bonne fortune ! Beaucoup de rubis, beaucoup d'émeraudes !" »
> ■ D'après le *Livre de route* du navire de Vasco de Gama, 1499.

6 **Les Portugais au Japon, XVIᵉ siècle**
Les Portugais arrivent au Japon en 1543, pour faire du commerce et convertir les Japonais au christianisme. Paravent attribué à Kano Domi, peinture et or sur papier et cadre laqué, 1593-1600.

❶ Décharge de cargaison d'un navire portugais. ❷ Officiers et marchands portugais. ❸ Japonais.

7 **Les Portugais vus par les Indiens**

Le Franc[1] est venu à Malabar [Sud-Ouest de l'Inde] sous l'apparence d'un marchand mais avec l'intention de tromper et d'escroquer. Pour garder tout le poivre et le gingembre pour lui et ne laisser que des noix de coco pour les autres. [...]

Le samiri [souverain] le préféra entre tous les autres et rejeta les mises en garde de ses sujets, qui disaient : le Franc détruira nos terres. Désormais, nos paroles se sont avérées, car il se soumit comme un esclave puis, ayant pris des forces, il se dressa et assujettit les terres [...] jusqu'à la Chine.

■ D'après un poème de langue arabe écrit en Inde dans les années 1570.

1. Les Occidentaux d'une manière générale sont appelés Francs ; ici, il s'agit des Portugais.

ÉQUIPE 4

Les Espagnols et la rencontre des peuples d'Amérique

Votre équipe est chargée d'expliquer à la classe comment s'effectue la rencontre entre les Espagnols et les peuples d'Amérique.

❶ Comment se passe la rencontre entre les Espagnols et les Indiens d'Amérique ?

❷ Qu'imposent les Espagnols aux Indiens d'Amérique ?

❸ Qu'en pensez-vous ?

8 **La rencontre entre le conquérant espagnol Cortés et l'empereur aztèque Moctezuma, 1519**

Copie du codex de Tlaxcala, *Cortés et La Malinche*, XVIᵉ siècle.

❶ Cortés et sa compagne indienne la Malinche. ❷ Moctezuma.

9 **La christianisation forcée**

Il y a dans cette grande ville des temples d'une très belle architecture. Dans le plus grand de ces temples il y a trois salles où se trouvent les idoles[1] principales.

Je fis enlever du dessus des autels et jeter au bas des escaliers les plus importantes d'entre elles, celles dans lesquelles ils avaient le plus de foi.

Je fis laver ces chapelles qui étaient pleines du sang de leurs sacrifices et je mis à leur place des images de la Vierge et d'autres saints.

Moctezuma et son peuple étaient indignés.

■ D'après Hernán Cortés, *Lettres à Charles Quint, La Conquête du Mexique*, Éditions La Découverte, 1996.

1. Image d'une divinité.

10 **Un catholique espagnol face au sort réservé aux Indiens d'Amérique, 1552**

site élève
⬇ lien vers la vidéo

Bartolomé de Las Casas, moine dominicain, s'indigne contre la violence faite aux Indiens d'Amérique.

Quand les guerres furent terminées et que tous les hommes y furent morts, il ne resta [...] que les jeunes garçons, les femmes et les fillettes. Les chrétiens se les partagèrent. [...] Le soin qu'ils prirent des Indiens fut d'envoyer les hommes dans les mines pour en tirer de l'or, ce qui est un travail considérable ; quant aux femmes, ils les plaçaient aux champs, dans les fermes, pour qu'elles labourent et cultivent la terre [...]. Les hommes moururent dans les mines d'épuisement et de faim, et les femmes dans les fermes pour les mêmes raisons.

■ D'après Bartolomé de Las Casas (1474-1566), *Très Brève relation de la destruction des Indes*, 1552.

INFOS

Les **maladies apportées d'Europe** (varicelle, variole...) ont **décimé** les **populations indigènes** autant que **le travail forcé**. Les Européens les remplaceront par des esclaves noirs venus d'Afrique.

En Méditerranée, la rivalité entre Charles Quint et Soliman le Magnifique

Question clé Pourquoi Charles Quint et Soliman le Magnifique s'affrontent–ils en Méditerranée au XVIᵉ siècle ?

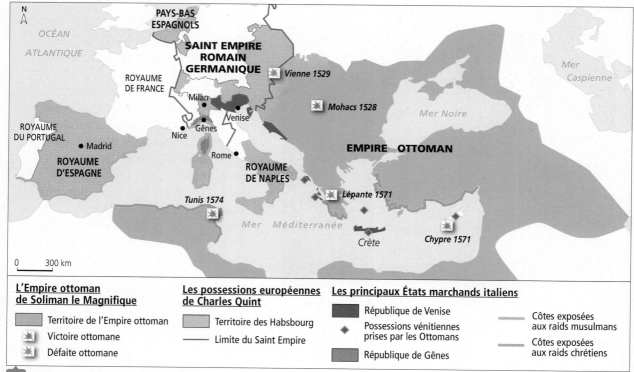

L'Empire ottoman de Soliman le Magnifique

- Territoire de l'Empire ottoman
- ✳ Victoire ottomane
- ✳ Défaite ottomane

Les possessions européennes de Charles Quint

- Territoire des Habsbourg
- —— Limite du Saint Empire

Les principaux États marchands italiens

- République de Venise
- ◆ Possessions vénitiennes prises par les Ottomans
- République de Gênes

- —— Côtes exposées aux raids musulmans
- —— Côtes exposées aux raids chrétiens

1 La Méditerranée au milieu du XVIᵉ siècle

2 La Méditerranée, au temps des « Grandes Découvertes »

La Méditerranée est un espace économique capital pour l'Europe, plus que l'Atlantique, car c'est là que passe l'essentiel des circuits commerciaux, dont ceux des marchands italiens, qui font la richesse de l'Europe. C'est pourquoi les Turcs, qui contrôlent la Méditerranée orientale, veulent pénétrer en Méditerranée occidentale. Mais ils ne sont pas de grands marins et ils s'allient à Barberousse, pirate barbaresque, qui terrifie les populations chrétiennes et les réduit en esclavage. Barberousse devient le grand amiral de la flotte de Soliman et il exerce une pression permanente sur les côtes des possessions méditerranéennes de Charles Quint.

■ D'après l'interview d'Édith Garnier, historienne, par Gilles Raillard, *Neopodia Histoire*, 24 juillet 2009.

site élève
⬇ lien vers la vidéo

Neopodia Histoire, 24 juillet 2009.

VOCABULAIRE

▶ **Barbaresques**
Pirates musulmans basés en Afrique du Nord, qui enlèvent des chrétiens sur les côtes méditerranéennes pour les vendre comme esclaves dans l'Empire ottoman.

3 **Le siège de Nice par les flottes turque et française en 1543**

Nice est alors sous l'autorité du duc de Savoie, allié de Charles Quint. Le pays est dévasté et 2 500 captifs sont emmenés vers les marchés d'esclaves. Miniature ottomane, vers 1558, musée du Topkapi, Istanbul.

4 **L'alliance en Méditerranée de François I\u1d49ʳ et Soliman le Magnifique**

Par haine de Charles Quint, dont les possessions encerclent son royaume, François I\u1d49ʳ s'allie à Soliman.

[L'ambassadeur du roi de France François I\u1d49ʳ à Constantinople et le représentant du sultan Soliman le Magnifique] traitent, font et concluent bonne et sûre paix, et sincère concorde au nom des susdits Grand Seigneur[1] et roi de France, durant la vie de chacun d'eux, et pour les royaumes [...] et tous les lieux qu'ils tiennent et possèdent à présent et posséderont à l'avenir, de manière que tous les sujets [...] desdits seigneurs qui voudront, puissent librement et sûrement [...] naviguer avec navires armés et désarmés, chevaucher, venir, demeurer, converser et retourner aux ports, cités et quelconques pays les uns des autres, pour leur négoce [...].

■ Extrait du traité signé entre le royaume de France et l'Empire ottoman en 1535.

1. Le sultan Soliman le Magnifique.

Signature de Soliman le Magnifique.
Détail de la lettre de Soliman le Magnifique à François I\u1d49ʳ, 6 avril 1536, BnF, Paris.

Activités

Question clé **Pourquoi Charles Quint et Soliman le Magnifique s'affrontent-ils en Méditerranée au XVI\u1d49 siècle ?**

ITINÉRAIRE 1

▶ **Je me pose des questions et j'y réponds**

❶ **Doc 1 et 2.** Pourquoi la Méditerranée est-elle un espace essentiel au XVI\u1d49 siècle ?

❷ **Doc 1 à 4.** Quelles puissances s'y affrontent ? Pour quelles raisons ?

❸ **Doc 2 à 4.** De quelles manières s'affrontent-elles ?

▶ **Je m'exprime à l'oral et j'échange des informations**

❹ À l'aide de vos réponses aux questions 1 à 3, répondez à la question clé.

OU

ITINÉRAIRE 2

▶ **J'écris un récit historique**

À l'aide des documents, rédigez un récit en faisant parler les deux personnages qui s'affrontent en Méditerranée.

MÉTHODE

▶ Personnifiez le récit : « Moi Charles Quint... » ou « Moi Soliman le Magnifique... ».

▶ Posez-vous des questions pour écrire le récit : qui ? Où ? Quand ? Pourquoi ? Comment ? Quelles sont les conséquences ?

Que reste-t-il du monde de Charles Quint et Soliman le Magnifique ?

A Des traces dans le patrimoine

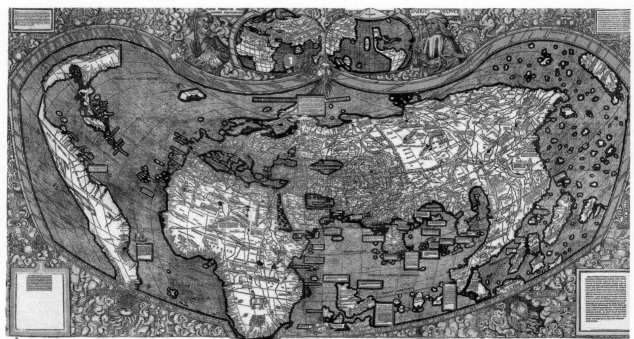

1 **La première carte du monde, XVIᵉ siècle**
Sur la même carte est représenté le monde connu par l'Europe au début du XVᵉ siècle **1** et le monde du XVIᵉ siècle.
Universalis Cosmographia de Martin Waldseemüller, 1507.

2 **La Vierge de Guadalupe, Mexique, 2015**
Il s'agit d'une Vierge indienne, certains pèlerins la nomment Guadalupe-Tonantzin (déesse aztèque de la fertilité).

INFOS

Sur les murs du vieux Nice, on peut voir un **boulet** tiré par les **Turcs** lors du **siège de la ville** en 1543 (voir p. 135), ainsi qu'un **bas-relief** représentant **Catherine Segurane** qui aurait arraché le drapeau turc à un soldat de **Barberousse** et l'aurait déchiré en signe de **résistance**.

3 La transmission de nouvelles plantes, XVIᵉ-XVIIᵉ siècles

a. La pomme de terre. Aquarelle de Charles Plumier, 1688, BnF, Paris.

b. La pomme d'or ou tomate. Gravure de Pietro Andrea Mattioli, 1590, Francfort.

c. Le poivre des Indes ou piment. Gravure du XVIIᵉ siècle, Paris.

CHIFFRES CLÉS

L'Amérique latine

➡ **Langues :**
L'**espagnol** est parlé par **403** millions de personnes, le **portugais** par **204** millions de personnes

➡ **Religion :**
520 millions de catholiques sur les 531 millions d'habitants

➡ **Métissage :**
93 % des Mexicains ont des ancêtres amérindiens et européens

VOCABULAIRE

▶ **Mondialisation**
Mise en relation des différentes parties du monde par la multiplication des échanges de marchandises et la circulation des personnes à l'échelle mondiale.

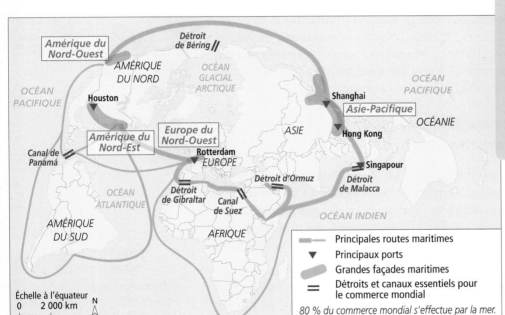

4 La circulation maritime mondiale au XXIᵉ siècle

QUESTIONS

▶ **J'observe les traces du passé**

❶ Doc 1. Comment les découvertes des Portugais et des Espagnols ont-elles transformé la représentation du monde connu par l'Europe ?

❷ Doc 2. Quelles traces de leur domination les conquistadors espagnols ont-ils laissées en Amérique ?

❸ Infos. Quelles traces les barbaresques ont-ils laissées en Méditerranée ?

▶ **Je fais le lien entre le passé et le présent**

❹ Doc 3, 4 et Chiffres clés. Qu'est-ce qui, aujourd'hui, dans la vie de tous les jours, témoigne de l'héritage des conquêtes espagnoles et portugaises ?

❺ Doc 4 et Cartes p. 128-129. Pourquoi dit-on que la mondialisation serait née avec les « Grandes Découvertes » du XVIᵉ siècle ?

Le monde au temps de Charles Quint et Soliman le Magnifique

➡️ **Quelle expansion l'Europe connaît-elle aux XVᵉ et XVIᵉ siècles ?
Que devient l'espace méditerranéen ?**

A Portugais et Espagnols découvrent de « nouveaux mondes »

1. Après la prise de Constantinople par les Turcs en **1453**, les Européens cherchent de **nouvelles routes** vers l'Asie. Ils veulent accéder aux richesses des **Indes**, sans passer par les marchands musulmans. Ils veulent aussi christianiser le monde.

2. Les **Portugais**, avec **Vasco de Gama,** découvrent les Indes par la **route maritime de l'est** (1498) qui contourne l'Afrique. Les **Espagnols**, avec **Christophe Colomb,** ouvrent la route de l'**Atlantique** pour atteindre les **Indes** par l'ouest. Ils découvrent un « **nouveau monde** », l'**Amérique** (**1492**). L'expédition de **Magellan** réalise le **premier tour du monde** (1519-1522). Elle prouve que la **Terre est ronde** et que toutes les parties du monde communiquent par les océans.

B Portugais et Espagnols exploitent les « nouveaux mondes »

1. Les Portugais et les Espagnols se partagent le monde. Des **conquistadores** espagnols s'emparent du **Mexique** et du **Pérou**. Les Portugais s'emparent du **Brésil**. Ils fondent aussi des **comptoirs** sur les côtes de l'Afrique et de l'Asie. Les premiers **empires coloniaux** sont nés, dominés par les rois du Portugal et le roi d'Espagne Charles Quint.

2. Les Espagnols obligent les Indiens d'Amérique à se convertir **au christianisme** et les soumettent au **travail forcé**. Décimés par les maladies et les mauvais traitements, les Indiens sont remplacés par les **esclaves noirs** amenés d'Afrique. Les **richesses** exploitées (or, argent, épices...) affluent vers l'Europe par les ports de Lisbonne et Séville.

C La Méditerranée, un espace où s'affrontent Charles Quint et Soliman le Magnifique

1. Au XVIᵉ siècle, la **Méditerranée**, reliée au monde, demeure un **espace économique capital**. C'est par elle que passent les plus importants flux commerciaux qui enrichissent l'Europe.

2. Deux puissants souverains s'affrontent pour la domination de la Méditerranée : **Charles Quint**, roi d'Espagne et empereur, et **Soliman le Magnifique**, sultan turc de l'Empire ottoman. Fort de l'appui des **barbaresques** et du roi de France **François Iᵉʳ**, Soliman étend peu à peu son influence sur la Méditerranée occidentale.

D'où vient le mot...

NOUVEAUX MONDES ?
Expression qui apparaît au XVIᵉ siècle pour désigner les terres découvertes par les Européens au-delà de l'Atlantique, par opposition à l'« ancien monde » connu jusqu'alors (Europe, Afrique, Asie).

VOCABULAIRE

▶ **Barbaresques**
Pirates musulmans basés en Afrique du Nord, qui enlèvent des chrétiens sur les côtes méditerranéennes pour les vendre comme esclaves dans l'Empire ottoman.

▶ **Comptoir**
Port établi dans un pays par un autre pays pour y faire du commerce.

▶ **Conquistador**
Nom donné aux aventuriers espagnols partis à la conquête de l'Amérique.

▶ **Empire colonial**
Territoire conquis, exploité et dominé par un État étranger.

Je retiens *autrement*

Les Européens à la découverte du monde

- Les **Portugais** : **Vasco de Gama** ouvre la route maritime de l'Est, vers les Indes (1498).

- Les **Espagnols** : **Christophe Colomb** découvre l'Amérique (**1492**) par la route de l'Atlantique. L'expédition de **Magellan** (1519-1522) fait le tour du monde : début de la mondialisation.

- objectif des « **Grandes Découvertes** » ? Accéder directement aux Indes ; christianiser le monde.

Les affrontements pour dominer la Méditerranée

- **La Méditerranée au XVIe siècle** : un espace relié au monde, d'intenses échanges commerciaux qui enrichissent l'Europe.

- **Conflits entre deux puissances méditerranéennes** :
  - l'**Espagne** de Charles Quint ;
  - l'**Empire ottoman** de Soliman le Magnifique.

- **Expansion ottomane en Méditerranée** : aide des Barbaresques et du roi de France François Ier.

Début de la mondialisation ?

Les premiers empires coloniaux

- L'**Empire espagnol** : Amérique (Mexique, Pérou), Asie (Philippines).
- L'**Empire portugais** : comptoirs (Indes, Chine, Japon), colonie (Brésil).
- L'**enrichissement de l'Europe** (or, argent, épices, produits alimentaires…).
- **En Amérique, découverte et domination de l'Autre** : **christianisation et travail forcé** qui décime les Indiens.

Je révise *chez moi*

- **Je vérifie que je connais les principaux repères du chapitre.**

Je sais définir et utiliser dans une phrase :

- comptoir
- empire colonial
- conquistador
- « nouveau monde »

Je sais situer :

▶ **sur une frise :**
- la découverte de l'Amérique par Christophe Colomb
- les règnes de Charles Quint et Soliman le Magnifique

▶ **sur une carte :**
- les possessions portugaises
- les différentes parties de l'empire de Charles Quint
- l'Empire ottoman de Soliman le Magnifique

site élève
📥 frise et fond de carte

Je sais expliquer :

▶ pourquoi et comment les Portugais et les Espagnols sont partis à la découverte du monde.

▶ pourquoi la Méditerranée est un espace convoité au XVIe siècle.

▶ comment se comportent les Espagnols et les Portugais face aux populations qu'ils rencontrent.

Comment apprendre ma leçon ?

J'apprends à réaliser une carte mentale

Une carte mentale est un très bon outil pour mémoriser une leçon.
C'est une représentation visuelle de tout ce qui a été appris.

➤ **Étape 1**

- Prenez une feuille au format paysage. Écrivez au centre **le titre du chapitre**.

> En construisant ta carte mentale, tu réfléchis pour comprendre le cours : cela va t'aider à le mémoriser !

Le monde au temps de Charles Quint et Soliman le Magnifique

➤ **Étape 2**

- Dessinez des branches qui représentent les principaux thèmes du chapitre. Vous pouvez choisir une couleur différente par branche.

➤ **Étape 3**

- Complétez votre carte mentale grâce à la boîte à idées ci-contre et avec ce que vous avez appris avec votre professeur.

- Vous pouvez écrire ou dessiner les mots importants : choisissez ce qui vous aide le mieux à retenir.

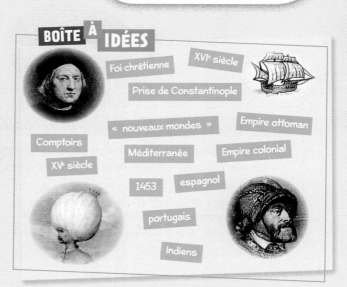

BOÎTE À IDÉES

Foi chrétienne — XVIᵉ siècle — Prise de Constantinople — « nouveaux mondes » — Empire ottoman — Comptoirs — Méditerranée — Empire colonial — XVᵉ siècle — 1453 — espagnol — portugais — Indiens

> Sur un même sujet, plusieurs cartes mentales sont possibles : il peut y avoir autant de cartes mentales que d'élèves.

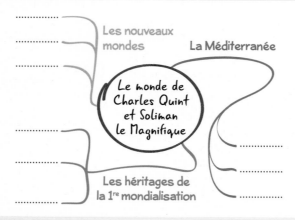

site élève
⤓ carte mentale à compléter

Un exemple de carte mentale à compléter.

Je vérifie mes connaissances

1 Je révise le vocabulaire en complétant ces mots croisés.

site élève
⤓ grille à imprimer

1. Conquérant espagnol.
2. Port établi dans un pays étranger par les Portugais.
3. Pirates qui sèment la terreur en Méditerranée.
4. Port ouvert sur le monde.
5. Sultan ottoman du XVIᵉ siècle.

2 Je raconte à partir des images.

Rédigez une phrase ou expliquez oralement ce que chaque document, issu du chapitre, vous a appris sur l'expansion européenne et la Méditerranée au XVIᵉ siècle.

 a.
 b.
 c.
 d.

3 J'indique la (les) bonne(s) réponse(s).

1. L'Amérique a été conquise par :
   a les Espagnols.
   b les Portugais.
   c les Ottomans.

2. L'expansion des Ottomans en Méditerranée :
   a remet en cause l'accès des Européens au commerce avec l'Asie.
   b installe la paix sur ses rivages.
   c oppose le sultan Soliman à François Iᵉʳ, roi de France.

3. La rencontre entre les Ibériques et les Indiens d'Amérique se traduit par :
   a le métissage des populations et des cultures.
   b l'exploitation des richesses des territoires découverts.
   c des contacts violents.

4 Je construis ma fiche de révision sur la découverte de « nouveaux mondes ».

Recherchez dans la leçon les mots qui se rapportent à chacune des questions posées. Rédigez une phrase de réponse en utilisant le (ou les) mot(s) de la leçon qui conviennent.

* Quels lieux sont découverts ?
* Par qui ?
* À la demande de qui ?
* Quand ?
* Comment ?
* Avec quelles conséquences ?

5 Retrouvez d'autres exercices sous forme interactive sur le site Nathan.

site élève
⤓ exercices interactifs

Exercices

1 Je raconte l'arrivée des barbaresques à Toulon

↳ **SOCLE** : Domaine 2

1 Les galères de Barberousse hivernant à Toulon, 1543

Après le siège de Nice (voir p. 135), François Ier accueille la flotte turque pour l'hiver, à Toulon. Une partie des habitants de la ville a été évacuée pour que les 30 000 hommes de Barberousse puissent être logés.

Miniature ottomane, vers 1558, musée du Topkapi, Istanbul.

2 La présence turque à Toulon

L'armée de mer turque prit donc ses quartiers d'hiver à Toulon. La propagande royale exigeait de donner une vision positive de cette présence. « À voir Toulon, on dirait être à Constantinople chacun faisant son métier et faits de marchandises *turquesques* avec grande police et grande justice ». [...]

Les grands arbres étaient abattus pour en faire des mâts. Sonner les cloches était interdit et la cathédrale Sainte-Marie était devenue une mosquée. Les maisons et les jardins des environs étaient mis à sac et leurs propriétaires souvent envoyés sur les galères turques sans autre forme de procès.

■ D'après Édith Garnier, *L'Alliance impie, François Ier et Soliman le Magnifique contre Charles Quint*, Éditions du Félin, 2008.

QUESTIONS

❶ Dans quelles circonstances les barbaresques sont-ils accueillis à Toulon ?

❷ Dressez une liste des acteurs de cet événement.

❸ Comment ce fait historique montre-t-il la rivalité entre Charles Quint et Soliman le Magnifique ?

❹ À partir des réponses aux questions 1 à 3, rédigez votre récit de la présence barbaresque à Toulon.

MÉTHODE

Je rédige un récit historique

▶ J'utilise les réponses aux questions ci-dessous.

– Je situe le récit dans le temps et dans l'espace : quand ? où ?

– J'indique l'idée générale du fait observé : quoi ?

– J'identifie les personnages concernés : qui ?

– J'explique la situation : comment ? pourquoi ?

– J'évalue les conséquences qu'entraîne la situation.

▶ J'argumente : pourquoi cette situation est elle une rupture dans les relations entre les souverains d'Europe ?

2 J'analyse une œuvre d'art sur la colonisation de l'Amérique

Parcours arts

↳ Socle : Domaine 1

Le muralisme, un art engagé

▶ Le **muralisme** est un mouvement artistique né au **Mexique** dans les années 1920. Le ministre de l'Éducation lance alors un programme culturel destiné à **décorer les édifices publics** en présentant sur leurs murs l'**histoire du pays**.

▶ **Diego Rivera** [1886-1957], peintre mexicain engagé, développe sur ces murs un **art au service du peuple**, destiné à lui raconter son histoire, sa lutte pour ses droits.

1 **Le conquistador espagnol Hernán Cortés débarque à Veracruz**
Diego Rivera, Palais national de Mexico, 1929-1951.

QUESTIONS

▶ **J'identifie et je situe l'œuvre d'art**

1 Où, quand, et à la demande de qui cette œuvre a-t-elle été réalisée ?

▶ **Je décris l'œuvre et j'en explique le sens**

2 Décrivez la fresque (personnages, objets, premier et arrière plans).

3 Expliquez comment la fresque montre que les Espagnols ont colonisé le Mexique.

▶ **Je comprends l'intérêt du document**

4 Comment cette œuvre raconte-t-elle la colonisation espagnole ?

MON BILAN DE COMPÉTENCES

Domaines du socle	Compétences travaillées	Pages du chapitre
D1 Les langages pour penser et communiquer	• Je sais questionner des documents pour construire un récit. • Je comprends les langages des Arts.	Je découvre .... p. 134-135 Exercice 2 .... p. 143
D2 Les méthodes et outils pour apprendre	• Je sais élaborer une production commune. • Je sais faire preuve d'esprit critique. • Je sais utiliser mes connaissances pour répondre aux questions posées. • Je sais organiser mon travail personnel. • Je sais rédiger un récit historique.	J'enquête .... p. 130-133 Je découvre .... p. 134-135 D'hier à aujourd'hui .. p. 136-137 Apprendre à apprendre ... p. 140 Exercice 1 .... p. 142
D5 Les représentations du monde et l'activité humaine	• Je sais situer dans le temps et dans l'espace l'expansion européenne et l'espace méditerranéen au XVIe-XVIIe siècle. • Je sais former mon jugement par une réflexion sur la rencontre de l'autre. • Je comprends que le passé éclaire le présent.	Je me repère .... p. 128-129 J'enquête .... p. 130-133 D'hier à aujourd'hui .. p. 136-137

Humanisme, Réformes et conflits religieux (XVIe siècle)

→ **Quels bouleversements culturels et religieux caractérisent l'Europe de la Renaissance ?**

Au cycle 3

Au CM1, j'ai étudié les guerres de Religion en France, entre les catholiques et les protestants.

Au cycle 4

Chapitres 4 et 5, j'ai découvert la société chrétienne de l'Occident médiéval et ses relations avec l'Église.

Ce que je vais découvrir

La Renaissance en Europe est une période caractérisée par une nouvelle vision de l'être humain et par la division des chrétiens en protestants et catholiques.

1 La Réforme protestante, une rupture religieuse qui divise les chrétiens

Le protestant allemand Martin Luther, au centre, prêche une nouvelle religion chrétienne et rejette l'Église catholique. *La Prédication de Martin Luther*, Lucas Cranach l'Ancien, milieu du XVIe siècle, église de Wittenberg, Allemagne.

2 La Renaissance, un renouveau scientifique et culturel

Jean de Dinteville, à gauche, ambassadeur de France en Angleterre, et l'évêque Georges de Selve, à droite, ambassadeur de France à Venise et à Rome.
Les Ambassadeurs, Hans Holbein le Jeune, 1533, National Gallery, Londres.

Humanisme, Réformes et conflits religieux (XVIᵉ–XVIIᵉ siècle)

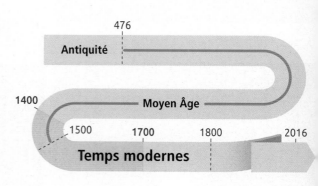

476 — Antiquité
1400 — Moyen Âge
1500 — 1700 — 1800 — 2016
Temps modernes

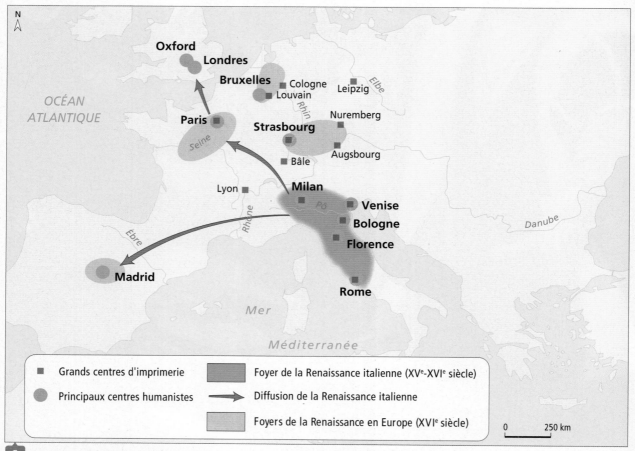

1 Les grands foyers de la Renaissance en Europe (XVIᵉ siècle)

VOCABULAIRE

▸ **Humanisme**
Du latin *humanitas*, « l'être humain ». Mouvement intellectuel européen né en Italie au XVᵉ siècle. Il s'inspire des grandes idées de l'Antiquité pour affirmer sa confiance en l'être humain, qui peut devenir meilleur par la connaissance et l'éducation.

▸ **Réforme**
Mouvement religieux du XVIᵉ siècle qui rejette l'autorité du pape sur les chrétiens et entraîne la création d'Églises protestantes.

▸ **Renaissance**
Nom donné par le peintre Vasari vers 1550 au renouveau de l'art italien. Il correspond aux XVᵉ et XVIᵉ siècles, période de profondes transformations intellectuelles et artistiques en Europe.

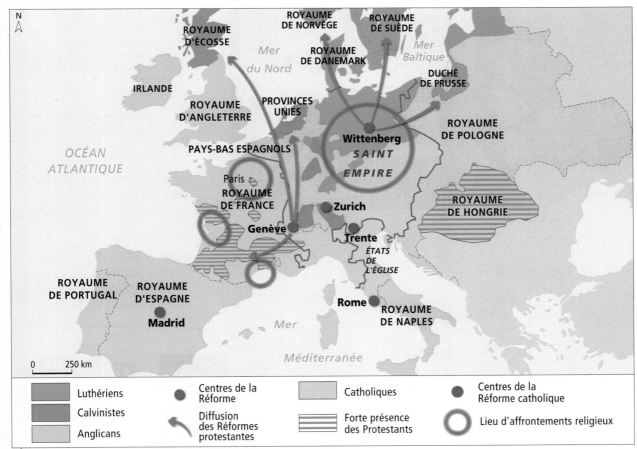

| 1400 | 1500 | 1600 | 1700 |

Art et renouveau des arts

● 1471-1528 Albrecht Dürer

Renaissance ━━━━━━━━━━━━━━ Baroque

1452-1519 ● 1483-1520 Raphaël
Léonard de Vinci ● 1475-1564 Michel-Ange

Humanisme et révolution scientifique et technique

● 1450
Invention de l'imprimerie. Bible de Gutenberg

● 1467-1536 Érasme

● 1564-1642 Galilée

● 1473-1543 Copernic

● 1483-1553 Rabelais

Réformes et conflits religieux

1483-1546 Luther

✦ 1546-1547 Dans le Saint Empire

✦ 1618-1648 Guerre de Trente ans

1509-1564 Calvin

✦ 1562-1598 En France

1598 Édit de Nantes

Légende :
- Luthériens
- Calvinistes
- Anglicans
- ● Centres de la Réforme
- ← Diffusion des Réformes protestantes
- Catholiques
- Forte présence des Protestants
- ● Centres de la Réforme catholique
- ◯ Lieu d'affrontements religieux

2 Les bouleversements religieux en Europe (XVIᵉ siècle)

QUESTIONS

▶ Je me repère dans le temps et dans l'espace

❶ Quelles sont les trois bouleversements qui touchent l'Europe au XVIᵉ siècle ?

❷ Où et quand naît la Renaissance artistique ? Où se diffuse-t-elle ?

❸ Où se situent les principaux centres humanistes en Europe au XVIᵉ siècle ?

❹ Pourquoi peut-on affirmer que la chrétienté est divisée en Europe au XVIᵉ siècle ?

L'humanisme : une nouvelle vision de l'être humain

Question clé **Comment les humanistes considèrent-ils l'être humain ?**

1 La révolution de l'imprimerie : diffuser les savoirs

Au XVᵉ siècle, Johannes Gutenberg (1400-1468), imprimeur allemand, a inventé les caractères mobiles métalliques interchangeables. *Atelier d'imprimerie, Jan Van der Straet, gravure du XVIᵉ siècle.*

CHIFFRES CLÉS

➡ **1450-1500 :**
30 000 titres publiés, plus de 15 millions d'exemplaires imprimés.

➡ **1500-1600 :**
150 000 à 200 000 titres publiés, plus de 150 millions d'exemplaires imprimés.

BIOGRAPHIE

Érasme (1469–1536), prince des humanistes

Il consacre sa vie à la redécouverte des œuvres de l'Antiquité et à l'étude de la Bible dont il souhaite une traduction « dans toutes les langues des hommes ». « Si j'ai consacré ma jeunesse à l'étude des langues latines et grecques, c'est pour amener les esprits à l'amour de la Bible. » explique-t-il.

Avec d'autres savants humanistes européens, il forme la **République des Lettres**.

---

2 Érasme, à la rencontre des humanistes européens

Principaux voyages d'Érasme
- — Entre 1494 et 1500
- — Entre 1500 et 1509
- — En 1521

Gouda (1494) Ville de départ
☐ Villes dans lesquelles Érasme a séjourné et où il a rencontré des humanistes
Thomas More Amis humanistes d'Érasme

4 Être cultivé, pour gouverner

Étienne Dolet (1509-1546), *humaniste et imprimeur à Lyon, traduit de nombreux ouvrages des auteurs de l'Antiquité, grecs et latins.*

Il y a un siècle[1], la barbarie régnait partout en Europe [...]. Maintenant l'Homme apprend à se connaître [...]. Maintenant l'Homme s'élève vraiment au-dessus de l'animal par son âme et par son langage qu'il perfectionne. Les Lettres ont repris leur véritable mission qui est de faire le bonheur de l'Homme, de remplir sa vie de tous les biens. Courage ! Elle grandira cette jeunesse qui, en ce moment, reçoit une bonne instruction [...] ; elle administrera les affaires de l'État.

■ Étienne Dolet, *Commentaire sur la langue latine*, 1536.
1. Au Moyen Âge.

3 Apprendre dès le plus jeune âge

Guillaume Budé, *De l'instruction d'un prince*, 1547.

5 L'éducation humaniste, vouloir tout savoir

Rabelais (1494-1553), savant et humaniste français, est l'auteur de Pantagruel *et* Gargantua, *récits où il exprime la soif de connaissances des humanistes.*

Je veux que tu apprennes parfaitement les langues : premièrement le grec [...] ; deuxièmement le latin ; puis l'hébreu pour l'Écriture sainte[1] [...] et l'arabe pour la même raison [...]. Qu'il n'y ait pas d'étude scientifique que tu ne gardes en ta mémoire [...]. Géométrie, arithmétique et musique, je t'en ai donné le goût quand tu étais encore jeune [...] continue ; de l'astronomie, apprends toutes les règles. [...] Puis relis soigneusement les livres des médecins grecs, arabes et latins, et par de fréquentes dissections[2], acquiers une connaissance parfaite de l'autre monde qu'est l'homme.

■ Rabelais, *Pantagruel*, 1532.
1. La Bible.
2. Des médecins commencent au XVIe siècle à pratiquer des dissections sur les cadavres.

Actiuités

Question clé | **Comment les humanistes considèrent–ils l'être humain ?**

ITINÉRAIRE 1

➤ **Je comprends les documents**

❶ **Doc 1, 2, et chiffres clés.** Comment les idées nouvelles des humanistes sont-elles diffusées ? Pourquoi l'imprimerie est-elle une révolution ?

❷ **Doc 1, 2, 4 et 5.** À qui s'intéressent les humanistes ? Au travers de quelle période de l'histoire ?

❸ **Doc 3, 4 et 5.** Pourquoi peut-on dire que les humanistes ont « soif de connaissances » ? Qui doit s'instruire ?

➤ **Je comprends les documents**

❹ Mettez-vous dans la peau de Rabelais et, à l'aide des questions 1 à 3, répondez à la question clé.

OU

ITINÉRAIRE 2

➤ **Je travaille en groupe et je m'exprime à l'oral**

En groupe, à l'aide des documents, préparez des arguments pour répondre à la question clé.

MÉTHODE

▸ Montrez que pour les humanistes, l'être humain de la Renaissance doit s'instruire, se comporter en chrétien, être heureux.

SOCLE Compétences
▸ **Domaine 1 :** je comprends un langage des arts, le portrait
▸ **Domaine 5 :** je mets en relation l'art et la culture de la Renaissance

Le portrait, reflet de l'humanisme

Question clé Comment les portraits des princes mécènes de la Renaissance illustrent–ils l'humanisme ?

1 Portrait du souverain Jules II (1443-1513)

Élu pape en 1503, Giuliano Della Rovere est un mécène qui veut embellir Rome. Il passe d'importantes commandes aux artistes de la Renaissance (fresques de la chapelle Sixtine à Michel Ange, fresques des chambres de son palais du Vatican à Raphaël...)
Huile sur toile de Raphaël, 1511, National Gallery, Londres.

BIOGRAPHIE

Raphaël (1483-1520)

Peintre de la Renaissance italienne, d'abord au service de la République de Florence, puis peintre officiel des papes.

mémo ART

La Renaissance, l'art du portrait

▸ Portrait en buste de trois quarts, pour saisir l'expression du regard et des mains. La ressemblance avec le modèle est primordiale.

De nouvelles techniques

▸ La **peinture à l'huile**, qui nuance les couleurs et les effets de lumière.

▸ La **toile**, nouveau support fixé sur un cadre de bois et travaillée sur un chevalet. Elle peut être détachée et transportée.

Le portrait, reflet de l'humanisme

▸ Le portrait valorise l'individu, la confiance que l'on peut avoir en lui. Il fixe ses qualités pour la postérité.

▸ Les **mécènes** sont des souverains, des papes, de riches personnages. Ils commandent leur portrait, qui les met en scène. Les artistes signent leurs œuvres.

BIOGRAPHIE

**Albrecht Dürer
(1471-1528)**

Peintre et graveur de la Renaissance allemande, ami des humanistes, protégé de l'empereur du Saint Empire romain germanique Maximilien Ier, son mécène.

D'où vient le mot...

MÉCÈNE ?

Le mot *Mécène* vient du nom du protecteur des lettrés auprès de l'empereur romain Auguste (Ier siècle avant J.–C.).

2 Le portrait de l'empereur Maximilien Ier de Habsbourg (1459-1519)

Il est empereur du Saint Empire romain germanique.
Albrecht Dürer, *Maximilien Ier*, 1519, Vienne, Autriche.

❶ L'inscription énonce les qualités de courage et de sagesse de l'empereur.

❷ La grenade symbolise les nombreuses possessions de l'empereur.

QUESTIONS

J'exprime mes sentiments

❶ J'observe ces œuvres : que m'inspirent ces personnages ? Qu'est-ce que je pense des artistes qui les ont représentés ?

Je décris et j'analyse

❷ Qui sont ces personnages ? Qui a réalisé leur portrait ?

❸ Quels éléments rendent les personnages réels ?

❹ Quels éléments montrent qu'ils sont des personnages importants ?

Je fais le lien entre l'art et l'histoire

❺ Pourquoi ces portraits illustrent-ils la confiance en l'individu affirmée par l'humanisme ?

SOCLE Compétences

▶ **Domaine 2 :** je comprends le sens général des documents.
▶ **Domaine 5 :** je me pose des questions et je cherche des réponses au sujet d'un fait religieux

Luther et la Réforme protestante

Question clé Qu'est-ce que la Réforme chrétienne de Luther ?

« Il faut enseigner aux chrétiens que celui qui, voyant son prochain dans le besoin, le laisse dans la misère pour acheter des indulgences, ne s'achète pas l'indulgence du pape mais l'indignation de Dieu. »

■ Martin Luther, extrait des *95 thèses* affichées sur la porte de l'église de Wittenberg, 31 octobre 1517.

BIOGRAPHIE

Martin Luther (1483-1546)

▶ **1507-1517** : **Moine et professeur de théologie** à l'université de Wittenberg (Allemagne).
▶ **1517** : Publication des **95 thèses**, protestation contre le pape Léon X et la vente d'indulgences.
▶ **1521** : **Excommunication** par le pape et **bannissement** de l'empire par l'empereur catholique Charles Quint.
▶ **1530** : Début de la diffusion, grâce à l'imprimerie, de ses nombreux écrits théologiques, pourtant interdits.

site élève
⬇ lien vers la vidéo

1 La vente des indulgences

« Sitôt que le sou résonne, l'âme va au ciel », dit le parchemin que le pape tend à l'acheteur.
La Vraie et la Fausse Église, Lucas Cranach le Jeune, 1545.

VOCABULAIRE

▶ **Excommunication**
Exclusion temporaire ou définitive d'une personne de l'Église catholique.

▶ **Indulgences**
Pardon des péchés, accordé par l'Église catholique, en échange de bonnes actions ou d'un don d'argent.

▶ **Salut**
Vie éternelle au paradis.

2 Luther traducteur de la Bible

Luther traduit la Bible en allemand (édition de 1559) afin que tous la comprennent. Sa lecture individuelle permet au chrétien d'avoir une relation directe avec Dieu.

3 Luther et le salut

Nous avons tous le même baptême, le même évangile, la même foi et nous sommes tous égaux comme chrétiens. La foi seule suffit à un chrétien. Il n'a besoin d'aucune œuvre[1] pour assurer son salut.

Si tu crois, tu obtiendras [le salut], si tu ne crois pas, tu [ne l']obtiendras pas. Tu dois t'abandonner [à Dieu] avec une foi robuste et lui faire fortement confiance, alors, à cause de cette foi, tes péchés seront pardonnés.

■ Martin Luther,
De la liberté du chrétien, 1520.

1. Pour les catholiques, actions de charité et dons à l'Église (ou tout simplement bonnes actions) pour obtenir son salut.

4 Les chrétiens protestants

Les protestants ont deux sacrements au lieu de sept chez les catholiques : le baptême ❶ et la communion ❷. Luther lit la Bible ❸.
Détail de l'autel de l'église de Torslunde, 1561, musée national de Copenhague.

Activités

Question clé | Qu'est-ce que la Réforme chrétienne de Luther ?

ITINÉRAIRE 1

▶ **Je prélève des informations dans les documents**

❶ **Doc 1 et 3.** Que reproche Luther au pape ? Avec quel argument ?

❷ **Doc 2 à 4.** Comment les chrétiens luthériens pratiquent-ils leur religion ?

❸ **Doc 2 et Biographie.** Qu'arrive-t-il à Luther après la publication de ses thèses ? Comment sa réforme religieuse se répand-elle alors qu'elle a été interdite ?

▶ **J'argumente à l'écrit**

❹ À l'aide des questions 1 à 3, répondez en quelques phrases à la question clé.

OU

ITINÉRAIRE 2

▶ **Je comprends le sens général des documents**

À l'aide des documents, répondez à la question clé : présentez le rôle des acteurs concernés par la Réforme chrétienne de Luther.

MÉTHODE

▶ Réalisez un diaporama qui servira de support à votre présentation. Vous pouvez suivre le plan suivant :

Écran 1. Martin Luther et l'origine de sa protestation

Écran 2. Martin Luther et les aspects de sa réforme religieuse

Écran 3. Les conséquences pour Luther

TÂCHE COMPLEXE

Les conflits religieux en Europe au XVIe siècle

CONSIGNE

Vous êtes un ambassadeur du roi d'Angleterre, envoyé en observateur dans les royaumes où se produisent de graves troubles entre catholiques et protestants.

Sous la forme d'un rapport, vous racontez les violences religieuses dont vous êtes le témoin et les décisions prises par les souverains pour mettre fin à ces conflits religieux.

Pays-Bas espagnols

Saint Empire

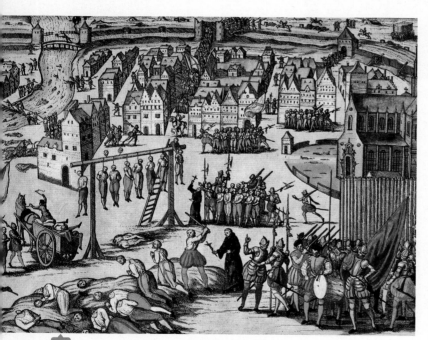

1 **La guerre civile aux Pays-Bas espagnols**

En 1573, la ville protestante de Haarlem est mise à sac par les soldats catholiques du roi d'Espagne Philippe II. 400 bourgeois sont massacrés.

Hogenberg, gravure, fin du XVIe siècle, bibliothèque de l'université de Genève.

INFOS

Dans leur grande majorité, les **rois d'Europe** sont attachés au **catholicisme** : il garantit leur pouvoir par le sacre et il est la religion de toute la population. Mais les **idées protestantes** gagnent leurs royaumes et déclenchent de violents **affrontements entre protestants et catholiques**.

2 **En Allemagne, mettre fin aux guerres de religion**

À partir de 1546, les guerres de Religion entre catholiques et protestants déchirent l'Allemagne. Ferdinand Ier (1555), successeur de Charles Quint, réunit à Augsbourg les princes des États allemands pour faire la paix.

Art. 15. Sa Majesté Impériale, ainsi que les Princes et États ne doivent ni faire la guerre à [...], ni violenter un État de l'Empire [car il est luthérien].

Art. 16. Pareillement les États [luthériens] devront laisser sa Majesté Impériale et les Princes et États de l'Empire qui adhèrent à la [religion catholique], [...] dans le libre, paisible et tranquille exercice de leur religion. [...]

Art. 24. Si [certains de nos] sujets [...], voulaient, à cause de leur religion, sortir de nos pays [...] ou de ceux des [...] Princes ou États [...] et demeurer avec leurs femmes et enfants en quelque autre lieu, cela leur sera permis et accordé à tous.

■ Paix d'Augsbourg, 1555.

3 Les guerres de Religion en France (1562-1598)

Le pillage de l'église Saint-Antoine d'Aubeterre

Une partie de la troupe, qui était de la nouvelle secte et religion appelée Huguenaulx[1], entra en l'église Saint-Antoine. Les hommes rompirent, démolirent entièrement les chapelles [...], ils prirent les images, les ornements, les livres, écrits en parchemin, et les jetèrent dans un feu qu'ils avaient fait devant l'église.

■ D'après le témoignage du notaire Mathurin Robin, mai 1562, archives départementales de la Vienne.

1. Huguenots : terme qui désigne les protestants.

INFOS

En France, le roi **Henri IV** met fin aux guerres de Religion par l'**édit de Nantes** (1598) qui permet aux **protestants** de pratiquer leur religion sous certaines conditions (voir p. 170).

4 Le massacre de la Saint-Barthélémy, Paris (nuit du 23 au 24 août 1572)

Lors du mariage de la sœur du roi avec le protestant Henri de Navarre (futur Henri IV), plusieurs milliers de protestants sont massacrés à Paris. Le massacre aurait été ordonné par le roi Charles IX ❶ et sa mère Catherine de Médicis ❷. Dans le royaume, les catholiques et les protestants s'affrontent jusqu'en 1598.
François Dubois, vers 1572, musée cantonal des Beaux-Arts, Lausanne.

COUP DE POUCE

Pour vous aider, recopiez et complétez le tableau suivant :

	Doc 1	Doc 2	Doc 3	Doc 4	Infos
Où et quand ont lieu les conflits religieux en Europe ?					
Qui s'opposent dans ces conflits ? De qui défendent-ils les idées ?					–
Quels souverains sont concernés par ces conflits religieux ? Comment réagissent-ils ?			–		

La Réforme catholique

Question clé Comment l'Église catholique réagit-elle à la diffusion des Réformes protestantes ?

1 **Le concile de Trente (1545-1563) : la réponse de l'Église catholique**

Le concile de Trente (1545-1563) est convoqué par le pape Paul III, pour réfuter les idées de Luther.
Fresque de Taddeo Zuccari, 1562-1565, palais Farnèse, Rome.

2 **Les principes catholiques affirmés par le concile de Trente**

▸ Que personne, se fiant à son propre jugement, n'ait l'audace d'interpréter lui-même l'Écriture contrairement au sens qu'a donné la Sainte Mère l'Église.

▸ Les œuvres (dons, pèlerinages...) contribuent à aider le chrétien à atteindre le paradis.

▸ L'Église a introduit des cérémonies, des ornements, pour rendre les esprits des fidèles sensibles à la contemplation des choses divines cachées dans la messe.

▸ Les évêques doivent être irréprochables, sobres, chastes, honnêtes, comme il est convenable à des ministres de Dieu.

▸ Les enfants doivent suivre un enseignement religieux : le catéchisme.

■ D'après les décrets du concile de Trente, 1563.

3 **Les croyances catholiques et protestantes, d'hier à aujourd'hui**

	Catholiques	Protestants
La foi	Croyance en Dieu et Jésus-Christ	
Le salut éternel	Obtenu par la foi et les bonnes œuvres	Obtenu par la foi seule
La Bible	– En latin, hier – En langue nationale, aujourd'hui	Dans la langue nationale
Les sacrements	Sept sacrements	Deux sacrements : baptême et communion
Les intercesseurs (qui interviennent auprès de Dieu pour les êtres humains)	La Vierge Marie et les saints	Jésus seul
Les images et ornements dans les lieux de culte	Pour l'instruction et l'émotion des fidèles	Seule la croix est autorisée
L'Église	Clergé, sous l'autorité du pape (évêques, prêtres, moines)	Autorité du pape non reconnue (pasteurs)

INFOS

L'**Église catholique** s'est réformée, mais elle ne parvient pas à empêcher la division de la **chrétienté occidentale** entre protestants et catholiques. À la **fin du XVIe siècle**, le sud de l'Allemagne et les Pays-Bas espagnols redeviennent catholiques.

VOCABULAIRE

▸ **Concile**
Assemblée d'évêques et d'abbés réunis pour délibérer sur des questions religieuses.

4 L'art baroque au service du catholicisme

Cette fresque baroque célèbre l'espagnol Ignace de Loyola (1491-1556) et son rôle dans la diffusion à travers le monde de la religion catholique.
Le Triomphe de saint Ignace, Andrea Pozzo, église Saint-Ignace à Rome (1685).

1 Le Christ
2 Saint Ignace
3 Amérique
4 Afrique
5 Europe
6 Asie

L'art baroque
Il vise, par ses formes, à provoquer l'**émotion** pour attirer les **chrétiens** tentés par le **protestantisme** et montrer le **triomphe** du catholicisme.

Activités

Question clé Comment l'Église catholique réagit-elle à la diffusion des réformes protestantes ?

ITINÉRAIRE 1

Je prélève des informations dans les documents

❶ **Doc 1, 2 et Infos.** Quelle est la réaction de l'Église catholique face aux Réformes protestantes ?

❷ **Doc 1 et 2.** Quels grands principes du catholicisme sont affirmés par le concile ?

❸ **Doc 2 et 3.** Qu'ont en commun les catholiques et les protestants ? Qu'est-ce qui les oppose ?

❹ **Doc 4 et Infos.** Comment l'Église catholique espère-t-elle attirer les chrétiens tentés par le protestantisme ?

J'exerce mon esprit critique à l'écrit ou à l'oral

❺ À l'aide des questions 1 à 4, répondez en quelques phrases à la question clé.

ou

ITINÉRAIRE 2

Je m'exprime à l'écrit et à l'oral

Avec un(e) camarade, inventez quatre ou cinq questions qui répondent à la question clé. Rédigez-les ainsi que leurs réponses et présentez-les à la classe.

MÉTHODE

▸ À partir des documents, posez-vous des questions sur le thème étudié, puis proposez des réponses.

▸ Les questions porteront sur : le sens de la Réforme catholique, ses caractéristiques, les acteurs de la Réforme, le rôle de l'art, les résultats de la Réforme.

▸ Utilisez le lexique historique de la Réforme catholique.

Humanisme, Réformes et conflits religieux

→ **Quels bouleversements culturels et religieux caractérisent l'Europe de la Renaissance ?**

A L'humanisme, nouvelle vision de l'être humain

1. Aux XVe et XVIe siècles, les **humanistes** rejettent le Moyen Âge, qualifié de barbare. L'Antiquité est leur modèle et ils veulent sa « **renaissance** ». Ils réaffirment la **grandeur et la dignité de l'être humain**, par une lecture renouvelée de la Bible et des textes des savants de l'Antiquité. Les humanistes pensent que l'être humain deviendra meilleur par l'éducation. Ils développent dans les **collèges** une pédagogie nouvelle.

2. Pour diffuser leurs idées, les humanistes utilisent l'**imprimerie**, inventée par **Gutenberg** vers 1450. Ils voyagent à travers l'Europe, se rencontrent à la cour des princes, dans les **collèges**, et forment une communauté de savants, la **« République des Lettres »**.

B Les Réformes et les conflits religieux

1. L'Allemand **Martin Luther** est à l'origine de la **Réforme protestante**. Préoccupé par le **salut**, il dénonce la vente des indulgences par le pape. Il affirme que, selon la **Bible**, seule **la foi** permet de gagner le paradis après la mort. En 1521, il est excommunié par le pape, et banni du Saint Empire romain germanique par l'empereur Charles Quint. Le Français **Jean Calvin** prolonge la Réforme de Luther.

2. Diffusée par l'**imprimerie**, la **Réforme protestante** bouleverse l'Europe. L'opposition entre les protestants et les catholiques déclenche des **guerres de religion** en Allemagne (1546-1555), aux Pays-Bas espagnols (1556-1609), en France (1562-1598). Mais ni les souverains catholiques ni l'Église catholique, qui se réforme lors du **concile de Trente**, ne peuvent empêcher la **division chrétienne** de l'Europe.

C La révolution des arts et des sciences

1. Soutenus par des **mécènes**, les artistes sont des humanistes (Léonard de Vinci, Raphaël, Michel-Ange, Dürer...). Aux thèmes chrétiens, ils ajoutent des scènes de l'**Antiquité**, et multiplient les **portraits**, hommages à l'individu. Ils bénéficient d'innovations techniques (la toile, la peinture à l'huile).

2. Les sciences se fondent sur l'observation et l'expérience. La **médecine** progresse (découverte de la circulation sanguine, début de la chirurgie). En astronomie, **Copernic** puis **Galilée** découvrent que le Soleil, et non la Terre, est au centre de l'univers.

D'où vient le mot...

PROTESTANT ?

En 1529, l'**empereur Charles Quint** oblige les princes allemands qui ont adopté les idées de **Luther** à revenir dans l'**Église catholique**. Mais les princes « **protestent devant Dieu** », d'où leur nom de protestants.

VOCABULAIRE

▸ **Humanisme**
Du latin *humanitas*, « l'être humain ». Mouvement intellectuel européen né en Italie au XVe siècle. Il s'inspire des grandes idées de l'Antiquité pour affirmer sa confiance en l'être humain, qui peut devenir meilleur par la connaissance et l'éducation.

▸ **Réforme**
Mouvement religieux du XVIe siècle qui rejette l'autorité du pape sur les chrétiens et entraîne la création d'Églises protestantes.

▸ **Réforme catholique**
Réforme interne de l'Église catholique, afin de corriger les abus et de mieux lutter contre les Réformes protestantes.

▸ **Renaissance**
Nom donné par le peintre Vasari vers 1550 au renouveau de l'art italien. Il correspond aux XVe et XVIe siècles, période de profondes transformations intellectuelles et artistiques en Europe.

L'humanisme : **l'être humain au centre du monde**	↔	**Réformes et** **conflits religieux**

Les humanistes
Érasme, Rabelais,
la République des Lettres

- Admiration pour les **savants de l'Antiquité** : traduction de leurs œuvres.
- Nouvelle interprétation de la **Bible**.
- L'**imprimerie** permet la diffusion des idées humanistes à travers l'Europe occidentale.

L'être humain est admirable

- L'éducation le rend meilleur.

Découvertes scientifiques

- Meilleure **connaissance** de l'être humain et de l'univers.

Les Réformes
protestantes

- Luther, Calvin.
- **Être protestant**
  Bible, salut par la foi, deux sacrements (baptême et communion).

Les guerres de religion
entre catholiques et protestants

- En **Allemagne** (1547-1552) - **Paix d'Augsbourg** (1555).
- En **France** (1562-1598) - **Édit de Nantes** (1598).

La réforme de l'Église catholique

- **Concile de Trente** (1545-1563).
- L'**art baroque**.

Je révise chez moi

● **Je vérifie que je connais les principaux repères du chapitre.**

Je sais définir et utiliser dans une phrase :

▶ humanisme
▶ Réformes protestantes
▶ Réforme catholique

Je sais situer :

▶ **sur une frise :**
  - l'invention de l'imprimerie
  - le début de la Réforme de Luther - le massacre de la Saint-Barthélemy

▶ **sur une carte :**
  - deux foyers de l'humanisme
  - deux foyers des Réformes protestantes - deux foyers de la Réforme catholique

site élève
⬇ frise et fond de carte

Je sais expliquer :

▶ la nouvelle vision de l'être humain par les humanistes de la Renaissance.

▶ pourquoi il y a des conflits religieux en Europe au XVIe siècle et comment il y est mis fin.

▶ les bouleversements artistiques de la Renaissance.

Apprendre à apprendre

Comment apprendre ma leçon ?

J'apprends en réalisant un carnet de voyage

Vous imaginez être un humaniste qui voyage à la rencontre des autres humanistes européens et vous rédigez votre carnet de voyage.

▶ **Étape 1**

- Relevez ce que vous avez appris dans ce chapitre : des **repères géographiques et chronologiques**, des **définitions** et des **explications** sur les thèmes de la leçon.

> Ton carnet de voyage doit être rédigé à l'aide des éléments du cours. N'hésite pas à l'illustrer.

À LA RENCONTRE DES HUMANISTES EUROPÉENS

BOÎTE À IDÉES

Éducation · Latin · Traduction · Imprimerie · Grec · Érasme · Mécène · Rabelais

Vous pouvez vous aider de la boîte à idées.

▶ **Étape 2**

- Rédigez plusieurs paragraphes qui racontent des épisodes de votre voyage.

« Jour 7 : la rencontre avec Érasme »

Érasme a consacré sa vie à la redécouverte des œuvres de l'Antiquité et à l'étude de la Bible dont il souhaite une traduction dans « toutes les langues des hommes ». Il m'a expliqué qu'il avait lui aussi voyagé à travers toute l'Europe à la rencontre des autres humanistes, comme Alde Manuce à Venise, pour former avec eux la République des Lettres.

Je vérifie mes connaissances

1 Je révise la leçon en complétant le tableau avec les informations du chapitre.

Les thèmes du chapitre	Un acteur	Une date	Une illustration du chapitre	Un ou plusieurs mots clés
L'humanisme				
La Renaissance				
Les Réformes protestantes				
La Réforme catholique				
Les conflits religieux en Europe				
La révolution scientifique				

site élève ⬇ tableau à imprimer

2 Je personnalise ma leçon.

Retrouvez les personnages clés correspondant à chaque paragraphe de la leçon. Pour chacun d'eux, écrivez une courte biographie avec les informations du chapitre et quelques recherches personnelles. Illustrez vos biographies par un portrait.

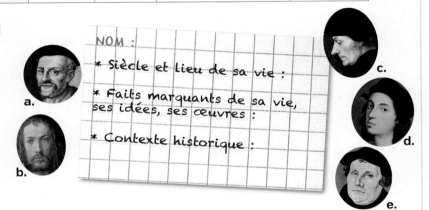

NOM :
* Siècle et lieu de sa vie :
* Faits marquants de sa vie, ses idées, ses œuvres :
* Contexte historique :

a.
b.
c.
d.
e.

3 Les conflits religieux en Europe. C'est où ? C'est quand ? C'est qui ?

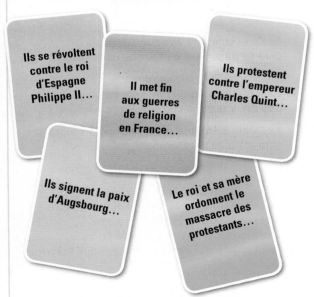

Ils se révoltent contre le roi d'Espagne Philippe II…

Il met fin aux guerres de religion en France…

Ils protestent contre l'empereur Charles Quint…

Ils signent la paix d'Augsbourg…

Le roi et sa mère ordonnent le massacre des protestants…

4 J'indique la (les) bonne(s) réponse(s).

1. Les humanistes pensent que :
- a l'être humain est mauvais.
- b l'éducation rend l'être humain meilleur.
- c l'être humain doit être mis au centre de l'univers.

2. La Réforme catholique signifie :
- a la séparation des chrétiens avec le pape.
- b la réponse aux critiques des protestants.
- c la volonté de ramener les protestants dans la religion catholique.

3. La Renaissance correspond à :
- a la révolution du livre.
- b des découvertes scientifiques.
- c un art qui refuse les innovations.

5 Retrouvez d'autres exercices sous forme interactive sur le site Nathan.

site élève ⬇ exercices interactifs

1 Je comprends le sens d'une image sur le protestantisme

↳ **Socle** : Domaine 2

La Critique de l'Église catholique par les réformateurs protestants, gravure de Rombout Van den Hoye, 1591, Pays-Bas.

1 Le pape Pie IV **2** Les clés de saint Pierre **3** Écrits d'hommes d'Église sur la doctrine chrétienne **4** Tiare du pape **5** Jan Hus, réformateur tchèque, brûlé comme hérétique en 1415 **6** Martin Luther **7** Jean Calvin **8** La Bible

MÉTHODE

Pour **analyser le document**, vous pouvez vous aider de la **démarche** suivante :

▶ **Vous vous interrogez** sur la nature du document, son thème, son contexte : reliez le document à la période des réformes protestantes et de la critique de l'Église catholique.

▶ **Vous observez** attentivement l'image, **vous la décrivez**, vous mettez en évidence les trois parties qui la composent : utilisez vos connaissances sur le protestantisme et le catholicisme en Europe occidentale.

▶ Vous montrez, par la sélection d'informations, que **vous avez compris** le message du document : formulez des **hypothèses** [gravure d'origine catholique ou d'origine protestante ?], et vérifiez les par des éléments prélevés dans le document ; **justifiez** votre choix.

QUESTIONS

1 Quel sujet est évoqué sur l'image ? Que se passe-t-il en Europe occidentale à cette date ?

2 À quelle religion correspond chacune des deux parties composant la gravure ?

3 Quels éléments de la religion protestante sont visibles sur l'image ?

4 Quels éléments de la religion catholique sont visibles sur l'image ?

5 Le thème de cette image aurait pu être présenté sous la forme d'un texte. À votre avis, pourquoi, à cette époque, est-il préférable de le présenter sous la forme d'une image ?

6 Pourquoi la balance penche-t-elle à droite ? À votre avis, qui a commandé l'image ?

2 — J'enrichis mes connaissances sur les découvertes scientifiques au XVIᵉ siècle

↳ Socle : Domaine 5

1 — Les débuts de l'anatomie

L'anatomie était alors traitée de manière superficielle que [...] je fis en public une dissection plus poussée que celle qui devait avoir lieu et qui devait concerner, comme le veut la coutume, presque exclusivement les seules viscères. Quelque temps plus tard, je fis une deuxième dissection. Mon propos était de mettre au jour les muscles de la main et de disséquer plus à fond les viscères : car, à l'exception de huit muscles de l'abdomen honteusement déchiquetés dans le mauvais ordre, personne ne nous avait montré un muscle, ou un os et encore moins un réseau nerveux, des veines et des artères.

■ André Vésale, *De humani corporis fabrica*, 1543.

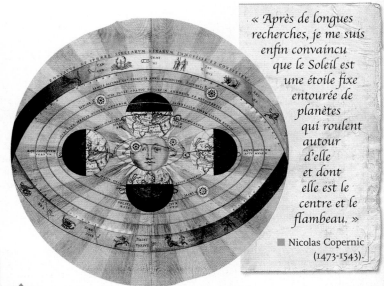

« Après de longues recherches, je me suis enfin convaincu que le Soleil est une étoile fixe entourée de planètes qui roulent autour d'elle et dont elle est le centre et le flambeau. »

■ Nicolas Copernic (1473-1543).

2 — La découverte de l'héliocentrisme

L'Univers selon Copernic, gravure sur cuivre colorée, 1660, BnF, Paris.

QUESTIONS

1 À quels domaines scientifiques correspondent ces deux documents ?

2 Que découvrent Vésale et Copernic ? De quelle manière ?

3 Quel est l'intérêt de leurs découvertes ?

MON BILAN DE COMPÉTENCES

Domaines du socle	Compétences travaillées	Pages du chapitre
D1 Les langages pour penser et communiquer	• Je sais argumenter. • Je comprends un langage des arts, le portrait. • Je sais m'exprimer en faisant preuve d'esprit critique.	Je découvre .... p. 148-149 Parcours Art .... p. 150-151 Je découvre .... p. 156-157
D2 Les méthodes et outils pour apprendre	• Je comprends le sens général des documents. • Je sais respecter la consigne en expliquant des documents. • Je sais élaborer une tâche commune et la présenter à l'oral. • Je sais organiser mon travail personnel.	Je découvre .... p. 152-153 et Exercice 1 .... p. 162 J'enquête .... p. 154-155 Je découvre .... p. 156-157 Apprendre à apprendre .... p. 160
D5 Les représentations du monde et l'activité humaine	• Je sais me repérer dans le temps et dans l'espace. • Je sais chercher des réponses pour comprendre un moment de l'Histoire. • Je sais mettre en relation l'art et la culture de la Renaissance. • Je sais me poser des questions et chercher des réponses au sujet d'un fait religieux. • Je sais situer des faits dans une période historique • J'ai enrichi mes connaissances sur les découvertes scientifiques au XVIᵉ siècle.	Je me repère .... p. 146-147 Je découvre .... p. 148-149 Parcours Art .... p. 150-151 Je découvre .... p. 152-153 J'enquête .... p. 154-155 Exercice 2 .... p. 163

9

Du prince de la Renaissance au roi absolu (XVIᵉ–XVIIᵉ siècle)

→ Pour les souverains François Iᵉʳ, Henri IV et Louis XIV, que signifie devenir un roi absolu ?

Au cycle 3

En CM1, j'ai étudié le temps des rois. J'ai découvert François Iᵉʳ, Henri IV et Louis XIV.

Au cycle 4

Chapitre 6, j'ai découvert que le royaume de France devient un État moderne où les rois dominent peu à peu les seigneurs.

Ce que je vais découvrir

Je vais étudier comment entre le XVIᵉ et le XVIIᵉ siècle, les rois de France deviennent des rois absolus.

1 François Iᵉʳ, prince de la Renaissance (1515-1547)

L'unité de l'État, symbole du bon gouvernement, Rosso Fiorentino (1494-1541). Peinture de la galerie François Iᵉʳ du château de Fontainebleau, XVIᵉ siècle.

Le sais-tu ?

Louis XIV pouvait grandir de 26 centimètres grâce à ses talons et à sa perruque ! Le roi choisissait des perruques imposantes, afin de signifier sa puissance et sa grandeur.

2 **Louis XIV, roi absolu (1661-1715)**

Panneau central de la galerie des Glaces peint par Charles Le Brun, Musée national du château de Versailles, XVIIᵉ siècle.

Du prince de la Renaissance au roi absolu

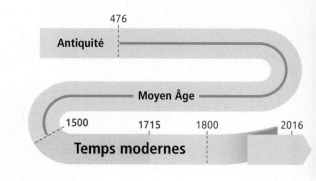

Antiquité 476

Moyen Âge

1500 | 1715 | 1800 | 2016

Temps modernes

1 Le royaume au temps de François Ier

ROYAUME D'ANGLETERRE
Calais
PAYS-BAS ESPAGNOLS
Manche
SAINT EMPIRE
PICARDIE
NORMANDIE
Seine
Paris
CHAMPAGNE
DUCHÉ DE BRETAGNE
Orléans
MAINE Blois Chambord
Tours Amboise
ANJOU
Loire
BOURGOGNE
COMTÉ DE NEVERS
FRANCHE-COMTÉ
BERRY
POITOU
COMTÉ D'ANGOULÊME
DUCHÉ DE BOURBON
DUCHÉ D'AUVERGNE
SAVOIE
Océan Atlantique
Garonne
Rhône
DAUPHINÉ
LANGUEDOC
PROVENCE
Mer Méditerranée
N 0 100 km
ESPAGNE

Limites du royaume de France en 1515
Domaine royal en 1515
Autres fiefs
Fiefs réunis au domaine royal par François Ier (1515-1547)
Territoires étrangers

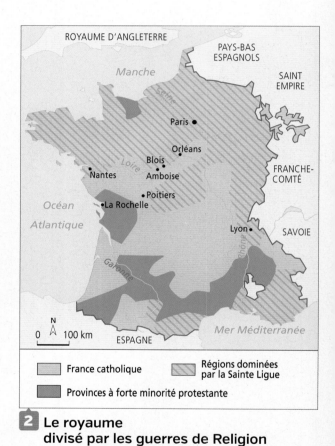

2 Le royaume divisé par les guerres de Religion

ROYAUME D'ANGLETERRE
PAYS-BAS ESPAGNOLS
Manche
SAINT EMPIRE
Seine
Paris
Orléans
Blois
Nantes Amboise
FRANCHE-COMTÉ
Poitiers
La Rochelle
Océan Atlantique
Garonne
Rhône
Lyon
SAVOIE
Loire
Mer Méditerranée
N 0 100 km
ESPAGNE

France catholique
Régions dominées par la Sainte Ligue
Provinces à forte minorité protestante

▶ **Je me repère dans le temps et dans l'espace**

1 Quand et pendant combien de temps ont régné François Ier, Henri IV et Louis XIV ?

2 Comment a évolué le territoire du royaume de France entre 1515 et 1715 ?

▶ **J'émets une hypothèse**

3 Comment cette évolution a-t-elle été possible ? Utilisez vos connaissances et la carte n°3.

▶ **Monarchie absolue de droit divin**
Monarchie dans laquelle le roi exerce un pouvoir personnel sans partage, qui lui aurait été accordé par Dieu.

▶ **Sainte Ligue**
Parti catholique créé en 1576 par le duc de Guise. Il rejette les protestants.

Dynastie des Capétiens-Valois

Dynastie des Capétiens-Bourbons

1515-1547
François Ier

1589-1610
Henri IV

1643-1661
Régence

1661-1715
Règne personnel de Louis XIV

1515
Marignan

1572
Saint-Barthélemy

1685
Révocation
de l'édit
de Nantes

1562-1598
Guerres de Religion

1598
Édit de Nantes

1648-1653
La Fronde

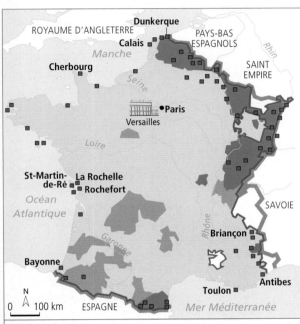

3 **Le royaume au temps de Louis XIV**

Domaine royal avant le règne d'Henri IV

Fiefs réunis au domaine royal par Henri IV (1589-1610)

Territoires acquis jusqu'à la mort de Louis XIV (1715)

■ Principales villes fortifiées par Vauban

─── Frontières de la France en 1715

═══ Frontières de la France aujourd'hui

BIOGRAPHIE

François Ier
(1494-1547)

Devenu roi en 1515, François Ier fait
la guerre en Italie contre son rival,
l'empereur Charles Quint. Épris d'art et de culture,
il vit à Fontainebleau au milieu d'une cour
fastueuse et d'artistes italiens qu'il a attirés en
France. Par des **réformes**, il accroît son autorité
sur le royaume et **jette les bases de la monarchie
absolue**.

BIOGRAPHIE

Henri IV
(1553-1610)

En 1589, le protestant Henri de Navarre
devient roi de France. Il lui faut dix
ans pour conquérir son royaume par la force. Il
se convertit au catholicisme (1593), est sacré roi
(1594), et met fin aux guerres de religion par l'édit
de Nantes (1598). Par son combat, il réunifie le
royaume sous sa seule autorité et **consolide la
monarchie absolue**.

CHIFFRES CLÉS

→ En 1515, avec **15 millions
d'habitants**, le royaume
de France est le plus peuplé
d'Europe

→ **90 %** de la population vit
dans les campagnes

BIOGRAPHIE

Louis XIV
(1638-1715)

Il est âgé de 5 ans à la mort de son père Louis XIII, en
1643. Sa mère, Anne d'Autriche, assure la régence du
royaume avec le cardinal Mazarin. À la mort de ce dernier, en 1661,
Louis XIV débute son règne personnel. Il s'entoure de conseils et
de ministres mais prend seul les décisions, dans tous les domaines.
Il porte à son apogée la monarchie absolue de droit divin.

SOCLE Compétences

▶ **Domaine 2 :** je comprends le point de vue particulier des documents
▶ **Domaine 5 :** je formule des hypothèses et je les vérifie

François Ier, souverain de la Renaissance (1515–1547)

Question clé Quelle image de son pouvoir le roi François Ier a-t-il voulu donner ?

1 Le roi en majesté
Miniature de 1547, BnF, Paris.

2 L'image du roi à l'étranger

Les Français honorent leur roi avec un sentiment si profond qu'ils lui ont donné non seulement leurs biens et leur vie, mais leur honneur et leur âme.

Tout dépend de lui seul, la paix et la guerre, les impôts, les faveurs, le gouvernement et l'administration de tout le royaume. Bref, le roi est le maître absolu.

Il incorpore toujours de nouvelles possessions à celles de la couronne.

■ D'après un rapport de Marino Cavalli, ambassadeur de Venise, 1546.

> **VOCABULAIRE**
>
> ▶ **En majesté**
> Titre donné aux souverains héréditaires, représentés avec les insignes de leur pouvoir (couronne fermée à l'impériale, sceptre, main de justice, portés lors du sacre ; collier de l'ordre de Saint-Michel (voir p. 117).
>
> ▶ **Souverain**
> Du latin *supera*, *super*, au-dessus, au plus haut. Celui qui dispose de la plus haute autorité.

3 Le roi guerrier, en Italie
La victoire de François Ier à Marignan (1515) contre le duc de Milan est utilisée pour glorifier le jeune roi, âgé de 20 ans. *La Bataille de Marignan*, détail d'une miniature attribuée au Maître à la Ratière, vers 1515, musée Condé, Chantilly.

5 François Iᵉʳ a-t-il bien gouverné ?

Des rapports vénitiens présentent François Iᵉʳ comme un souverain qui laisserait le soin des affaires à quelques favoris et grands commis. En 1537, Francesco Giustiniano juge « qu'il n'aime pas les affaires ni le souci de l'État, mais plutôt la chasse et les plaisirs » et qu'il est « docile à l'avis de ses conseillers ».

Il n'en est rien. François Iᵉʳ a assuré le gouvernement du royaume tout en réunissant des conseillers[1] presque tous les jours, tous des hommes d'expérience. François Iᵉʳ reste le maître du jeu d'un Conseil qui devient sous son règne une institution politique.

■ Cédric Michon, historien, *Les Collections de L'Histoire*, n°68, juillet-septembre 2015.

1. Pour administrer son royaume, le roi s'entoure d'officiers royaux. Ils seraient 7 à 8 000.

4 Le prince, mécène de la Renaissance

Très cultivé, le roi protège les artistes et les humanistes de son temps.
François Iᵉʳ au milieu de sa cour écoutant la traduction d'un ouvrage de Diodore de Sicile. Miniature de Jean Clouet, vers 1530, musée Condé, Chantilly.

L'ordonnance de Villers–Cotterêts
(10 août 1539)
Pour se faire comprendre de son peuple, François Iᵉʳ remplace le **latin**, langue des **décisions royales**, par le **français**, **langue parlée** dans le royaume.

Activités

Question clé | **Quelle image de son pouvoir le roi François Iᵉʳ a-t-il voulu donner ?**

ITINÉRAIRE 1

ou

▶ Je prélève des informations dans les documents

❶ **Doc 1, 3 et 4.** Quels aspects du pouvoir du roi François Iᵉʳ sont présentés dans ces documents ?

❷ **Doc 4.** Pourquoi peut-on affirmer que François Iᵉʳ est un prince de la Renaissance ?

❸ **Doc 1, 2, 4 et 5.** Comment François Iᵉʳ renforce-t-il le pouvoir royal ?

▶ J'émets une hypothèse et je la vérifie

❹ À l'aide des questions 1 à 3, répondez à la question clé en donnant votre point de vue : François Iᵉʳ a-t-il été un roi absolu ?

ITINÉRAIRE 2

▶ Je réalise une carte mentale

À l'aide des documents, présentez le roi François Iᵉʳ sous la forme d'un schéma qui répond à la question clé.

MÉTHODE

Relevez, dans les documents, les informations qui vous permettront de faire le portrait du roi, prince de la période de la Renaissance.

Le roi guerrier	Doc 3
Le roi humaniste et mécène	Doc 4
Le roi souverain en son royaume	Doc 1, 2, 5 et Infos
Un roi absolu	Doc 1 à 5

Henri IV et la restauration de la monarchie (1589–1610)

Question clé Comment, en rétablissant la paix religieuse dans son royaume, le roi Henri IV impose-t-il son autorité ?

1 **L'entrée triomphale d'Henri IV dans Paris, la capitale (22 mars 1594)**

Pour être reconnu roi, Henri IV se fait sacrer et reconquiert par les armes son royaume dévasté par 30 ans de guerres entre catholiques et protestants. [voir biographie p. 167].
Huile sur toile de François Gérard, 1817, château de Versailles.

2 **L'édit de Nantes, 30 avril 1598**

Nous avons jugé nécessaire de donner maintenant à nos sujets une loi générale [...] pour établir entre eux une bonne et durable paix.

Art. 3. Ordonnons que la religion catholique soit rétablie en tous les lieux et endroits de notre royaume [pour y être paisiblement et librement exercée].

Art. 9. Nous permettons à ceux de la religion prétendue réformée[1] de continuer l'exercice de leur religion.

Article secret[2]. Sa Majesté [...] accorde aux protestants que toutes les places, villes et châteaux qu'ils tenaient [...] demeureront en leur garde, sous l'autorité de sa Majesté.

■ Fait par le roi en conseil à Nantes, avril 1598.

1. La religion protestante 2. Par crainte de son rejet par l'opinion, l'article a été tenu secret jusqu'à l'enregistrement de l'édit par le parlement.

Édit scellé à la cire du « grand sceau de majesté », l'édit est « irrévocable et perpétuel ».

VOCABULAIRE

▶ **Monarchie**
Du grec *mono*, un seul, et *arke*, pouvoir. Régime politique dirigé par une seule personne : un roi héréditaire..

▶ **Parlement**
Tribunal qui rend la justice au nom du roi et enregistre les édits royaux.

▶ **Sainte Ligue**
Voir p. 166.

3 L'enregistrement de l'édit de Nantes par le parlement de Paris (1599)

Henri IV s'adresse au parlement de Paris qui refuse d'enregistrer l'édit de Nantes.

Je viens parler avec vous non point en habit royal, comme mes prédécesseurs, ni avec l'épée et la cape, mais vêtu comme un père de famille, pour parler franchement à ses enfants. Je vous prie d'enregistrer l'édit que j'ai accordé à ceux de la religion réformée. Ce que j'ai fait est pour le bien de la paix. [...]

Vous me devez obéir. Si l'obéissance était due à mes prédécesseurs, elle m'est due aussi, d'autant que j'ai rétabli l'État, Dieu m'ayant choisi pour me mettre au royaume qui est mien par héritage et acquisition. Ceux qui ne veulent pas que mon édit passe veulent la guerre. Je couperai à la racine de tout soulèvement, faisant raccourcir tous ceux qui les suscitent. J'ai sauté sur des murailles de villes, je sauterai bien sur des barricades.

Je suis roi maintenant et parle en roi, et veux être obéi.

■ D'après Berger de Xivrey, *Henri IV*, « Lettres missives d'Henri IV » (janvier 1599), Paris, 1850.

4 L'autorité retrouvée du roi

1 Henri IV
2 La Religion chrétienne
3 La Paix
Auteur anonyme, huile sur bois, Musée national du château de Pau, fin du XVIe siècle.

Activités

Question clé : Comment, en rétablissant la paix religieuse dans son royaume, le roi Henri IV impose-t-il son autorité ?

ITINÉRAIRE 1

ou

ITINÉRAIRE 2

► Je prélève des informations dans les documents

1 Doc 1, 3 et biographie p. 167. À quelle situation est confronté Henri IV au début de son règne ? Comment la résout-il pour restaurer son autorité de roi ?

2 Doc 2. Quels droits sont garantis par l'édit de Nantes ? Pourquoi peut-on affirmer qu'il est un texte de tolérance ?

3 Doc 3. Quels sont les arguments d'Henri IV pour faire enregistrer l'édit de Nantes par le parlement ?

4 Doc 4. Comment l'image montre-t-elle qu'Henri IV est parvenu à imposer son autorité à l'ensemble du royaume ?

► J'ordonne des faits et je les explique

5 À l'aide des questions 1 à 3, répondez en quelques phrases à la question clé. Associez chaque fait présenté à une explication dans les documents.

► J'analyse un document pour comprendre un fait historique

Avec votre voisin(e) ou en groupes, vous discutez, vous confrontez vos points de vue, vous justifiez vos choix pour répondre à la question clé.

Louis XIV, roi absolu (1661–1715)

CONSIGNE

Vous êtes un des animateurs de la webradio de votre collège, et vous décidez de consacrer une émission au roi Louis XIV, mort il y a trois siècles, mais dont la mémoire est toujours vivante en France.

Vous présentez le roi absolu Louis XIV en expliquant comment il exerce son pouvoir tout au long de son règne.

1 Le représentant de Dieu sur terre

Dieu établit les rois comme ses ministres et règne par eux sur les peuples. Les princes agissent comme ministres de Dieu et ses lieutenants sur la terre. Le trône royal n'est pas le trône d'un homme, mais le trône de Dieu même.

■ Bossuet, évêque de Meaux, *Politique tirée de l'Écriture sainte*, 1678-1704.

2 Le roi-Soleil

La devise du roi *Nec pluribus impar*, « Au-dessus de tous ».
Médaille en argent, 1664, BnF, Paris.

3 Le roi de guerre

Sur 54 ans de règne personnel, 33 années ont été consacrées à la guerre.
Louis XIV à cheval couronné par la Victoire, huile sur toile, Pierre Mignard, 1692, château de Versailles.

4 **Les arts et les sciences, pour la gloire du roi**
Colbert présente à Louis XIV les membres de l'académie royale, Henri Testellin, 1666. Paris, musée national du château de Versailles.

5 **Le pouvoir royal selon Louis XIV**

Toute puissance, toute autorité résident dans la main du roi. Tout ce qui se trouve dans l'étendue de nos États nous appartient. Les rois sont seigneurs absolus. Celui qui a donné des rois aux hommes a voulu qu'on les respectât comme ses lieutenants [...] La volonté de Dieu est que quiconque est né sujet obéisse totalement au roi. Il faut cependant que les souverains soutiennent la religion catholique sur laquelle ils sont appuyés. [...] Je résolus de ne point prendre de Premier ministre. Il fallait faire connaître que mon intention n'était pas de partager mon autorité.

■ Louis XIV, *Mémoires pour l'instruction du Dauphin*, 1661.

6 **L'avis d'un contemporain sur Louis XIV**

Vos peuples meurent de faim. Vous avez détruit la moitié des forces réelles du dedans de votre État, pour faire et pour défendre de vaines conquêtes au-dehors. Depuis environ trente ans [...], on n'a plus parlé de l'État ni des règles ; on n'a parlé que du roi et de son bon plaisir [...]. Vous n'aimez que votre gloire [...]. Le peuple qui vous a tant aimé, qui a eu tant de confiance en vous, commence à perdre l'amitié, la confiance, et même le respect. Si le roi avait un cœur de père, ne mettrait-il pas plutôt sa gloire à lui donner du pain plutôt qu'à garder quelques places de la frontière qui causent la guerre[1] ? »

■ Fénelon, *Lettre à Louis XIV*, 1694.

1. Les territoires conquis par Louis XIV aux frontières du royaume sont à l'origine de guerres avec le roi d'Espagne et l'empereur du Saint Empire (voir carte p. 167).

Le gouvernement centralisé
En 1715, on compte 60 000 officiers au service du roi. Dans les provinces, le roi nomme des **intendants** de police, justice, finances, qui appliquent ses ordres dans l'ensemble du royaume.

COUP DE POUCE

Pour vous aider à préparer votre émission « Louis XIV, un roi absolu », recopiez et complétez le tableau suivant. Pour chaque document : présentez la nature et le contexte, les informations qui sont à prélever et l'apport du document au sujet étudié.

Louis XIV, roi absolu Les points à présenter :	Quels documents utiliser ?	Que m'apprennent les documents ?
Quel est le rôle de la religion dans la fonction de roi absolu ?		
Comment Louis XIV gouverne-t-il ?		
Par quels moyens Louis XIV cherche-t-il à se couvrir de gloire ?		
Quelles critiques s'élèvent contre Louis XIV ?		

SOCLE Compétences
▶ **Domaine 1 :** j'apprends à analyser des œuvres d'art
▶ **Domaine 5 :** je me pose des questions sur
l'expression artistique de périodes de l'histoire

L'évolution de la figure royale (XVIᵉ–XVIIᵉ siècle)

Question clé **Comment les portraits officiels commandés par François Iᵉʳ et Louis XIV témoignent–ils de l'affirmation du pouvoir royal ?**

PISTES
EPI
Français,
Arts plastiques

1 **Le roi de France François Iᵉʳ (1515-1547)**

À l'époque de ce portrait, le roi est récemment rentré de sa captivité en Espagne, suite à la défaite de Pavie en 1525. Il doit réaffirmer son pouvoir face aux nobles.
Jean Clouet (vers 1480-1540), vers 1530, huile sur toile, musée du Louvre, Paris.

mémo **ART**

François Iᵉʳ, le prince de la Renaissance

▶ Le **roi courtisan** : habit sompteux (velours de soie et fils d'or). Le roi est le premier et le plus parfait des courtisans (*Primus inter pares*). Les nobles doivent l'imiter.

▶ **Le roi, chef de l'État :** épée, tapisserie rouge (couleur royale) avec couronnes à fleur de lys, médaillon de l'ordre de Saint-Michel (patron des chevaliers).

▶ **Le premier roi à se faire appeler** *Majesté* : le terme exprime la grandeur royale et invite à l'admiration et au respect.

VOCABULAIRE

▶ **Monarchie absolue de droit divin**
Monarchie dans laquelle le roi exerce un pouvoir personnel sans partage, qui lui aurait été accordé par Dieu.

Louis XIV, monarque absolu de droit divin

▶ **Les insignes du pouvoir royal :** trône, couronne fermée dite à l'impériale, sceptre, main de justice, épée de Charlemagne, collier de l'ordre du Saint-Esprit (distinction suprême de la noblesse), manteau royal brodé de fleurs de lys et doublé d'hermine (roi élu de Dieu). Par ces insignes, **Louis XIV incarne l'État absolu.**

▶ **La personne du roi :** elle est représentée plus grande que nature, grandie par les talons (le rouge est symbole de noblesse) et la perruque, car le roi est « au-dessus de tous ». Elle associe le visage vieillissant du roi (âgé de 63 ans et malade) à la jeunesse de ses jambes (élégance du pas de danse, qui rappelle les talents de danseur de Louis XIV).

2 **Le roi de France Louis XIV (1661-1715)**
Le roi en costume de sacre, par Hyacinthe Rigaud (1659-1743), 1701, huile sur toile, musée du Louvre, Paris.

QUESTIONS

J'exprime mes sentiments

1 **Doc 1 et 2.** Quels mots vous viennent à l'esprit devant ces deux peintures ? Laquelle préférez-vous ? Expliquez votre choix.

J'identifie et je situe les œuvres d'art

2 **Doc 1 et 2.** Quand et à la demande de qui ces œuvres d'art ont-elles été réalisées ?

Je décris les œuvres et j'en explique le sens

3 **Doc 1, 2 et Mémo'Art.** Décrivez précisément ces tableaux afin d'expliquer comment les peintres ont représenté le pouvoir des rois.

4 **Doc 1 et 2.** Indiquez, par des arguments, lequel de ces deux tableaux représente le mieux le roi absolu.

5 À votre avis, pourquoi ces souverains ont-ils fait réaliser ces œuvres d'art ?

Je réalise un dossier numérique

6 Collectez des images de la figure royale des rois de France François Ier, Henri IV et Louis XIV, que vous présenterez et expliquerez.

D'hier à aujourd'hui

SOCLE Compétences
- **Domaine 2 :** j'utilise des outils de recherche sur Internet
- **Domaine 5 :** je comprends que le passé éclaire le présent

Quel patrimoine nous ont transmis les rois bâtisseurs François Ier et Louis XIV ?

A François Ier, bâtisseur du château de Chambord

1 Chambord, symbole du roi François Ier

site élève
↓ lien vers le site

http://www.chambord.org/

domaine national de Chambord

Rechercher :

Langue :
Français ▾

Informations pratiques | Découvrir Chambord | Que faire à Chambord ? | Professionnels – Locations

HAENDEL : FEUX D'ARTIFICE ROYAUX
par Le Concert Spirituel - Vendredi 1er juillet 2016

AGENDA

2 Chambord aujourd'hui, une vitrine pour la France

Hier

Construction : de 1519 au début du règne de Louis XIV, 440 pièces et 83 escaliers.
Architecte : Bocador et Léonard de Vinci.
Style architectural : mi-gothique, mi-Renaissance.
François Ier ne l'a habité que quelques semaines.

Aujourd'hui

– Propriété de l'État.
– Classé **monument historique** et inscrit au **Patrimoine mondial de l'UNESCO**.
– **769 220** visiteurs dont 45 % d'étrangers (2014).
– 1,5 million de visiteurs sur le site Internet de Chambord (2014).

3 **La galerie des Glaces**

Œuvre de Jules Hardouin-Mansart (1678-1686), alliance d'art classique et d'art baroque. 73 m de long ; 400 miroirs.

site élève
⬇ lien vers le site

4 **Versailles aujourd'hui, une vitrine pour la France**

Hier

Construction : 1661-1678, 2 300 pièces et 67 escaliers.
Architectes : Le Vau, Hardouin-Mansard, de Cotte.
Style architectural : classique et baroque.

À partir de 1682, le roi, la cour et le gouvernement s'installent définitivement à Versailles.

Aujourd'hui

- Propriété de l'État
- Classé **monument historique** et inscrit au **Patrimoine mondial de l'UNESCO**.
- **4 600 000** visiteurs dont 80 % d'étrangers (2014).
- 11,6 millions de visiteurs sur l'ensemble des sites Internet du château de Versailles (2014).

QUESTIONS

▶ **J'observe les traces du passé**

❶ Doc 1 et 3. Comment ces châteaux illustrent-ils le pouvoir des rois François Ier et Louis XIV ?

❷ Doc 1 et 3. À votre avis, pourquoi est-il important de préserver ces monuments ?

▶ **Je fais le lien entre le passé et le présent**

❸ Doc 2 et 4. À qui appartiennent ces châteaux aujourd'hui ? Qu'est-ce qui permet de les préserver et de les restaurer ?

❹ Doc 2 et 4. Quelle est la fonction de ces châteaux aujourd'hui ? Quelles activités s'y déploient ? Pour qui ?

Du prince de la Renaissance au roi absolu (XVIᵉ–XVIIᵉ siècle)

➜ **Pour les souverains François Iᵉʳ, Henri IV et Louis XIV, que signifie devenir un roi absolu ?**

A Le roi est souverain absolu de droit divin

1. Dans le royaume de France, la cérémonie du **sacre** donne au roi son **pouvoir**. Élu de Dieu, le roi ne doit obéissance à personne. Il incarne la **monarchie de droit divin**. Dans le royaume, tous sont **sujets du roi**.

2. Dans la cérémonie du sacre, **François Iᵉʳ** (1515-1547) se fait représenter seul et **en majesté**. Le roi protestant **Henri IV** (1589-1610) n'est reconnu roi qu'après sa **conversion au catholicisme** qui lui donne accès au sacre. **Louis XIV** (1661-1715) s'affirme **roi de droit divin**, « au-dessus de tous », considérant le trône royal comme le trône de Dieu.

B Le roi exerce son pouvoir absolu, pour renforcer l'État

1. Du XVIᵉ au XVIIᵉ siècle, François Iᵉʳ, Henri IV et Louis XIV transforment leur royaume en **État** « **absolu** » qu'ils contrôlent pour empêcher toute révolte. Ils s'entourent de **conseils**, de **ministres** et d'**officiers** de plus en plus nombreux pour administrer le royaume en leur nom. **François Iᵉʳ** fait du **français** la **langue** administrative.

2. **François Iᵉʳ** et **Henri IV** n'utilisent qu'exceptionnellement leur pouvoir absolu, par exemple contre le **parlement** lorsqu'il refuse d'enregistrer leurs **édits**. Louis XIV **gouverne seul** et met en place un **gouvernement centralisé**. L'unité du royaume, sous leur autorité, est considérée comme le seul moyen de triompher des divisions. C'est ainsi qu'Henri IV rétablit la paix religieuse par l'**édit de Nantes (1598)**.

C Le roi cultive sa figure de « roi absolu »

1. Les rois mettent en scène leur pouvoir et leur gloire par des portraits officiels en **majesté** qui invitent à l'admiration et au respect. Vainqueur à Marignan (1515), François Iᵉʳ diffuse son image de **roi chevalier**. Louis XIV se fait représenter en **roi de guerre** triomphant. Ils sont des **mécènes**, protecteurs des arts et des lettres, et de grands bâtisseurs (châteaux de Chambord, de Versailles...).

2. Mais ces rois sont confrontés à des difficultés. **François Iᵉʳ** perd la plupart de ses guerres, et est retenu captif par Charles Quint de 1525 à 1526. **Louis XIV révoque l'édit de Nantes** (1685) et persécute les protestants. Son royaume est ruiné par les guerres.

D'où vient le mot...
ROI ABSOLU ?

Absolu signifie « pouvoir délié des lois », du latin *solutus* (délié) et ab *legibus* (des lois). La contraction des deux mots a donné le terme absolu. Louis XIV est le symbole du roi absolu désigné par la formule « Si veut le roi, si veut la loi »

VOCABULAIRE

▸ **État**
Territoire délimité par des frontières, sur lequel s'exerce un pouvoir politique souverain qui impose des règles communes.

▸ **Gouvernement centralisé**
Sous Louis XIV, ses ministres, les membres de ses conseils, ses représentants dans les provinces, qui appliquent ses ordres dans l'ensemble du royaume.

▸ **Monarchie absolue de droit divin**
Monarchie dans laquelle le roi exerce un pouvoir personnel sans partage, qui lui aurait été accordé par Dieu.

▸ **Parlement**
Tribunal qui rend la justice au nom du roi et enregistre les édits royaux.

▸ **Sujet du roi**
Personne qui est soumise au roi et doit lui obéir.

Construire l'État absolu

François Ier (1515-1547)

- Roi **sacré**.
- Roi **catholique**.
- Roi qui **gouverne avec l'aide de conseillers**.
- Roi qui impose le **français comme langue administrative** du royaume.

Henri IV (1589-1610)

- Roi protestant, **sacré après s'être converti au catholicisme**.
- Roi qui **gouverne avec l'aide de conseillers**.
- Roi qui **rétablit la paix religieuse** entre catholiques et protestants : **édit de Nantes (1598)**.

Louis XIV (1661-1715)

- Roi **absolu de droit divin**, représentant de Dieu sur Terre.
- Roi **« au dessus de tous »**, obéissance de ses sujets.
- Roi qui **gouverne seul** et ordonne à ses ministres, intendants…

Du prince de la Renaissance au roi absolu

Construire la figure royale

François Ier, le prince de la Renaissance

- **Sacre** : **le roi seul, en majesté**.
- **Roi chevalier**, victorieux à Marignan.
- **Roi courtisan**, le 1er des nobles de la Cour.
- **Roi humaniste et mécène**, protecteur des Arts et des Lettres.
- **Roi bâtisseur** (Chambord…).

Henri IV, le pacificateur

- **Entrée triomphale** à Paris du roi victorieux des catholiques.
- Sacre et **autorité royale restaurée**.
- Édit de Nantes et **paix religieuse par la tolérance**.

Louis XIV, le roi absolu

- **Sacre** et symboles du pouvoir absolu.
- **Roi de guerre**, toujours victorieux.
- Roi, **maître de son royaume**.
- Roi **protecteur des arts, des lettres et des sciences**.
- Roi **bâtisseur** (Versailles).

● **Je vérifie que je connais les principaux repères du chapitre.**

Je sais définir et utiliser dans une phrase :

- roi absolu de droit divin
- édit de Nantes

Je sais situer :

▶ **sur une frise :**
- les dates de règne de : François Ier, Henri IV, Louis XIV
- l'édit de Nantes

▶ **sur une carte :**
- les lieux du pouvoir royal
- Paris, Versailles, Chambord

site élève
⬇ fond de carte et frise

Je sais expliquer :

▶ comment François Ier, Henri IV et Louis XIV construisent l'État absolu.

▶ l'image que donnent d'eux-mêmes ces trois rois.

Comment apprendre ma leçon ?

J'apprends en réalisant des saynètes

Pour mémoriser sa leçon, on peut réaliser des saynètes avec des camarades.

▶ ## Étape 1

- Choisissez le thème que vous voulez mettre en scène.

François Ier : souverain de la Renaissance
863579 86357

Louis XIV : un souverain au pouvoir absolu
863579 863579

Henri IV restaure la monarchie
863579 863579

▶ ## Étape 2

- Rédigez ensemble le scénario de la pièce.

	Scène 1	Scène 2
Où et quand ?	Versailles	
Personnages	Le roi Louis XIV et des membres de son conseil	
Que se passe-t-il ?	Colbert, conseiller du roi, fait état d'une lettre rédigée par Fénelon et adressée à Louis XIV	
Dialogues	Colbert : ... Louis XIV : ... Autre personnage : ...	

▶ ## Étape 3

- Répartissez-vous les rôles, sans oublier le narrateur. Faites le point sur les accessoires et les décors. En scène !

> Dans les saynètes, il faudra bien penser à utiliser les mots importants, et les repères car le but est de mémoriser la leçon.

Je vérifie mes connaissances

1 **Je sais relier un roi à une ou plusieurs actions.**

Trois rois

a François Ier   **b** Henri IV   **c** Louis XIV

6 actions

1. impose l'édit de Nantes.
2. fait du français la langue administrative du royaume.
3. reconquiert son royaume.
4. déclare que « toute autorité réside dans la main du roi ».
5. protège les écrivains et les artistes.
6. s'installe à Versailles.

2 **Je raconte à partir des images.**

Rédigez une phrase ou expliquez oralement ce que chaque document issu du chapitre vous a appris sur les rois François Ier, Henri IV et Louis XIV.

a   **b**    **c**

4 **Je réalise la biographie de François Ier, Henri IV et Louis XIV.**

NOM DU ROI

Date de naissance :

Durée du règne :

Événement(s) marquant(s) du règne :

Décision(s) royale(s) :

Manière de gouverner :

Représentations de la figure royale :

Date de décès :

3 **Je sais identifier les insignes du pouvoir royal.**

5 Retrouvez d'autres exercices sous forme interactive sur le site Nathan.

site élève
exercices interactifs

1 Je comprends le langage des arts : les emblèmes des rois

↳ SOCLE : Domaine 1

Parcours arts

1 François Iᵉʳ : *Nutrisco et extinguo*

« Je m'en nourris et je l'éteins » Cette devise accompagne la salamandre, emblème de François Iᵉʳ. Elle symbolise le pouvoir sur le feu, donc sur les hommes et sur le monde. Sculpture sur la façade du château d'Azay-le-Rideau.

2 Henri IV : *Duo protegit unus*

« Un seul en défend deux », c'est-à-dire : un même glaive défend les deux royaumes. Henri IV est roi de France et de Navarre. Médaille en or du roi Henri IV, BnF, Paris.

3 Louis XIV : *Nec pluribus impar*

« Au-dessus de tous » Cette devise est associée au soleil. Le soleil renvoie à Apollon, dieu de la paix et des arts. Louis XIV se place ainsi au-dessus de ses sujets, et de tous les souverains d'Europe.
Détail du plafond de la galerie des Glaces, château de Versailles.

QUESTIONS

▶ **J'identifie et je situe les œuvres d'art**

1 À partir des trois exemples, proposez une définition des mots emblème et devise. Sur quels supports sont-ils représentés ?

▶ **Je décris les œuvres d'art et j'en explique le sens**

2 Décrivez chacun des emblèmes.

3 Pourquoi les rois de France ont-ils choisi ces emblèmes et ces devises ? Qu'est ce que cela vous apprend sur leur pouvoir ?

2 Je sais utiliser des outils de recherche sur Internet : le château de Fontainebleau

↳ SOCLE : Domaine 2

site élève
↧ lien vers le site

Rendez-vous sur la page du site : La galerie François Iᵉʳ

1 Quand François Iᵉʳ transforme-t-il Fontainebleau en résidence royale ? Pourquoi ?

2 Comment la galerie du château de Fontainebleau montre-t-elle que François Iᵉʳ est un prince de la Renaissance ?

3 Comment le décor de la galerie est-il au service du pouvoir de François Iᵉʳ, roi capable d'unifier l'état sous son autorité ? Appuyez-vous sur la scène « L'Unité de l'état » (p. 164).

3 J'exerce mon jugement critique sur une source historique

↳ Socle : Domaine 1

1 Une image de propagande du roi Louis XIV

Le Grand Roi Louis XIV, gravure, 1668, château de Versailles.

VOICY LE BON
ROY
LOVIS·XIIII.

I L donne Audiance, iusques au plus pauure de ses suiets, pour terminer promptement leurs procez & differans.

1 Quel est le sujet de cette gravure ? Qui sont les personnes représentées ?

2 Décrivez la scène : comment les personnes sont-elles représentées les unes par rapport aux autres ? À quoi reconnaît-on leur condition sociale ?

3 Que nous apprend cette scène sur le pouvoir absolu du roi ?

4 D'après vos connaissances, quelle image le roi veut-il donner de lui-même ? Reflète-t-elle la réalité ? Vous pouvez vous aider du document 6 p. 173.

Transcription de l'inscription : Il donne audience jusqu'au plus pauvre de ses sujets, pour terminer promptement leurs procès et différends. Salomon[1] s'assit sur le trône, pour juger ces deux pauvres femmes qui plaidaient à qui serait l'enfant. Notre Monarque l'imite parfaitement, et nos grands Rois et Empereurs, Charlemagne, entre autres, et Louis-Auguste[2]. Ils donnaient des audiences publiques comme lui, ils s'y étaient obligés par loi expresse, et l'avaient fait publier par tout le Royaume.

1. Salomon, roi hébreu de l'Antiquité reconnu pour ses décisions justes. **2.** Louis-Auguste : Louis IX ou Saint Louis.

MON BILAN DE COMPÉTENCES

Domaines du socle	Compétences travaillées	Pages du chapitre
D1 Les langages pour penser et communiquer	• Je sais défendre mes choix en discutant et argumentant. • Je sais analyser des œuvres d'art. • Je sais exercer mon jugement critique.	Je découvre .... p. 170-171 Parcours Arts .... p. 174-175 et Exercice 1 .... p. 182 Exercice 3 .... p. 183
D2 Les méthodes et outils pour apprendre	• Je comprends le point de vue particulier des documents. • Je sais classer des informations. • Je sais utiliser des outils de recherche sur Internet. • Je sais organiser mon travail personnel.	Je découvre .... p. 168-169 J'enquête .... p. 172-173 D'hier à aujourd'hui ... p. 176-177 Exercice 2 .... p. 182 Apprendre à apprendre ... p. 180
D3 La formation de la personne et du citoyen	• Je sais juger par moi-même pour comprendre le sens de la valeur de tolérance.	Je découvre .... p. 170-171
D5 Les représentations du monde et de l'activité humaine	• Je sais me repérer dans le temps et dans l'espace. • Je sais formuler et vérifier des hypothèses. • Je sais réunir des connaissances sur une période de l'histoire. • J'identifie l'expression artistique de périodes de l'histoire. • Je comprends que le passé éclaire le présent.	Je me repère .... p. 166-167 Je découvre .... p. 168-169 J'enquête .... p. 172-173 Parcours Arts .... p. 174-175 D'hier à aujourd'hui ... p. 176-177

Géographie

Un marché flottant sur le lac Dal, État de Jammu et Cachemire (nord de l'Inde), 2012.

Partie 1

La question démographiqu

QUESTION CLÉ

➡ **Comment assurer, dans le contexte de la croissance démographique mondiale, un développement durabl et équitable pour tous ?**

Une de l'hebdomadaire *Le Monde 2* n°256, 10 janvier 2009.

Premier numéro du magazine *Senior Plus*, 200

ENJEU 1 **La croissance démographique et ses effets**

▶ Comment assurer le développement d'une humanité toujours plus nombreuse ?

▶ Comment se préparer aux effets de la croissance démographique, notamment au vieillissement de la population mondiale ?

→ **Chapitre 10, p. 188-211**

l'inégal développement

Jean-Jacques Beineix présente

LA FIN DE LA PAUVRETÉ?

un film de **Philippe Diaz**

avec la voix de **Charles Berling**

une production CINELA LIBRE STUDIO en association avec ROBERT SCHALKENBACH FOUNDATION "LA FIN DE LA PAUVRETÉ" avec la voix de CHARLES BERLING monteur TOM VON DOOM musique originale CRISTIAN BETTLER MAX SOUSSAN co-producteurs MATTHEW STILLMAN RICHARD CASTRO producteur exécutif CLIFFORD COBB produit par BETH PORTELLO écrit et réalisé par PHILIPPE C

www.lafindelapauvrete.com

Affiche du documentaire de Philippe Diaz,
La Fin de la pauvreté, 2009.

MOTS CLÉS
➡ **Croissance démographique** (p. 204)
➡ **Développement** (p. 204)
➡ **Développement durable** (p. 204)
➡ **Pauvreté** (p. 222)
➡ **Richesse** (p. 215)

Une de l'hebdomadaire *Courrier international*
n°1251, 23-29 octobre 2014.

ENJEU 2 La répartition de la richesse et de la pauvreté dans le monde

▶ Quelle est la géographie de la richesse et de la pauvreté à l'échelle mondiale ?

▶ Comment richesse et pauvreté se répartissent-elles à plus grande échelle, dans chaque pays ?

→ Chapitre 11, p. 212-227

10 La croissance démographique et ses effets

→ La croissance démographique rend-elle difficile un développement équitable et durable ?

Au cycle 3

Au CM1, j'ai appris que les individus consomment beaucoup de ressources pour satisfaire leurs besoins.

Au cycle 3

En 6ᵉ, j'ai appris que les êtres humains sont de plus en plus nombreux sur Terre, notamment dans les métropoles et dans les pays pauvres.

Ce que je vais découvrir

Les défis posés par l'augmentation de la population mondiale sont étroitement liés à nos modes de vie, à notre développement.

1 **Cour d'école primaire en milieu rural, Guinée Bissau, 2013**

Distribution de riz et de haricots dans une cour d'école du village de Bula par une ONG américaine.

Aujourd'hui, on estime qu'il y a chaque jour 220 000 êtres humains en plus sur la Terre, soit 80 millions de personnes par an !

Bodrum
Turquie

Bula
Guinée Bissau

2 **Groupe de touristes « seniors » sur un bateau à Bodrum, Turquie, 2012**

Loisirs et forte consommation : un mode de vie qui reflète un haut niveau de développement.

Croissance démographique et développement en Inde

Question clé Quelles sont les conséquences de la forte croissance de la population indienne sur le développement du pays ?

A Un géant démographique marqué par les inégalités

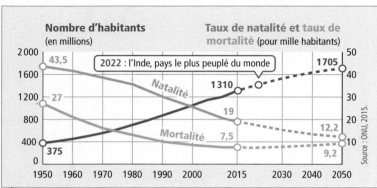

1 Des Indiens de plus en plus nombreux

CHIFFRES CLÉS

➡ **Espérance de vie :**
67 ans en 2015, **76 ans** en 2050

➡ **Moins de 20 ans :**
38 % de la population en 2015
26 % en 2050

➡ **3ᵉ puissance économique mondiale**

➡ **1 habitant sur 4** n'a encore que **1,25 dollar par jour** pour vivre

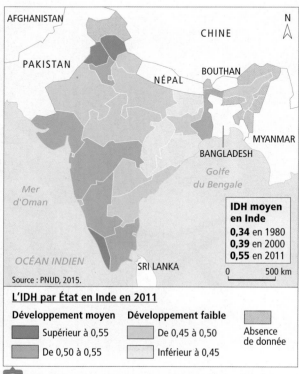

L'IDH par État en Inde en 2011

IDH moyen en Inde
0,34 en 1980
0,39 en 2000
0,55 en 2011

Source : PNUD, 2015.

Développement moyen
Supérieur à 0,55
De 0,50 à 0,55

Développement faible
De 0,45 à 0,50
Inférieur à 0,45

Absence de donnée

2 Un développement réel mais inégal

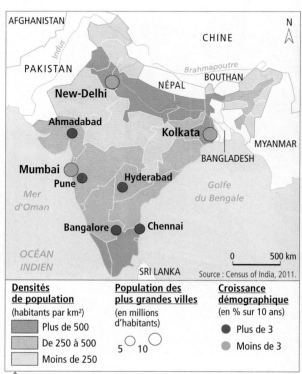

Source : Census of India, 2011.

Densités de population
(habitants par km²)
Plus de 500
De 250 à 500
Moins de 250

Population des plus grandes villes
(en millions d'habitants)
5 10

Croissance démographique
(en % sur 10 ans)
Plus de 3
Moins de 3

3 Une croissance qui profite aux villes

4 Un développement relatif

L'Inde appartient au groupe des grandes puissances mondiales (3ᵉ rang) avec une croissance record de 7,5 % en 2015. Cependant, 23,6 % de sa population vit encore sous le seuil de pauvreté[1] soit 290 millions d'habitants. L'Inde détient le record du nombre de pauvres mais est aussi au troisième rang mondial pour le nombre de milliardaires !

Même si la pauvreté recule [...], cette baisse reste insuffisante. Elle relativise le succès de l'économie indienne dont la croissance avait alimenté l'espoir qu'elle entraînerait tout le pays et sa population vers le développement.

■ D'après Lucie Dejouhanet, « L'Inde, puissance en construction », *La Documentation photographique n° 8109*, janvier-février 2016.

1. Limite de revenu au-dessous duquel une famille ou une personne est considérée comme pauvre.

5 Ouverture d'un magasin H&M dans un grand centre commercial de New Delhi, 2015

Activités

Question clé : **Quelles sont les conséquences de la forte croissance de la population indienne sur le développement du pays ?**

ITINÉRAIRE 1

ou

▶ Je localise et je caractérise des espaces

❶ **Chiffres clés.** Localisez l'Inde dans le monde et en Asie. Quelle est sa place dans l'économie mondiale ?

▶ Je comprends un document et je l'analyse

❷ **Doc 1.** Comment évolue la population indienne depuis 1950 ?

❸ **Doc 1.** Décrivez l'évolution des taux de natalité et de mortalité. Comment explique-t-elle la croissance démographique ?

❹ **Doc 3.** Comment évolue la population des villes ? Pourquoi ?

❺ **Doc 2, 4 et 5.** Trouvez dans chaque document un argument qui démontre que le développement de l'Inde ne profite pas à tous les habitants.

ITINÉRAIRE 2

▶ Je complète un schéma (étape 1)

À l'aide des documents 1 à 5, commencez à compléter le schéma pour répondre à la question clé.

La croissance démographique
→ Doc 1 et 3

besoins

Le développement
→ Doc 2, 4 et 5

enjeux

Les défis
→ p. 192-193

B Un pays émergent face aux défis du développement durable

site élève
⬇ lien vers la vidéo

6 Femmes allant chercher de l'eau dans le désert du Rajasthan, 2013

Alors que 150 millions d'Indiens sont toujours privés d'un accès à l'eau potable, le gouvernement s'est engagé à financer la construction de 130 millions de toilettes d'ici à 2020.

7 Un poêle pour réduire les émissions domestiques de CO_2

L'Inde est désormais le 4e émetteur de gaz à effet de serre[1] et de CO_2. Une bonne partie de ces émissions proviennent des usages domestiques du charbon et du bois de feu. L'air des cuisines rurales est six fois plus pollué que celui de New Delhi.

« Les femmes cuisinent en moyenne quatre heures par jour sur le chulha[2], ce qui revient à fumer 20 cigarettes. On a pensé qu'il serait utile d'inventer un poêle moins nocif pour la santé », explique le propriétaire d'une entreprise de poêles écologiques. « On a fini par sortir un modèle de poêle qui réduit de 70 % les émissions de fumée. »

◼ D'après « L'Inde, laboratoire écologique de la planète », *Alternatives Économiques*, 5 novembre 2015.

1. Gaz contribuant au réchauffement climatique.
2. Four traditionnel en argile.

8 Séance de sport dans une école du village de Marjali, État du Maharashtra, 2014

Le taux d'alphabétisation des Indiennes n'est que de 65 % (82 % pour les hommes).

CHIFFRES CLÉS

➡ **En 1990, 72 %** des Indiens avaient accès à l'eau potable ; **92 % en 2011**.

➡ **Taux d'alphabétisation :** **52 %** en 1991, **74 %** en 2011

VOCABULAIRE

▸ **Pays émergent**
Pays connaissant une croissance économique forte mais dont le niveau de développement de la population est encore inférieur à celui des pays riches.

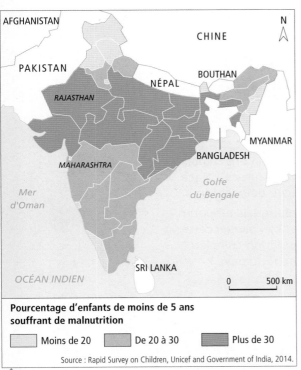

Mer
d'Oman

OCÉAN INDIEN

Pourcentage d'enfants de moins de 5 ans souffrant de malnutrition

Moins de 20	De 20 à 30	Plus de 30

Source : Rapid Survey on Children, Unicef and Government of India, 2014.

9 **La malnutrition des enfants en Inde en 2013-2014**

10 **Un bidonville à Mumbai, 2015**
À l'arrière-plan, de nouveaux immeubles en construction.

Activités

Question clé **Quelles sont les conséquences de la forte croissance de la population indienne sur le développement du pays ?**

ITINÉRAIRE 1

ou

ITINÉRAIRE 2

▶ **Je comprends le sens général des documents**

6 **Doc 6 à 10.** Reliez chacun des documents à un besoin fondamental insuffisamment satisfait en Inde : accéder à la nourriture – au logement – à l'éducation – à un environnement sain et une bonne santé – à l'eau potable.

7 **Doc 7.** Pourquoi la manière de cuisiner de la majorité des Indiennes est-elle un problème pour la santé et pour l'environnement ?

8 **Doc 6, 7 et 10.** Quelles solutions sont proposées en Inde pour réduire les inégalités de développement et répondre aux besoins d'une population nombreuse ?

▶ **J'écris pour structurer ma pensée et argumenter**

9 À partir de cette étude de cas, rédigez un texte organisé répondant à la question clé.

▶ **Je complète un schéma (étape 2)**

À l'aide des documents 6 à 10, finissez de compléter le schéma pour répondre à la question clé.

La croissance démographique
→ p. 190-191

↓ besoins

Le développement
→ Doc 6 à 10

↓ enjeux

Les défis
→ Doc 6 à 10

Étude de cas

TÂCHE COMPLEXE

SOCLE Compétences
▶ **Domaine 1 :** je m'exprime à l'oral
▶ **Domaine 5 :** j'identifie les principaux enjeux du développement humain

Population et développement en Chine : le défi du nombre

CONSIGNE

Tournant historique : depuis le 1er janvier 2016, le gouvernement chinois a officiellement abandonné la politique de l'enfant unique mise en place en 1979 ! Désormais, tous les couples ont le droit d'avoir deux enfants.

Votre laboratoire de recherches en géographie vous charge de préparer une conférence, illustrée par un diaporama, dans le but d'expliquer cette décision : quelles évolutions récentes connaît la population chinoise ? Quelles en sont les conséquences sur le développement du pays ?

Chine
ASIE

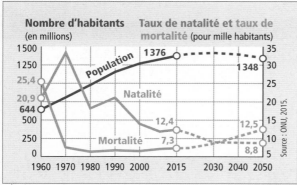

Nombre d'habitants
(en millions)

Taux de natalité et taux de mortalité (pour mille habitants)

Source : ONU, 2015.

1 La fin de la croissance démographique

VOCABULAIRE

▶ **Développement humain**
Hausse générale du niveau de vie d'une population lui permettant au moins de satisfaire tous ses besoins essentiels (eau, alimentation, instruction...). Il est mesuré par l'**IDH** (voir p. 191).

▶ **Politique de l'enfant unique**
Politique de contrôle des naissances menée par l'État chinois de 1979 à 2015 pour limiter l'augmentation de la population.

La Chine littorale
Très peuplée et riche.

La Chine de l'Intérieur
Moyennement peuplée, réservoir de main-d'œuvre.

La Chine de l'Ouest
Pauvre et peu peuplée.

● Ville de plus de 10 millions d'habitants

→ Migrations de ruraux

Source : d'après T. Sanjuan, *Atlas de la Chine*, Éditions Autrement, 2015.

2 Des inégalités régionales marquées

3 Écolières à Chongqing dans un quartier en construction, 2014

Chongqing (près de 13 millions d'habitants) est l'agglomération chinoise qui connaît la plus forte croissance de population.

4 **Un supermarché à Lianyungang, au nord de Shangai, 2015**

Plus de 1,160 milliard de Chinois vivent au-dessus du seuil de pauvreté. L'État cherche à améliorer leur pouvoir d'achat afin de soutenir le développement économique et répondre aux besoins croissants de la population.

5 **Quelques indicateurs du niveau de développement**

	1990	2015
Nombre d'habitants	1,15 milliard	1,4 milliard 20 % de l'humanité
Richesse par habitant et par an	316 $/hab.	7 590 $/hab. 2ᵉ puissance mondiale
IDH (Indice de développement humain)	0,49	0,7 91ᵉ rang mondial
Espérance de vie	69 ans	76 ans
Nombre de médecins (pour 1 000 habitants)	1,6	2,2
Taux d'alphabétisation (en % des adultes de plus de 15 ans)	78 %	95,1 % (2013)
Nombre de téléphones portables	18 319	1,6 milliard
Nombre de voitures particulières	816 000	154 millions (2014)

COUP DE POUCE

Vous pouvez organiser votre conférence en vous appuyant sur ce schéma :

La croissance démographique → Doc 1 à 3 ▸besoins▸ Le développement → Doc 4 à 6 ▸enjeux▸ Les défis → Doc 6

6 **Les défis du développement**

Il s'agit de limiter les pollutions de l'air, des eaux et des sols et de faire face à la pression considérable que le développement et le poids démographique du pays exercent sur les ressources, en particulier sur l'eau.

Sur le plan démographique, [...] le pouvoir chinois est confronté au vieillissement rapide de la population et à un important déséquilibre des sexes, deux mutations accentuées par plus de 30 ans de politique de l'enfant unique[1].

La Chine connaît depuis la décennie 1990 un accroissement très fort des inégalités, non seulement de revenus, mais aussi dans l'accès au logement, à l'éducation et à la santé... Ces inégalités suscitent d'importants conflits.

■ D'après Sébastien Colin, « La Chine, puissance mondiale », *La Documentation photographique* n° F8108, nov.-déc. 2015.

1. On favorisait les naissances de garçons.

Démographie et développement en République démocratique du Congo

Question clé Pourquoi parle-t-on d'explosion démographique ? Quelles en sont les conséquences sur le développement du pays ?

Rép. Dém. du Congo
AFRIQUE

A Une forte croissance démographique, un faible développement

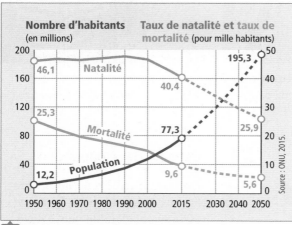

Nombre d'habitants (en millions)
Taux de natalité et **taux de mortalité** (pour mille habitants)

Source : ONU, 2015.

1 L'explosion démographique

2 Une fécondité très élevée

On voit dans toutes les enquêtes que quasi-siment toutes les femmes connaissent les méthodes contraceptives [...].

Mais ce qu'on voit aussi, c'est que si les couples ont beaucoup d'enfants, c'est qu'ils sont attachés à un idéal de fécondité élevée. C'est à rapprocher des conditions de dévelop-pement : quand la mortalité est élevée, il y a de l'incertitude. Quand aussi il y a de l'incer-titude économique et qu'il n'y a pas de prise en charge des personnes âgées, les enfants restent une valeur sûre.

■ D'après Véronique Hertrich, démographe, *L'Afrique va connaître une forte croissance démographique d'ici à 2050*, RFI, 20 août 2015.

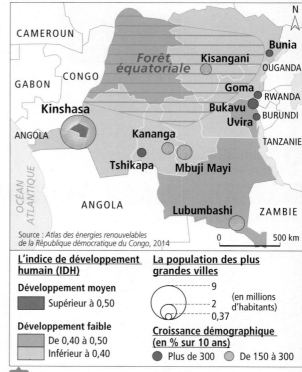

Source : *Atlas des énergies renouvelables de la République démocratique du Congo*, 2014

L'indice de développement humain (IDH)

Développement moyen
■ Supérieur à 0,50

Développement faible
■ De 0,40 à 0,50
■ Inférieur à 0,40

La population des plus grandes villes
9
2 (en millions d'habitants)
0,37

Croissance démographique (en % sur 10 ans)
● Plus de 300   ○ De 150 à 300

3 Exode rural et urbanisation

La population des villes est en forte augmentation en raison de l'exode rural.

CHIFFRES CLÉS

➡ **Population urbaine : 40 %** de la population totale
➡ **Espérance de vie : 42 ans** en 2000, **50 ans** en 2015
➡ **IDH : 0,414** en 2015 (174e rang sur 187 pays classés]
➡ **Moins de 14 ans : 46 %** de la population en 2015

4 Une famille du village de Betou, près de Bunia, 2013

En zone rurale, les femmes ont en moyenne 7 enfants contre 5 pour celles qui habitent en ville.

Combien d'enfants souhaitez-vous ?

Planifie les naissances pour l'harmonie et la stabilité de ta famille

PLANIFICATION FAMILIALE

Ce petit triangle rouge t'indique où trouver les services de Planification Familiale

Famille Planifiée, Harmonieuse et Stable

Programme National de la Santé de la Reproduction (PNSR)

5 Campagne pour la planification familiale, ministère de la Santé, 2015

Activités

Question clé | Pourquoi parle-t-on d'« explosion démographique » ? Quelles en sont les conséquences sur le développement du pays ?

ITINÉRAIRE 1

ou

ITINÉRAIRE 2

▸ **Je localise et caractérise des espaces**

❶ Localisez la RDC à l'échelle du monde. D'après les chiffres-clés, quel est son niveau de développement ?

▸ **Je comprends et j'analyse des documents**

❷ **Doc 1.** Comment a évolué la population congolaise depuis 1950 ?

❸ **Doc 4 et 5.** Comment la natalité pourrait-elle évoluer en RDC d'ici 5 ans ? Pourquoi ?

❹ **Doc 3.** Comment évolue la population des villes ? Pourquoi ?

❺ **Doc 2 à 4.** Pourquoi la croissance démographique est-elle plus forte dans les espaces ruraux ?

▸ **Je complète un schéma (étape 1)**

À l'aide des documents 1 à 5, commencez à compléter le schéma pour répondre à la question clé.

> La croissance démographique
> → Doc 1 à 4

> besoins

> Le développement
> → Doc 3 à 5 et chiffres clés

> enjeux

> Les défis
> → Doc 5

B Les défis du développement

6 Vers une meilleure gestion des ressources

Autour des villes, les forêts disparaissent rapidement. La forte poussée démographique et l'exploitation [...] des ressources naturelles ont eu un impact négatif sur l'environnement et les conditions de vie.

Malgré ses immenses richesses en eau douce, la RDC connaît une faible distribution en eau potable : 50,4 % en moyenne, un tiers de la population dans les zones rurales. Or, l'amélioration de la santé [...] doit passer par l'amélioration de l'accès à l'eau potable. La plupart des familles procèdent au rejet des ordures ménagères sur la voie publique, polluant ainsi le cadre de vie.

La RDC présente d'un côté un potentiel énergétique abondant [...], et de l'autre un taux d'accès à l'électricité parmi les plus faibles en Afrique (9 %). De gros efforts sont cependant déployés pour doubler le taux d'accès d'ici à 2016.

■ D'après le *Rapport bilan OMD 2000-2015*, PNUD, septembre 2015.

7 Martha raconte

Martha, mère de famille

Au Nord du Katanga, où seulement 15 % des enfants sont correctement vaccinés, des parrains de l'Unicef effectuent des visites à domicile pour donner des conseils aux mères de famille.

« Avant je n'aimais pas la vaccination : on disait que les enfants tombaient malades. Le parrain est venu plusieurs fois pour donner des conseils – sur le fait qu'il fallait dormir sous une moustiquaire, bien se laver les mains, allaiter les enfants pendant 6 mois... et les vacciner. Il montait la pente chaque semaine pour me rendre visite. Il m'a donné des coupons pour aller faire vacciner mes jumeaux. J'ai vu que les vaccins n'avaient pas fait de mal aux enfants. Maintenant, j'essaie de parler à mes voisines pour les convaincre que les rumeurs ne sont pas vraies. »

■ D'après Unicef, *Guide des bonnes pratiques*, 2014.

UNE RENTRÉE AU PORTE-À-PORTE

Identifier et inscrire les enfants non-scolarisés du Bandundu

Photo de classe des élèves anciennement non scolarisés, à l'École primaire Kimpanda de Djuma (Bandundu).

unicef

8 Campagne de l'Unicef en faveur des enfants non scolarisés, 2014

Grâce, notamment, aux actions de l'Unicef, le taux de scolarisation est passé de 52 % en 2001 à 78 % en 2014.

CHIFFRES CLÉS

➡ **Taux de mortalité infantile : 12,6 %** en 2001, **5,8 %** en 2013

➡ **Enfants de 1 an vaccinés contre la rougeole : 46 %** en 2001, **72 %** en 2013

➡ **Enfants de moins de 5 ans en sous-alimentation : 31 %** en 2001, **22,6 %** en 2013

➡ **Part de la population utilisant des toilettes hygiéniques : 13,5 %** en 2010, **20,5 %** en 2013

9 **Un bidonville à Kinshasa, 2015**
La capitale Kinshasa compte 11 millions d'habitants en 2015.

10 **Le scénario du bonus démographique**

- **La baisse de la fécondité** se poursuit et s'accélère :
  – par la politique de planification familiale
  – par la hausse de l'accès à l'éducation

⬇

- **Baisse de la part des enfants** dans la population
- **Augmentation du nombre de jeunes travailleurs** (plus éduqués et avec moins d'enfants à charge)

⬇

- **Baisse des dépenses consacrées aux enfants** (population fragile et dépendante)
- **Hausse des dépenses pour le développement** (formation, emploi, technologie)

⬇

- **Hausse de la croissance économique et du développement**

⬇

C'est l'effet **« Bonus démographique »**
La jeunesse de la population peut avoir des effets bénéfiques sur le développement.

Activités

Question clé **Pourquoi parle–t–on d'explosion démographique ? Quelles en sont les conséquences sur le développement du pays ?**

ITINÉRAIRE 1

🔹 **Je comprends le sens général des documents**

6 **Doc 6 à 8.** De quoi le pays dispose-t-il pour répondre aux besoins de sa population ? Quels progrès pouvez-vous relever ?

7 **Doc 6 et 9.** Quelles sont les conséquences de la croissance démographique congolaise ?

8 **Doc 6 à 9 et Chiffres clés.** Les besoins de base des Congolais sont-ils satisfaits (santé, alimentation, eau, logement, éducation, environnement) ?

🔹 **J'écris pour structurer ma pensée et argumenter**

9 À l'aide de vos réponses aux questions 1 à 8, imaginez et rédigez l'interview de trois habitants de la RDC répondant à la question clé.

OU

ITINÉRAIRE 2

🔹 **Je complète un schéma (étape 2)**
À l'aide des documents 6 à 10, finissez de compléter le schéma pour répondre à la question clé.

La croissance démographique → p. 196-197	besoins⟩	Le développement → Chiffres clés, Doc 6 à 9	enjeux⟩	Les défis → Doc 6 à 10

SOCLE Compétences

▶ **Domaine 4 :** je formule et je vérifie des hypothèses
▶ **Domaine 5 :** j'identifie les grandes questions et les principaux enjeux du développement

Quels sont les effets de la croissance démographique sur le développement ?

MISE EN PERSPEC

ÉTAPE 1 — *Je compare les études de cas*

site élève
⬇ tableau à imprimer

A Recopiez le tableau suivant.

	L'Inde ou la Chine, dans un pays émergent	La RDC, un pays en développement
Les enjeux démographiques : *quelles évolutions connaît la population ?*		
Les enjeux d'un développement équitable : *toute la population accède-t-elle aux services essentiels ? Le développement profite-t-il à tous ?*		
Les enjeux d'un développement durable : *l'environnement et les ressources sont-ils préservés ? Les besoins de demain sont-ils anticipés ?*		

B D'après ce que vous avez appris dans les études de cas, complétez le tableau avec les phrases ci-dessous. Attention, une même phrase peut correspondre à l'Inde ou la Chine et à la RDC.

1. Croissance démographique forte, aujourd'hui ralentie.
2. Explosion démographique qui se poursuit.
3. Hausse de l'espérance de vie et forte fécondité.
4. Population particulièrement jeune.
5. Vieillissement de la population.
6. Des besoins globalement satisfaits mais inégalités persistantes.
7. Des besoins non satisfaits et de fortes inégalités.
8. Inégalités de développement entre ruraux et urbains.
9. Développement fondé sur une exploitation non durable des ressources.
10. Mise en œuvre d'une politique de développement fondée sur une gestion durable des ressources.
11. Présence d'atouts et de ressources locales permettant d'envisager le développement du pays.

C Entourez dans le tableau les phrases que vous retrouvez dans les deux colonnes.

ÉTAPE 2 — *J'en déduis des hypothèses*

Une hypothèse est une idée que l'on propose et qu'il faudra ensuite vérifier pour savoir si elle est vraie ou fausse.

D À l'aide du tableau, choisissez ci-dessous les quatre hypothèses qui vous semblent le mieux compléter la phrase suivante :

L'étude du lien entre croissance démographique et développement permet de penser que...

1. la croissance de la population ne ralentit pas au même rythme partout dans le monde.
2. la croissance démographique n'a pas de lien avec le développement d'un pays.
3. la croissance démographique empêche toute amélioration du niveau de vie des populations.
4. la croissance démographique crée de nouveaux besoins : alimentation, logements, éducation...
5. dans les pays pauvres et émergents, la croissance démographique rend difficile l'accès de tous aux biens et services essentiels.
6. une forte croissance démographique est un défi pour le développement durable et équitable d'un pays.

ÉTAPE 3

Je vérifie si mes hypothèses sont justes

E Indiquez à quelle hypothèse retenue à l'étape 2 correspondent ces documents. Un même document peut valider plusieurs hypothèses.

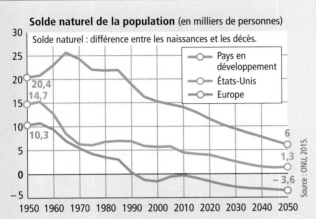

Solde naturel de la population (en milliers de personnes)

Solde naturel : différence entre les naissances et les décès.

- Pays en développement
- États-Unis
- Europe

20,4
14,7
10,3
6
1,3
−3,6

Source : ONU, 2015.

1 Le solde naturel de population mondiale de 1950 à 2050

2 Vieillissement de la population : un phénomène mondial ?

L'Europe et les États-Unis ont en commun de concentrer une grande part de la richesse mondiale et de bénéficier de flux d'immigration importants. Leur dynamique démographique n'est cependant pas la même : 60 % de la croissance démographique américaine est assurée par le solde naturel alors qu'en Europe, où ce solde est pratiquement nul, la croissance ne tient qu'à l'immigration.

Le vieillissement démographique, plus ou moins avancé selon les pays, touche toute la planète. En Europe et aux États-Unis, il est déjà bien entamé. Dans les pays en développement, il n'en est souvent qu'à ses débuts mais devrait prendre une grande importance dans les prochaines décennies.

■ D'après Gilles Pison, « La Démographie mondiale », *Le Monde Sup'*, Rue des écoles, 2015.

Buenos Aires
Argentine

3 Le bidonville de la « Villa 31 » à Buenos Aires, Argentine (pays émergent), 2014

Croissance démographique et développement dans le monde

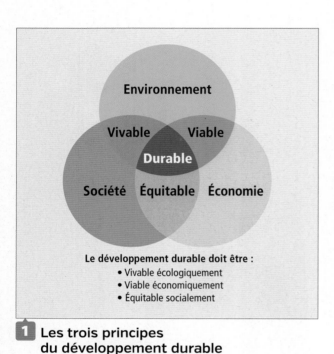

1 Les trois principes du développement durable

Dans l'encadré :

Environnement

Vivable — Viable

Durable

Société — Équitable — Économie

Le développement durable doit être :
• Vivable écologiquement
• Viable économiquement
• Équitable socialement

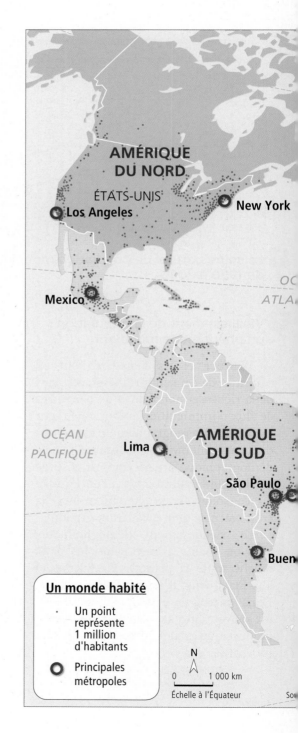

AMÉRIQUE DU NORD

ÉTATS-UNIS

Los Angeles — New York

Mexico

OCÉAN ATLA...

OCÉAN PACIFIQUE

Lima

AMÉRIQUE DU SUD

São Paulo

Buen...

Un monde habité

· Un point représente 1 million d'habitants

◎ Principales métropoles

N

0   1 000 km

Échelle à l'Équateur   Sou...

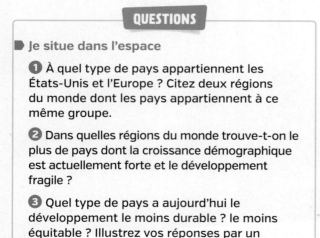

QUESTIONS

▶ Je situe dans l'espace

1 À quel type de pays appartiennent les États-Unis et l'Europe ? Citez deux régions du monde dont les pays appartiennent à ce même groupe.

2 Dans quelles régions du monde trouve-t-on le plus de pays dont la croissance démographique est actuellement forte et le développement fragile ?

3 Quel type de pays a aujourd'hui le développement le moins durable ? le moins équitable ? Illustrez vos réponses par un exemple de pays.

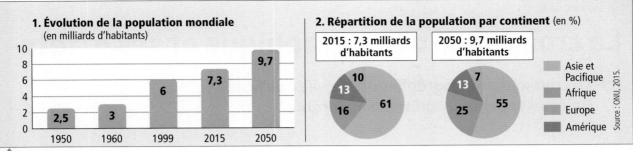

1. Évolution de la population mondiale
(en milliards d'habitants)

- 1950 : 2,5
- 1960 : 3
- 1999 : 6
- 2015 : 7,3
- 2050 : 9,7

2. Répartition de la population par continent (en %)

2015 : 7,3 milliards d'habitants	2050 : 9,7 milliards d'habitants
10 / 13 / 16 / 61	7 / 13 / 25 / 55

- Asie et Pacifique
- Afrique
- Europe
- Amérique

Source : ONU, 2015.

2 La population mondiale

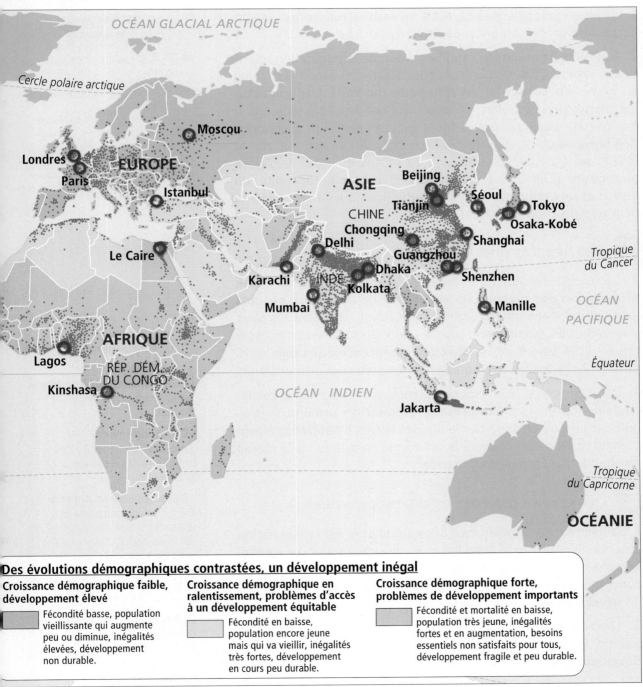

Des évolutions démographiques contrastées, un développement inégal

Croissance démographique faible, développement élevé

Fécondité basse, population vieillissante qui augmente peu ou diminue, inégalités élevées, développement non durable.

Croissance démographique en ralentissement, problèmes d'accès à un développement équitable

Fécondité en baisse, population encore jeune mais qui va vieillir, inégalités très fortes, développement en cours peu durable.

Croissance démographique forte, problèmes de développement importants

Fécondité et mortalité en baisse, population très jeune, inégalités fortes et en augmentation, besoins essentiels non satisfaits pour tous, développement fragile et peu durable.

3 Un monde de plus en plus peuplé et inégalement développé

La croissance démographique et ses effets

➡️ **La croissance démographique rend-elle difficile un développement équitable et durable ?**

A — Des êtres humains de plus en plus nombreux

1. La Terre compte aujourd'hui **7,4 milliards d'habitants**, elle en accueillera probablement **près de 10 milliards en 2050**.

2. Si à l'échelle mondiale l'augmentation de la population ralentit, les rythmes d'évolution sont très différents selon les régions du globe. En **Europe** et en **Amérique du Nord**, **la population augmente peu** et **vieillit**. L'Afrique, qui concentre le plus grand nombre de pays en développement enregistre la croissance démographique la plus forte. Leur population est très jeune (46 % de la population a moins de 14 ans en RDC). Les pays émergents (Chine, Inde, Argentine…) ont une fécondité en baisse et une population encore jeune mais qui va vieillir (38 % de moins de 20 ans en Inde).

B — Des besoins plus importants

1. La croissance démographique s'accompagne partout d'une **progression des niveaux de vie** et crée de **nouveaux besoins** (alimentation, eau potable, santé, éducation). Mais dans les **pays pauvres** et **en émergence**, tous les habitants n'ont pas accès à ces services essentiels : le développement est inéquitable. Ainsi en RDC, 22 % des enfants souffrent encore de sous-alimentation.

2. Dans ces pays, la croissance démographique s'accompagne également d'un fort **exode rural**. L'**explosion urbaine** se traduit par une extension spontanée des zones d'**habitat précaire** comme à Mumbai, capitale économique de l'Inde, où la moitié des habitants vit dans un bidonville.

C — Des enjeux majeurs de développement

1. La maîtrise de la croissance démographique est une question essentielle pour l'avenir des pays en développement. Le **vieillissement de la population**, plus ou moins avancé selon les pays, concerne toute la planète. Il s'annonce comme le véritable défi de développement pour l'avenir.

2. La **croissance démographique** impose un **autre défi** : une gestion **plus économe des ressources** afin de proposer un développement durable, répondant « aux besoins d'aujourd'hui sans compromettre la capacité des générations futures à répondre aux leurs » (Rapport Brundtland, présenté à l'ONU en 1987).

CHIFFRES CLÉS

➡️ **7,43** milliards d'habitants en **2016**
➡️ **10** milliards d'habitants en **2050** :
– 14 % dans les pays du Nord
– 86 % dans les pays du Sud
– 66 % en ville

D'ici à 2050 **la consommation en eau, énergie, alimentation** sera multipliée par **plus de 2**.

VOCABULAIRE

▸ **Croissance démographique**
Augmentation de la population.

▸ **Développement**
Amélioration générale des conditions de vie d'une population.

▸ **Développement durable**
C'est « un développement qui répond aux besoins des générations du présent sans compromettre la capacité des générations futures à répondre aux leurs » (Brundtland, ONU, 1987).

▸ **Développement équitable**
Développement qui profite à tous.

Des contrastes :

- Une croissance **forte** dans les **pays pauvres**.

- Une croissance qui **ralentit** dans les **pays émergents**.

- Une croissance **faible** dans les **pays développés**.

La croissance démographique

Des humains plus nombreux

7,3 milliards en 2015
9,7 milliards en 2050

Des points communs :

- Des **besoins** qui augmentent.

- Un **développement** qui ne profite pas à tous.

- Un **vieillissement** généralisé à venir.

Le défi du développement équitable et durable

- **Satisfaire les besoins de chacun** : se nourrir, accéder à l'eau potable, se soigner, se loger, s'éduquer.

- **Lutter contre les inégalités** entre les individus et les territoires, à toutes les échelles : entre pays développés et pays pauvres, entre ruraux et urbains, entre femmes et hommes, entre les générations…

- **Vivre dans un environnement de qualité** : maîtriser la croissance urbaine, préserver et exploiter durablement les ressources.

Je révise chez moi

● **Je vérifie que je connais les principaux repères du chapitre.**

Je sais définir et utiliser dans une phrase :

- croissance démographique
- développement
- développement équitable et durable

Je sais situer sur un planisphère :

- deux pays émergents très peuplés : la Chine et l'Inde
- deux régions du monde riches et où la population vieillit : l'Europe et les États-Unis
- un pays africain à forte croissance démographique : la RDC

site élève
↧ fond de carte

Je sais expliquer :

- l'évolution de la population à l'échelle mondiale.
- les effets de la croissance démographique sur le développement d'un pays émergent ou en développement.
- pourquoi la croissance démographique pose le défi du développement équitable et durable.

Comment apprendre ma leçon ?

J'apprends à sélectionner les informations

Pour mémoriser la leçon, il faut d'abord apprendre à trier les informations et savoir ce qui est important à retenir.

Il ne s'agit pas de tout apprendre par cœur !

▶ **De quoi parle la leçon ?**

Je me souviens du thème principal de la leçon.

La croissance démographique et ses effets

▶ **Quelle question s'est-on posée pendant la leçon ?**

Je relis le début du chapitre.

la croissance démographique rend-elle difficile un développement équitable et durable ?

▶ **Quels sont les repères géographiques importants ?**

Je retrouve les grands repères dans la double-page « Carte ». ➜ **p. 202-203**

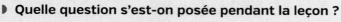

▶ **Quelles sont les grandes idées ?**

Je recherche les thèmes importants abordés dans le chapitre.

| Des être humains de plus en plus nombreux | Des besoins plus importants | Le défi du développement durable et équitable |

▶ **Quels sont les mots nouveaux ?**

Je retrouve les mots importants du chapitre.

Croissance démographique, développement...

▶ **Comment illustrer les idées importantes du chapitre ?**

J'associe une idée importante du chapitre à une image marquante, d'après les exemples suivants.

La croissance démographique ne ralentit pas au même rythme partout dans le monde.

La croissance démographique crée des nouveaux besoins : alimentation, logement, éducation...

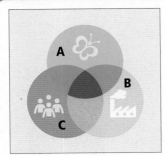

Exercices

Je vérifie mes connaissances

1 **Je recopie la phrase en supprimant les expressions inutiles.**

La maîtrise de la croissance démographique est un défi majeur pour ~~un pays africain comme la RDC~~ / un pays riche comme les États-Unis : la population, ~~très jeune~~ / vieillissante, y augmente actuellement fortement / ~~faiblement~~.

2 **Je complète un schéma et définis du vocabulaire.**

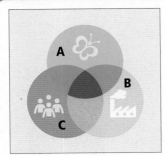

a. Quels sont les trois principes du développement durable correspondant aux lettres A, B et C ?

b. Sur le schéma, où faut-il placer le mot « équitable » et le mot « durable » ?

c. Proposez une définition de « développement équitable » et de « développement durable ».

> site élève
> ⬇ schéma à compléter

3 **Je fais le lien entre croissance démographique et développement.**

À l'aide du tableau de statistiques, reliez chaque pays à sa situation par des flèches.

	Un indicateur de développement : Taux de mortalité des enfants de moins de 5 ans	Un indicateur démographique : Taux d'accroissement naturel de la population[1]
France [Europe]	0,4 %	3,5 %
Brésil [Amérique du Sud]	2,45 %	9 %
Nigeria [Afrique]	12,2 %	27 %

1. Différence entre le taux de natalité et le taux de mortalité : c'est le pourcentage d'augmentation de la population.

France (Europe) ●   ● Croissance démographique en ralentissement, problèmes d'accès à un développement équitable.

Brésil (Amérique du Sud) ●   ● Croissance démographique faible, développement élevé.

Nigeria (Afrique) ●   ● Croissance démographique forte, problèmes de développement importants.

4 **J'aide une amie absente.**

Une de vos amies était absente ce matin au cours de géographie. Vous lui racontez l'essentiel du chapitre en 3 tweets de 140 caractères chacun.

Wassil @Clémence
Présentez la croissance démographique dans le monde. #devoirs

Wassil @Clémence
Présentez l'augmentation des besoins dans le monde. #devoirs

Wassil @Clémence
Présentez les défis et les enjeux en matière de développement durable et équitable. #devoirs

5 **Retrouvez d'autres exercices sous forme interactive sur le site Nathan.**

> site élève
> ⬇ exercices interactifs

Exercices

1 J'analyse un planisphère sur la population âgée de plus de 65 ans

↳ **SOCLE** : Domaine 1

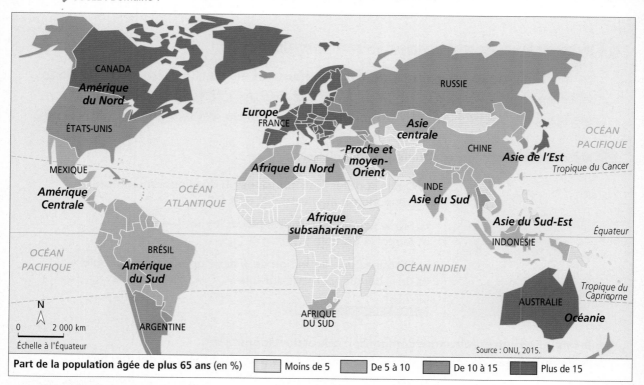

Part de la population âgée de plus 65 ans (en %) ▢ Moins de 5 ▢ De 5 à 10 ▢ De 10 à 15 ▢ Plus de 15

Source : ONU, 2015.

QUESTIONS

❶ Quel est le thème de ce planisphère ?

❷ Nommez trois régions du monde dans lesquelles la part de la population âgée de plus de 65 ans est très importante.

❸ Dans quel continent la part de la population âgée de plus de 65 ans est-elle peu importante ?

❹ D'après vos connaissances, comment expliquez-vous cette inégale répartition de la population âgée de plus de 65 ans dans le monde ?

2 J'interprète des informations sous forme de schéma

↳ **SOCLE** : Domaine 1

site élève
⬇ schéma à compléter

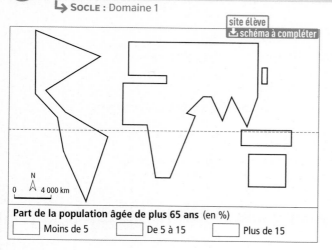

Part de la population âgée de plus de 65 ans (en %)
▢ Moins de 5 ▢ De 5 à 15 ▢ Plus de 15

QUESTIONS

❶ Reproduisez le schéma ci-contre.

❷ Sur le schéma, nommez les régions du monde identifiées dans l'exercice 1.

❸ Coloriez le schéma de trois couleurs, en fonction de la légende.

❹ Complétez la légende puis donnez un titre au schéma, autre que celui du planisphère.

③ J'analyse un dessin de presse : la population mondiale

↳ **Socle :** Domaine 3

En 2011, la population du monde atteignait 7 milliards de personnes.
Dessin de presse de Chappatte, 2 novembre 2011.

MÉTHODE

▸ Dans un dessin de presse, l'auteur prend position et cherche à faire réagir et réfléchir son public. Il utilise l'humour et la caricature. Ainsi, il exagère certains aspects d'un sujet pour l'expliquer ou le dénoncer.

▸ Expliquez le dessin et veillez à faire preuve de sens critique pour bien interpréter le message.

MON BILAN DE COMPÉTENCES

Domaines du socle	Compétences travaillées	Pages du chapitre
D1 Les langages pour penser et communiquer	• Je sais m'exprimer à l'écrit pour décrire et expliquer. • Je sais m'exprimer à l'oral. • Je sais analyser un planisphère. • Je sais interpréter des informations sous forme de schéma.	Étude de cas ....p. 190-193 Étude de cas ....p. 194-195 Exercice 1 ....p. 208 Exercice 2 ....p. 208
D2 Les méthodes et outils pour apprendre	• Je sais mettre en relation des informations collectées pour construire mes connaissances. • Je sais organiser mon travail personnel.	Étude de cas ....p. 196-199 Apprendre à apprendre ..p. 206
D3 La formation de la personne et du citoyen	• Je sais analyser un dessin de presse sur la population mondiale.	Exercice 3 ....p. 209
D4 Les systèmes naturels et les systèmes techniques	• Je sais formuler et vérifier des hypothèses.	Des études de cas au monde ....p. 200-201
D5 Les représentations du monde et l'activité humaine	• Je sais identifier les principaux enjeux du développement humain. • Je sais me repérer dans l'espace.	Études de cas ....p. 190-193, 194-195, 196-199 Des études de cas au monde ....p. 200-201 Carte ....p. 202-203

Sommes-nous trop nombreux sur la planète ?

1 Une surpopulation insoutenable pour l'avenir

Il semble insensé de nier plus longtemps l'impact néfaste de l'activité humaine sur la Terre. Notre nombre est devenu si grand [que nous occupons] près de la moitié des sols uniquement pour produire de la nourriture.

On croit souvent que seule la croissance mène les pays au développement [...]. Néanmoins, il existe plusieurs exemples d'États qui ont compris que la surpopulation nuirait à leur évolution. En Thaïlande, la mise en place de plannings familiaux a permis d'inverser la tendance et de favoriser l'une des économies les plus prospères en Asie du Sud. La contraception et l'éducation des femmes sont d'ailleurs les meilleures solutions pour répondre à ces enjeux.

■ D'après des entretiens donnés par Alan Weisman, www.lecourrierduparlement.fr, janvier 2014.

2 Les enjeux de la croissance démographique
Couverture de l'hebdomadaire *Le Point*, 11 février 2010.

3 Piscine saturée de monde en Chine, 2014

4 La planète surexploitée

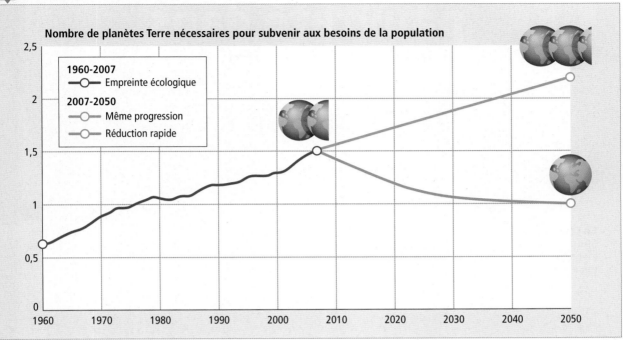

Nombre de planètes Terre nécessaires pour subvenir aux besoins de la population

1960-2007
○ Empreinte écologique
2007-2050
○ Même progression
○ Réduction rapide

5 Une question de mode de vie plus que de nombre

La bombe « population » est en train d'être désamorcée. Aujourd'hui, la moyenne mondiale est de 2,6 enfants par femme, ce qui fait que l'on se rapproche du seuil de remplacement des générations[1]. [...]

Ce qui joue le plus aujourd'hui dans la production alimentaire, ce n'est plus l'accroissement démographique, mais les changements de régimes alimentaires. Nous ne sommes plus en présence d'une bombe « population », mais d'une bombe « consommation ». [...]

Nous allons peut-être parvenir à relever les grands défis environnementaux. Je suis en revanche beaucoup plus pessimiste quant à notre faculté à résoudre l'autre grand problème auquel la planète est confrontée : le fossé qui se creuse entre les riches et les pauvres.

■ D'après un entretien donné au *New Scientist*, le 30 août 2011, par Fred Pearce, journaliste et auteur de *Pourquoi l'apocalypse démographique n'aura pas lieu*, 2011.

1. Nombre moyen d'enfants par femme (2,1) nécessaire pour que la population ne diminue pas.

QUESTIONS

▶ **Je prends connaissance du thème du débat**

❶ **Doc 1 à 4.** Selon vous, sommes-nous trop nombreux sur Terre ? Notez quelques idées personnelles sur votre cahier avant de les présenter à l'oral.

▶ **Je formule mon point de vue et le confronte à celui des autres**

❷ **Doc 1.** Quel est le point de vue d'Alan Weisman sur la question à débattre ?

❸ **Doc 5.** Quelle est l'opinion de Fred Pearce ? Quels arguments avance-t-il pour la défendre ?

▶ **Je nuance mon point de vue**

❹ Après avoir étudié les documents et écouté les avis de vos camarades, proposez une réponse argumentée à la question à débattre.

11 Richesse et pauvreté dans le monde

→ Comment sont réparties la richesse et la pauvreté dans le monde ?

Au cycle 3

En CM2, j'ai appris que les êtres humains ont un accès inégal à certaines ressources, par exemple Internet.

Au cycle 3

En 6ᵉ, j'ai appris que la qualité de vie en ville est très différente entre un pays développé et un pays en développement, mais que dans les deux cas, on y constate des inégalités.

Ce que je vais découvrir

Les inégalités de richesse et de pauvreté se retrouvent à toutes les échelles.

1 Un restaurant chic surplombant un bidonville à Mumbai, 2012

Aujourd'hui dans le monde, près de 840 millions de personnes vivent dans une extrême pauvreté, tandis que 80 personnes détiennent la moitié de la richesse mondiale.

Paris
France

Mumbai
Inde

2 **Une sans domicile fixe, place de la Bastille à Paris, 2013**

On compte près de 30 000 sans-abri dans l'agglomération parisienne, un chiffre en progression de plus de 80 % depuis 2001.

La richesse dans le monde

Question clé **Comment est répartie la richesse dans le monde ?**

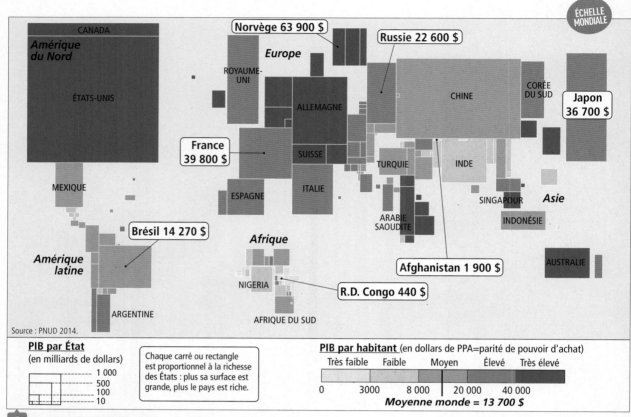

ÉCHELLE MONDIALE

Norvège 63 900 $

Russie 22 600 $

CANADA

Amérique du Nord

ÉTATS-UNIS

Europe

ROYAUME-UNI

ALLEMAGNE

CHINE

CORÉE DU SUD

Japon 36 700 $

France 39 800 $

SUISSE

TURQUIE

INDE

MEXIQUE

ITALIE

ESPAGNE

SINGAPOUR

Asie

INDONÉSIE

ARABIE SAOUDITE

Brésil 14 270 $

Afrique

Afghanistan 1 900 $

AUSTRALIE

Amérique latine

NIGERIA

R.D. Congo 440 $

ARGENTINE

AFRIQUE DU SUD

Source : PNUD 2014.

PIB par État
(en milliards de dollars)
------- 1 000
------- 500
------- 100
------- 10

Chaque carré ou rectangle est proportionnel à la richesse des États : plus sa surface est grande, plus le pays est riche.

PIB par habitant (en dollars de PPA=parité de pouvoir d'achat)

| Très faible | Faible | Moyen | Élevé | Très élevé |

0   3000   8 000   20 000   40 000
Moyenne monde = 13 700 $

1 **Les inégalités dans le monde**

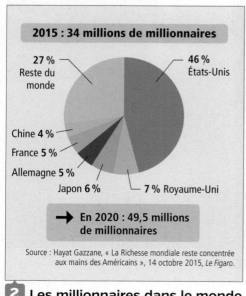

2015 : 34 millions de millionnaires

27 %
Reste du monde

46 %
États-Unis

Chine 4 %

France 5 %

Allemagne 5 %

Japon 6 %

7 % Royaume-Uni

➡ **En 2020 : 49,5 millions de millionnaires**

Source : Hayat Gazzane, « La Richesse mondiale reste concentrée aux mains des Américains », 14 octobre 2015, *Le Figaro*.

2 **Les millionnaires dans le monde**

ÉCHELLE LOCALE

3 **Sans-domicile fixe à Tokyo, Japon, 2015**

4 Des inégalités sociales qui se creusent à Moscou

Au moins 80 des 110 milliardaires russes, détenant 35 % des richesses du pays, vivent dans la capitale. Ces nouveaux riches ont transformé la ville par des constructions fastueuses.

À côté des nouveaux riches, il y a désormais les nouveaux pauvres : enfants des rues, retraités contraints de vivre dans la précarité avec une pension de misère, et puis il y a les SDF. Entre 20 000 et 40 000 sans-abri tentent de survivre dans la cité par des températures avoisinant les –20 degrés. « Ils sont prêts à tout pour passer quelques minutes au chaud. Certains vont même jusqu'à se blesser pour être admis à l'hôpital où ils reçoivent un maigre repas et une douche chaude », raconte Irina, du Samu social.

■ D'après Vadim Kamemka, « Moscou. Ces inégalités qui taraudent la société russe », *L'Humanité*, 4 février 2014.

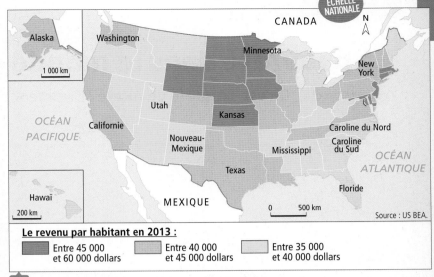

Le revenu par habitant en 2013 :

| ▇ Entre 45 000 et 60 000 dollars | ▇ Entre 40 000 et 45 000 dollars | ▇ Entre 35 000 et 40 000 dollars |

Source : US BEA.

5 Les inégalités de richesse aux États-Unis

VOCABULAIRE

▸ **Richesse**
Pour un État, c'est l'ensemble des biens et services produits par les entreprises et les administrations du pays. Le **produit intérieur brut** mesure cette quantité de richesses, en la divisant par le nombre d'habitants. Pour les habitants, la richesse désigne l'abondance de biens et de revenus. Le **revenu disponible par habitant**, qui est le revenu dont dispose une personne pour consommer et épargner, permet de la mesurer.

Activités

Question clé | **Comment est répartie la richesse dans le monde ?**

ITINÉRAIRE 1

ou

ITINÉRAIRE 2

▸ **Je comprends et j'analyse un document**

❶ **Doc 1.** Dans quelles régions du monde trouve-t-on des populations très riches ? Quelles régions en comptent très peu ?

❷ **Doc 1 et 2.** En quoi la répartition des millionnaires dans le monde confirme-t-elle les inégalités constatées sur le document 1 ?

▸ **Je me repère dans l'espace à différentes échelles**

❸ **Doc 3 à 5.** Que nous apprennent ces documents sur la répartition de la richesse à l'échelle des pays riches ?

▸ **J'écris pour argumenter**

❹ À partir de ces documents, rédigez un texte organisé répondant à la question clé.

▸ **Je complète un tableau (étape 1)**

À l'aide des documents 1 à 5, commencez à compléter le tableau suivant pour répondre à la question clé.

	Richesse	Pauvreté
À l'échelle mondiale	Doc 1 et 2	–
À l'échelle nationale	Doc 5	–
À l'échelle locale	Doc 3 et 4	–

Je découvre

SOCLE Compétences
▶ Domaine 1 : je m'exprime à l'oral
▶ Domaine 5 : je suis capable de comprendre les causes et les conséquences des inégalités

La pauvreté dans le monde

Question clé Qu'est-ce que la pauvreté ? Comment se répartit-elle dans le monde ?

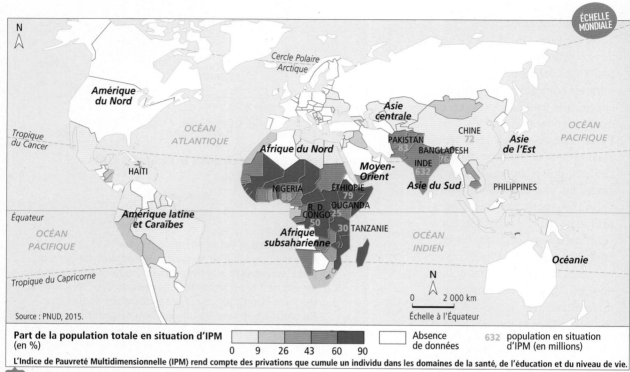

Source : PNUD, 2015.

Part de la population totale en situation d'IPM (en %)
0   9   26   43   60   90   Absence de données   632 population en situation d'IPM (en millions)

L'Indice de Pauvreté Multidimensionnelle (IPM) rend compte des privations que cumule un individu dans les domaines de la santé, de l'éducation et du niveau de vie.

1 La géographie de la pauvreté mondiale

2 L'ONU lutte contre la pauvreté

Le monde a fait des progrès extraordinaires : au cours des 25 dernières années, plus d'un milliard de personnes sont passées au-dessus du seuil de pauvreté. Toutefois, plus de 800 millions de personnes continuent de vivre dans l'extrême pauvreté[1].

Lors de l'adoption du Programme de développement durable à l'horizon 2030, les dirigeants du monde se sont engagés à mettre fin à la pauvreté sous toutes ses formes, partout dans le monde. Il nous faut maintenir cet esprit. Notre génération peut être la première à connaître un monde sans pauvreté extrême.

■ D'après Ban Ki-moon, Secrétaire général de l'ONU, lors de la Journée mondiale du refus de la misère, le 17 octobre 2015.
1. Avec moins de 1,25 dollar par habitant et par jour.

3 Inégalité entre villes et campagnes à Haïti

ÉCHELLE NATIONALE

L'écart entre la population urbaine et rurale en Haïti est saisissant : près de 70 % des ménages ruraux sont considérés chroniquement pauvres contre un peu plus de 20 % dans les villes. [...]

Alors que les choses s'améliorent dans les villes [...], en particulier dans la zone métropolitaine de Port-au-Prince, la situation est plus sombre pour la campagne [...].

Par exemple, seulement 11 % des gens de la campagne haïtienne ont accès à l'énergie contre 63 % dans les villes ; 16 % dans les zones rurales ont accès à un assainissement amélioré[1], contre 48 % dans les villes. [...] Cela est d'autant plus inquiétant que la plupart des Haïtiens vit à la campagne : plus de la moitié de la population.

■ D'après le site Internet de la Banque mondiale, 11 juillet 2014.
1. Installations sanitaires offrant un bon niveau d'hygiène.

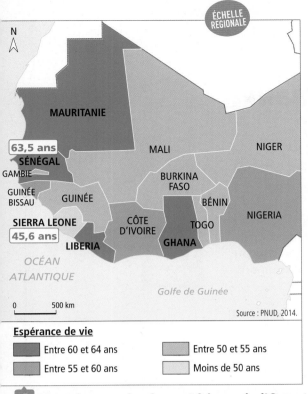

63,5 ans
SÉNÉGAL

45,6 ans
SIERRA LEONE

Espérance de vie

| | Entre 60 et 64 ans | | Entre 50 et 55 ans |
| | Entre 55 et 60 ans | | Moins de 50 ans |

Source : PNUD, 2014.

4 L'espérance de vie en Afrique de l'Ouest

L'espérance de vie est un indicateur de niveau de développement.

CHIFFRES CLÉS

➡ **12 millions d'enfants** de moins de 5 ans décédés dans le monde en 1990

➡ **6 millions** en 2015

◼ Source : *Rapport OMD*, 2015.

5 Affiche publicitaire pour un nouveau quartier riche dans un bidonville de Manille, Philippines, 2014

Activités

Question clé | Qu'est-ce que la pauvreté ? Comment se répartit-elle dans le monde ?

ITINÉRAIRE 1

ou

ITINÉRAIRE 2

▸ **Je me repère dans l'espace à différentes échelles**

❶ Doc 1. Dans quelles régions du monde la population vivant dans la pauvreté est-elle la plus nombreuse ?

❷ Doc 2. Comment la pauvreté a-t-elle récemment évolué ? Comment l'expliquer ?

❸ Doc 3, 4 et 5. Que nous apprennent ces documents sur la répartition de la pauvreté à l'échelle des pays pauvres ?

▸ **Je m'exprime à l'oral**

❹ À partir de cette étude documentaire, vous disposez de 3 minutes pour répondre oralement à la question clé.

▸ **Je complète un tableau (étape 2)**

À l'aide des documents 1 à 5, terminez de compléter le tableau pour répondre à la question clé.

	Richesse	Pauvreté
À l'échelle mondiale	–	Doc 1 et 2
À l'échelle nationale et régionale	–	Doc 3 et 4
À l'échelle locale	–	Doc 5

SOCLE Compétences

▶ **Domaine 2 :** je travaille en équipe et partage des tâches
▶ **Domaine 3 :** j'ai le sens de l'engagement et de l'initiative

Dans quel monde voulons-nous vivre demain ?

Panamá
Panamá

CONSIGNE

Les Objectifs mondiaux pour un développement durable (ODD) définissent les progrès à réaliser pour transformer le monde en une société plus juste et plus équitable.

Votre classe doit réaliser un guide pour aider les élèves du collège à comprendre ces Objectifs mondiaux et l'impact qu'ils ont sur nos propres vies. Il devra faire découvrir ce que chacun peut faire, à son échelle, au quotidien, pour aider à les atteindre.

De la géographie à l'EMC

OBJECTIFS DE DÉVELOPPEMENT DURABLE

site élève
⬇ lien vers le site

De 2000 à 2015
LES OBJECTIFS DU MILLÉNAIRE POUR LE DÉVELOPPEMENT (OMD)

En l'an 2000, l'ONU a fixé 8 grands objectifs pour lutter contre la pauvreté. Ces Objectifs du Millénaire pour le développement (OMD) se sont terminés en 2015. Malgré les progrès accomplis, il reste beaucoup à faire.

De 2015 à 2030
LES OBJECTIFS MONDIAUX POUR UN DÉVELOPPEMENT DURABLE

17 nouveaux objectifs prennent la suite des OMD pour poursuivre la lutte contre la pauvreté et contre des problèmes devenus prioritaires. Ces nouveaux Objectifs mondiaux doivent être atteints d'ici 2030.

1 Les Objectifs de développement durable (ODD)

Les ODD sont 17 objectifs mondiaux que les États s'engagent à atteindre au cours des 15 prochaines années (2015-2030).

2 Un appel universel à l'action

Nous sommes face à un choix historique. [...] Nous avons la possibilité de décider de mettre fin à [...] l'extrême pauvreté et à la faim plutôt que de continuer à détériorer notre planète et à laisser des [...] inégalités semer [...] le désespoir. Notre ambition est de parvenir à un développement durable pour tous.

Nous devons passer le flambeau aux jeunes : c'est à eux qu'il reviendra de mettre en œuvre, jusqu'en 2030, le nouveau programme de développement durable. L'important sera de ne pas faire d'exclus en cherchant à protéger la planète. Il nous appartient, aux uns comme aux autres, de nous engager sur la voie d'une prospérité partagée entre tous.

■ D'après le *Rapport de synthèse* du Secrétaire général sur le Programme de développement durable pour l'après-2015, ONU, 2014.

3 Des inégalités visibles dans le paysage urbain de Panamá, 2013

4 L'Objectif 10 des ODD : réduire les inégalités dans les pays et d'un pays à l'autre

10 INÉGALITÉS RÉDUITES

La communauté internationale a considérablement progressé pour ce qui est de sortir les populations de la pauvreté. Cependant, les inégalités persistent dans l'accès aux services de santé, à l'éducation. La croissance économique ne suffit pas à réduire la pauvreté si elle n'est pas pour tous et ne concerne pas les trois dimensions du développement durable : économique, sociale et environnementale.

FAITS ET CHIFFRES :

En moyenne, les inégalités de revenus ont augmenté de 11 % dans les pays en développement entre 1990 et 2010.

CIBLES, ACTIONS PROPOSÉES PAR LES ÉTATS :

→ D'ici à 2030, faire en sorte que les revenus des 40% les plus pauvres de la population augmentent de manière durable.

→ D'ici à 2030, rendre autonomes toutes les personnes et favoriser leur intégration, indépendamment de leur âge, de leur sexe, de leurs handicaps, de leur appartenance ethnique, de leurs origines, de leur religion ou de leur statut économique.

■ ONU, 2015.

COUP DE POUCE

● Avec votre groupe, choisissez, parmi les 17 objectifs mondiaux, celui qui est le plus important pour vous.

● Pour découvrir votre objectif, consultez la page consacrée aux ODD en vous rendant sur le site.

● Votre travail pourra s'organiser en trois parties :
– à l'aide de la rubrique « Faits et chiffres » montrez que l'Objectif que vous avez choisi répond à un problème bien réel aujourd'hui dans le monde ;
– présentez et expliquez une mesure proposée aux États à l'aide de la rubrique « Cibles » ;
– Imaginez quelles actions devraient être entreprises dans nos vies quotidiennes pour atteindre cet objectif dans les années à venir.

La répartition de la richesse et de la pauvreté dans le monde

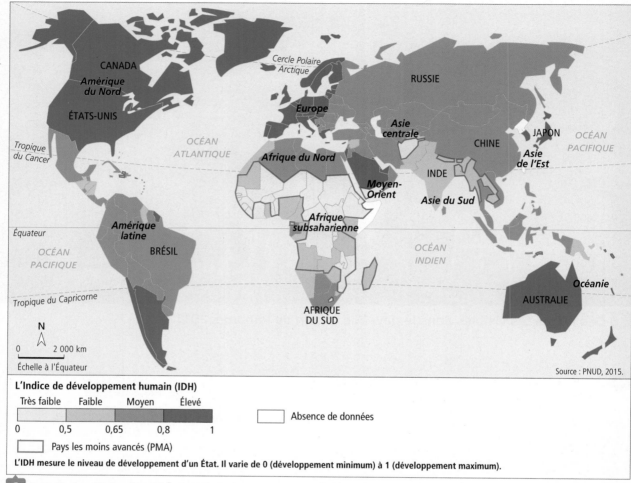

L'Indice de développement humain (IDH)

| Très faible | Faible | Moyen | Élevé |

0 — 0,5 — 0,65 — 0,8 — 1

Absence de données

Pays les moins avancés (PMA)

L'IDH mesure le niveau de développement d'un État. Il varie de 0 (développement minimum) à 1 (développement maximum).

Source : PNUD, 2015.

1 Les inégalités de développement dans le monde, 2015

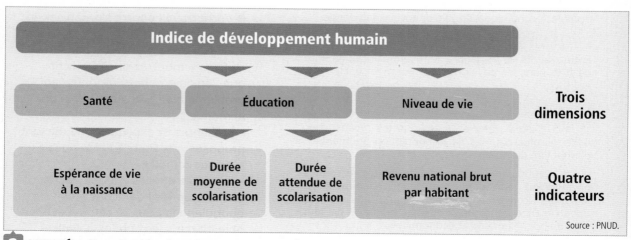

Indice de développement humain

| Santé | Éducation | Niveau de vie | **Trois dimensions** |

| Espérance de vie à la naissance | Durée moyenne de scolarisation | Durée attendue de scolarisation | Revenu national brut par habitant | **Quatre indicateurs** |

Source : PNUD.

2 L'IDH (indice de développement humain)

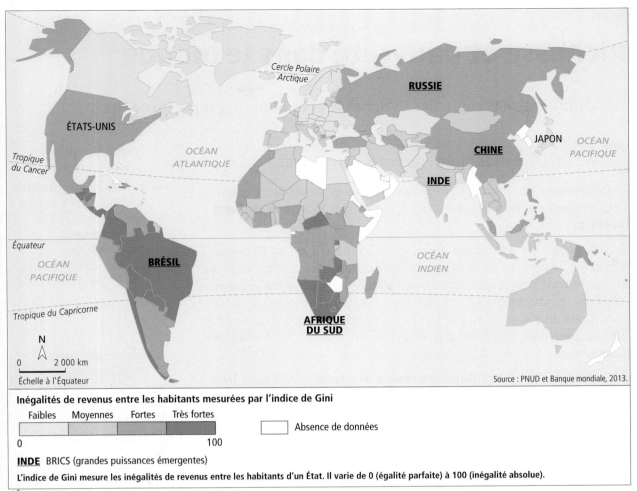

Source : PNUD et Banque mondiale, 2013.

Inégalités de revenus entre les habitants mesurées par l'indice de Gini

Faibles   Moyennes   Fortes   Très fortes

0   100

☐ Absence de données

INDE BRICS (grandes puissances émergentes)

L'indice de Gini mesure les inégalités de revenus entre les habitants d'un État. Il varie de 0 (égalité parfaite) à 100 (inégalité absolue).

3 Les inégalités de richesse dans les États du monde, 2015

VOCABULAIRE

▸ IDH (indice de développement humain)
Il mesure le niveau de **développement** d'un État. Il prend en compte l'espérance de vie, le niveau d'instruction et le revenu national brut. Il reflète la qualité de vie d'une population. Il varie de 0, pour un développement minimum, à 1, pour un développement maximum.

▸ PMA (pays les moins avancés)
Les pays les plus pauvres de la planète. Catégorie définie par l'ONU à partir de trois critères : revenu par habitant, IDH et fragilité économique.

CHIFFRES CLÉS

➡ En **2 jours**, les **5 % les plus riches** gagnent ce que les 5 % les plus pauvres mettent **1 an** à gagner.

➡ **8 %** de la **population mondiale** détient plus de **80 %** des **richesses mondiales**.

■ Source : B. Badie et D. Vidal (dir.), *Un monde d'inégalités, l'état du monde 2016*, La Découverte, 2015.

QUESTIONS

▶ **Je comprends et j'analyse un document**

❶ **Doc 1 et 2.** Quelles inégalités sont mises en évidence par cette carte ? Illustrez votre réponse en expliquant la situation d'un PMA et d'un pays émergent de votre choix.

❷ **Doc 3.** Quelles inégalités sont mises en évidence par la carte ? Comment se mesurent-elles ? Illustrez votre réponse en expliquant la situation des États-Unis et d'un pays émergent de votre choix.

▶ **Je raisonne**

❸ À l'aide des planisphères et de vos connaissances, proposez une définition du mot « inégalité ».

Richesse et pauvreté dans le monde

➡️ **Comment sont réparties la richesse et la pauvreté dans le monde ?**

A À l'échelle mondiale : de forts contrastes

1. L'Amérique du Nord, l'Europe, l'Australie et le Japon, c'est-à-dire les **pays développés**, concentrent plus des **2/3 de la richesse mondiale**.

2. Les **pays en développement** produisent **1/3 de la richesse mondiale**, mais près de la moitié de leur population vit avec moins de 2 euros par jour. Si une partie des habitants des **pays émergents** (la Chine, l'Inde, le Brésil) connaissent une amélioration de leurs conditions de vie, un très grand nombre se trouve encore en situation de **pauvreté** : en Inde, par exemple, on recense 600 millions de pauvres.

3. Les populations des **pays les moins avancés** (PMA) sont très pauvres, notamment en Asie du Sud et en Afrique subsaharienne. Ces 48 PMA produisent moins de **1% des richesses mondiales**.

B Dans chaque pays : de fortes inégalités

1. Dans les pays développés, 15 % de la population est pauvre c'est-à-dire éprouvant des difficultés pour subvenir à ses besoins essentiels (manger à sa faim, disposer d'eau potable, se loger, avoir accès à l'éducation, pouvoir se soigner). De plus, des **inégalités** existent entre les **territoires** : le Nord et la côte Est des États-Unis sont nettement plus riches que le Sud et l'Ouest. Les contrastes sont encore plus marqués à l'intérieur des villes, entre les quartiers.

2. Les contrastes sont également importants à l'intérieur des pays en développement : l'Afrique de l'Est est ainsi 10 fois moins développée que l'Amérique centrale. La pauvreté est toujours plus marquée dans les **campagnes** que dans les **villes** ; un tiers de la population urbaine des pays pauvres vit dans un **bidonville**.

C Faire reculer la pauvreté : le défi du XXIᵉ siècle

1. Le nombre de personnes vivant dans une **extrême pauvreté** a diminué de plus de moitié entre 1990 et 2015, passant de 1,9 milliard à 836 millions. Pour renforcer cette tendance, les Nations Unies ont adopté en 2015 un nouveau **programme de développement durable** composé de 17 Objectifs dont les trois premiers sont « Pas de pauvreté », « Faim zéro », « Bonne santé et bien-être ».

2. En effet, la pauvreté est le premier **frein au développement** et la première cause de **mortalité** dans le monde.

CHIFFRES CLÉS

➡️ En **2015**, l'**Amérique du Nord** et l'**Europe** détiennent **67 %** des **richesses mondiales**.

■ Source : Crédit suisse – Global wealth report 2015.

VOCABULAIRE

▸ **Inégalité**
Différence de richesse et de développement entre des territoires et des individus.

▸ **Pauvreté**
Insuffisance de revenus entraînant des privations et l'incapacité pour une population de satisfaire ses besoins. Dans le cas de l'**extrême pauvreté**, il s'agit des besoins essentiels : se nourrir, accéder à l'eau potable, se loger, se soigner, s'éduquer.

▸ **Richesse**
Pour un État, c'est l'ensemble des biens et services produits par les entreprises et les administrations du pays. Le **produit intérieur brut** mesure cette quantité de richesses, en la divisant par le nombre d'habitants. Pour les habitants, la richesse désigne l'abondance de biens et de revenus. Le **revenu disponible par habitant**, qui est le revenu dont dispose une personne pour consommer et épargner, permet de la mesurer.

Des défis économiques : produire et consommer autrement

- À toutes les échelles, **partager** les richesses plus **équitablement**.

- Dans les pays riches, développer des **modes de consommation** plus **économes** afin de permettre aux pays en développement d'accéder aux ressources et de se développer.

Des défis écologiques et environnementaux : vivre dans un environnement sûr et de qualité

- À toutes les échelles, exploiter **durablement les ressources**.

- Dans les quartiers pauvres des villes, améliorer les conditions de vie des habitants.

La richesse est inégalement répartie dans le monde

- **Une inégalité majeure** entre pays riches et développés, et pays en développement majoritairement pauvres dont les besoins des populations sont en augmentation.

- **Des inégalités sociales multiples** et en **augmentation** à toutes les échelles.

Des défis sociaux : satisfaire les besoins de chacun

- À toutes les échelles, diminuer les inégalités entre les êtres humains et **lutter contre la pauvreté**.

- Dans les pays en développement, poursuivre la **lutte contre l'extrême pauvreté** en assurant à chacun la **sécurité sanitaire**, la **sécurité alimentaire** et le droit à une **éducation** de qualité.

● **Je vérifie que je connais les principaux repères du chapitre.**

Je sais définir et utiliser dans une phrase :

▶ richesse
▶ pauvreté
▶ inégalité

Je sais situer sur un planisphère :

▶ les ensembles régionaux les plus riches de la planète

▶ les principaux pays émergents

▶ deux exemples de PMA (pays les moins avancés)

site élève
⤓ fond de carte

Je sais expliquer :

▶ l'inégale répartition de la richesse à l'échelle mondiale.

▶ des inégalités sociales à l'échelle locale dans un pays développé et dans un pays en développement.

▶ pourquoi la lutte contre la pauvreté est un enjeu majeur du XXIe siècle.

Apprendre à apprendre

Comment apprendre ma leçon ?

Je crée mes outils de révision : l'affiche

Quand on retient mieux lorsqu'on est en activité, on peut fabriquer des outils comme une affiche pour apprendre sa leçon.

▶ Étape 1

- Pour commencer, il faut vous assurer que vous avez bien compris votre leçon. Relevez le titre du chapitre, la question clé, le vocabulaire et les idées principales.

- Il est préférable d'utiliser un code couleur pour organiser toujours de la même manière les informations importantes.

▶ Étape 2

- Vous pouvez maintenant réaliser votre affiche.

TITRE DE L'AFFICHE

Indiquez le titre de la leçon

La question clé de la leçon :

Comment sont réparties la richesse et la pauvreté dans le monde ?

Illustrations :
Vous pouvez coller des documents illustrant la leçon

- La richesse est très inégalement répartie dans le monde
  > **8 % de la population mondiale détient plus de 80 % des richesses mondiales**

- Idée principale n°2
  > *Exemple*

- Idée principale n°3
  > *Exemple*

Les repères géographiques :

Utilisez les fonds de carte fournis sur le site Nathan pour coller ici un planisphère avec les repères du chapitre.

collegien.nathan.fr/hg5

Vocabulaire à retenir
- Pays développé
- Richesse
- Pauvreté
- ...

site élève
⬇ affiche à imprimer

En réalisant une affiche, tu développes de nombreuses compétences : travail en autonomie, créativité, mobilisation de connaissances...

Je vérifie **mes connaissances**

1 Je justifie des affirmations par un exemple.

1. La pauvreté implique des privations dans le domaine des conditions de vie.

2. À l'échelle mondiale, la richesse est inégalement répartie.

3. Il y a des inégalités sociales dans les pays développés.

4. Il y a des inégalités sociales dans les pays en développement.

2 Je décris une situation de pauvreté.

Un quartier pauvre de la ville de Patna en Inde, 2015.

Décrivez les conditions de vie de ces jeunes filles en un paragraphe de quelques lignes. Vous pouvez vous aider des mots et expressions suivants pour rédiger :

matériaux de récupération
sous-équipement
bidonville
école
fragilité
insalubre
pauvreté
bien-être

3 Je me repère dans l'espace. site élève fond de carte

1. Sur un planisphère, localisez et nommez :
– trois ensembles régionaux figurant parmi les plus riches de la planète ;
– les principaux pays émergents : Brésil, Russie, Inde, Chine, Afrique du Sud ;
– deux pays figurant parmi les pays les moins avancés de la planète.

2. Complétez la légende.

3. Choisissez, et justifiez en deux phrases, le titre qui vous paraît le mieux convenir à votre carte :
– Un monde inégalement développé
– Les pays en développement dans le monde
– L'inégale répartition de la pauvreté à l'échelle mondiale

4 J'utilise mes connaissances pour raisonner.

Sujet : En une dizaine de lignes, vous décrirez et expliquerez la répartition de la richesse et de la pauvreté dans le monde.

Dans le chapitre précédent, j'ai appris que la croissance démographique est faible dans les pays d'Europe et d'Amérique du Nord, forte en Afrique et dans certains pays d'Asie.

Dans ce chapitre, j'ai appris que la richesse est inégalement répartie : elle se concentre au Nord alors que le Sud est pauvre.

1. Que pensez-vous du travail de votre camarade ?

2. Sur la copie, le professeur a formulé deux conseils : « Commencez par définir les notions de richesse et de pauvreté » ; « Remplacez les mots "Nord" et "Sud" par des localisations plus précises ».
En suivant ces indications, aidez votre camarade à améliorer son travail.

5 Retrouvez des exercices supplémentaires sous forme interactive sur le site Nathan. site élève exercices interactifs

Exercices

1 J'analyse un planisphère sur la richesse et le développement dans le monde

↳ **Socle :** Domaine 2

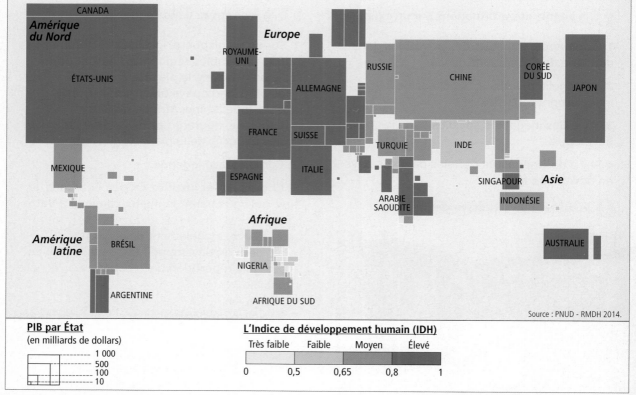

PIB par État
(en milliards de dollars)
- 1 000
- 500
- 100
- 10

L'Indice de développement humain (IDH)

Très faible	Faible	Moyen	Élevé

0   0,5   0,65   0,8   1

Source : PNUD - RMDH 2014.

La richesse et le développement dans le monde

QUESTIONS

❶ Relevez sur le planisphère :
– 3 régions du monde dont les États sont à la fois riches et développés ;
– 2 pays relativement riches, mais au niveau de développement moyen ;
– 1 continent particulièrement défavorisé.

❷ D'après ce planisphère, comment décrire la répartition de la richesse dans le monde ?

❸ En utilisant vos connaissances, montrez que cette carte ne rend pas compte de toutes les inégalités de richesse et de pauvreté dans le monde.

MÉTHODE

▸ Pour **analyser un planisphère**, commencez par **identifier son thème** en lisant son **titre**.

▸ Une lecture attentive de la **légende** permet ensuite de comprendre comment les informations sont représentées sur la carte et de les **localiser**.

▸ Utilisez alors vos connaissances pour **expliquer les informations** et **déterminer les limites éventuelles** du document en précisant ce que le planisphère ne montre pas.

2 J'étudie un graphique sur l'extrême pauvreté dans le monde

↳ SOCLE : Domaine 1

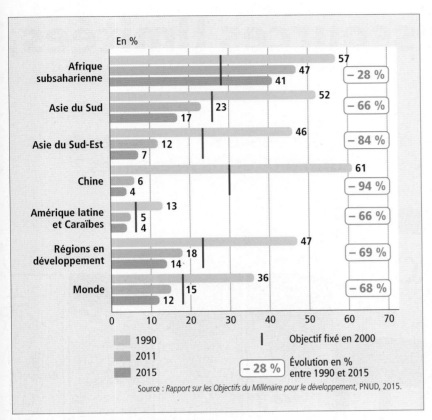

**L'évolution de la population
en situation d'extrême pauvreté dans le monde**

Source : *Rapport sur les Objectifs du Millénaire pour le développement*, PNUD, 2015.

QUESTIONS

❶ Identifiez le graphique en donnant son thème et l'indicateur retenu. Aidez-vous de la définition d'extrême pauvreté p. 216.

❷ En 2015, quelle part de la population vit en situation d'extrême pauvreté dans le monde ? Dans les régions en développement ?

❸ Montrez que des progrès importants ont été réalisés dans la lutte contre l'extrême pauvreté à l'échelle du monde et des pays en développement.

❹ Quelle région du monde n'a pas atteint l'objectif fixé en 2000 (voir p. 218-219) ? Pourquoi peut-on toutefois parler de progrès ?

MON BILAN DE COMPÉTENCES

Domaines du socle	Compétences travaillées	Pages du chapitre
D1 Les langages pour penser et communiquer	• Je sais m'exprimer à l'écrit pour décrire et expliquer. • Je sais m'exprimer à l'oral. • Je comprends un document et sais l'analyser. • Je sais interpréter un graphique sous forme de schéma.	Je découvre ...... p. 214-215 Je découvre ...... p. 216-217 Carte ...... p. 220-221 Exercice 2 ...... p. 227
D2 Les méthodes et outils pour apprendre	• Je sais travailler en équipe et partager des tâches. • Je sais organiser mon travail personnel. • Je sais analyser un planisphère.	J'enquête ...... p. 218-219 Apprendre à apprendre ...p. 224 Exercice 1 ...... p. 226
D3 La formation de la personne et du citoyen	• J'ai le sens de l'engagement et de l'initiative.	J'enquête ...... p. 218-219
D5 Les représentations du monde et de l'activité humaine	• Je suis capable de comprendre les causes et les conséquences des inégalités.	Je découvre ...... p. 214-215 ...... et p. 216-217

Partie 2

Des ressources limitées,

QUESTION CLÉ

→ Comment répondre aux besoins croissants de l'humanité sans surexploiter les ressources ?

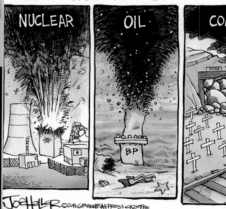

« Arguments contre : nucléaire ; pétrole ; cha[...]
C'est mon jardin ! ». Caricature de Joe Heller, [...]

Une du magazine
La Recherche n°421,
juillet-août 2008.

ENJEU 1 L'énergie, l'eau : des ressources à ménager et mieux utiliser

▶ Comment assurer l'accès de tous aux ressources essentielles sans compromettre l'environnement ?

▶ Quelles nouvelles formes de développement permettraient d'assurer une vie matérielle décente au plus grand nombre ?

→ **Chapitre 12, p. 230-251**

érer et à renouveler

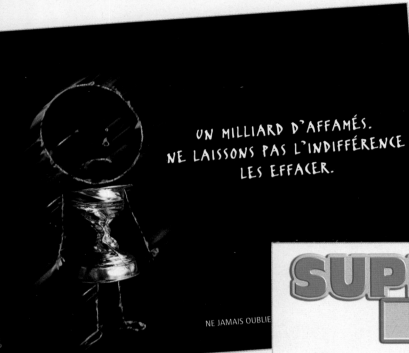

UN MILLIARD D'AFFAMÉS.
NE LAISSONS PAS L'INDIFFÉRENCE
LES EFFACER.

NE JAMAIS OUBLIE

Affiche de sensibilisation de l'association
Action contre la faim, 2012.

MOTS CLÉS

➡ **Malnutrition** (p. 255)

➡ **Ressource** (p. 242)

➡ **Sécurité alimentaire** (p. 255)

➡ **Sous-alimentation** (p. 255)

ENJEU 2 **L'alimentation**

▶ Pourquoi une partie de la population mondiale est-elle sous-alimentée ou mal alimentée ?

▶ Quelles agricultures développer pour répondre aux besoins alimentaires de demain ?

➡ **Chapitre 13, p. 252-273**

SUPER SIZE
ME

A Film of Epic Portions

Affiche du documentaire de Morgan Spurlock, *Super size me*, 2004, dans lequel le réalisateur dénonce les effets de la mauvaise alimentation sur les consommateurs.

12 Eau et énergie, des ressources à ménager

→ Comment mieux gérer les ressources mondiales en eau et en énergie ?

Au cycle 3

En CM1, j'ai appris que satisfaire les besoins en eau et en énergie en France pouvait poser des problèmes de gestion des ressources.

Ce que je vais découvrir

Je vais découvrir les enjeux pour les êtres humains et pour la planète de l'exploitation des ressources en eau et en énergie.

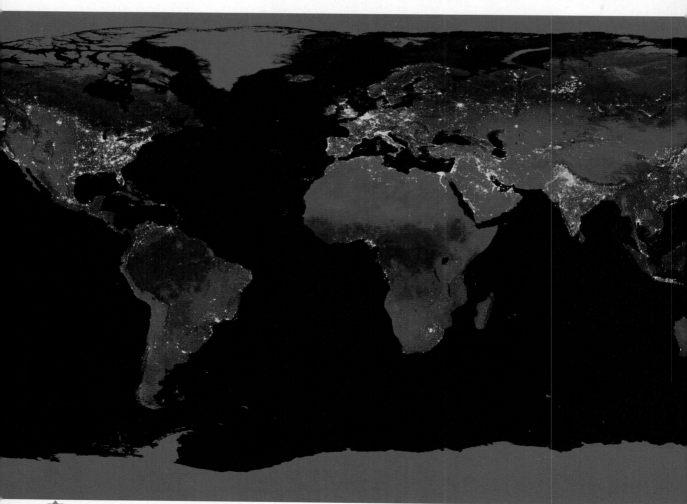

1 **La Terre vue de nuit, 2015**

L'éclairage de la Terre, la nuit, révèle les inégalités d'accès à l'énergie.

Kenya
AFRIQUE

2 **Un accès à l'eau parfois difficile, 2014**

Une femme et ses filles remontent de l'eau du fond du puits pour donner à boire à leurs chèvres. Lechet, Kenya.

Étude de cas

SOCLE Compétences

▶ **Domaine 1 :** je lis et j'interprète des graphiques, je me repère sur une carte
▶ **Domaine 5 :** j'identifie les principaux enjeux d'un développement humain durable

Les enjeux énergétiques du développement en Chine

Question clé Comment la Chine peut-elle assurer son développement sans compromettre l'environnement ?

A Un développement « énergivore »

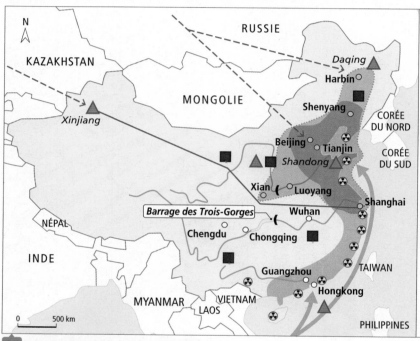

Les ressources énergétiques

- ■ Charbon
- ⌒ Fleuve aménagé pour la production d'hydroélectricité
- ▲ Gisement d'hydrocarbures
- ☢ Centrale nucléaire en activité

Les stratégies d'approvisionnement

- —— Principale conduite d'hydrocarbures
- ➡ Importation d'hydrocarbures
- --➤ Conduite d'hydrocarbures en projet

Population et territoire

- Espace littoral fortement peuplé et concentrant les activités. Forte consommation d'énergie
- Forte pollution de l'air

1 Les ressources en énergie de la Chine

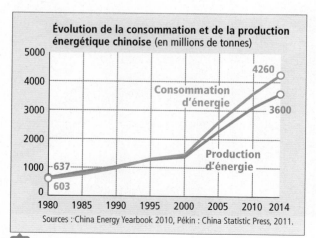

Sources : China Energy Yearbook 2010, Pékin : China Statistic Press, 2011.

2 Production et consommation en énergie, 1980-2014

CHIFFRES CLÉS

➡ La Chine compte **1,35 milliard d'habitants**, pour une superficie de **5,6 millions de km²**

VOCABULAIRE

▸ **Dépendance énergétique**
Obligation pour un pays d'importer de l'énergie d'autres pays pour répondre à ses besoins.

▸ **Hydrocarbures**
Pétrole et gaz naturel.

▸ **PIB (produit intérieur brut)**
Somme des richesses produites par un pays.

3 Développement et besoins en énergie

La Chine a connu pendant les 30 dernières années une croissance sans précédent qui lui a permis de se hisser en 2010 comme deuxième puissance économique mondiale, devant le Japon et derrière les États-Unis. Une telle croissance n'est pas sans poser de nombreux défis et questionnements.

La consommation énergétique du pays constitue l'un des problèmes les plus pressants. La croissance chinoise est gourmande en énergie : d'une part, le pays a besoin de ressources pour faire tourner ses usines, d'autre part, au fur et à mesure qu'elle s'enrichit, la population chinoise adopte des modes de consommation nécessitant de plus en plus d'énergie. En conséquence, les besoins du pays ont été multipliés par quatre en 30 ans.

■ Thibaud Voïta, « Soutenir la croissance, limiter les émissions : la Chine est-elle un modèle en matière de politique climatique ? », Note de l'Ifri, mai 2012.

5 L'énergie : une question vitale pour la Chine

La Chine est devenue le premier importateur mondial de pétrole, devant les États-Unis. [...] Sa dépendance énergétique globale (pétrole, gaz, charbon) s'accroît à mesure que ses besoins augmentent, notamment pour ses transports et sa production d'électricité. [...] Beijing est de plus en plus dépendant, notamment des monarchies pétrolières et gazières du Golfe et des pays d'Afrique de l'Ouest (Nigeria, Angola...). La Chine veille aussi sur ses routes pétrolières : elle renforce sa marine de guerre et investit dans les ports le long des routes maritimes qui relient le continent africain et le Golfe à la Chine.

■ D'après J.-M. Bezat, « La Chine, premier importateur de pétrole du monde », Le Monde, 9 octobre 2013.

4 De nouveaux modes de vie dévoreurs d'énergie : Shanghai la nuit, 2015

Activités

Question clé Comment la Chine peut-elle assurer son développement sans compromettre l'environnement ?

ITINÉRAIRE 1

▶ Je comprends les documents

1 Doc 1. Quelles sont les différentes ressources énergétiques chinoises ? D'où proviennent-elles ?

2 Doc 2, 3 et 4. Comment évolue la consommation d'énergie en Chine ? Quelles raisons expliquent cette évolution ?

3 Doc 1 et 5. Les ressources énergétiques chinoises suffisent-elles pour satisfaire les besoins du pays ?

ou

ITINÉRAIRE 2

▶ Je complète un organigramme (étape 1)

Complétez les colonnes 1 et 2 de l'organigramme en trouvant dans les documents des arguments et des exemples.

| Des besoins croissants → doc 2 à 5 | Des ressources limitées → doc 1 et 5 | Des conséquences pour l'être humain et l'environnement → p. 234-235 |

Des solutions et des choix durables sont nécessaires → p. 234-235

B Vers une transition énergétique durable ?

6 Beijing en 2015, une ville chinoise très polluée

7 « Quand respirer peut tuer »

La pollution de l'air est un fléau pour l'ensemble de la Chine : elle tue 1,6 million de personnes chaque année.

En cause ? La pollution des véhicules tout d'abord mais surtout le chauffage durant l'hiver, la construction et l'industrie, qui fonctionnent en grande partie au charbon.

La Chine tire 64 % de son énergie de ce minerai, le plus polluant des combustibles, ce qui en fait le premier émetteur mondial de gaz à effet de serre. Engagée dans une « guerre contre la pollution », elle a toutefois prévu l'arrêt de centaines de centrales à charbon d'ici à 2017, au profit du gaz et des énergies renouvelables.

■ D'après Audrey Garric, « Plus de 4 000 Chinois meurent tous les jours de la pollution de l'air », *Le Monde*, 14 août 2015.

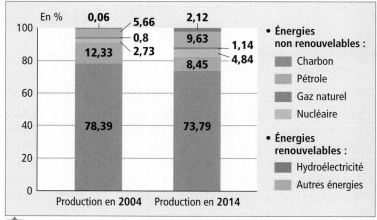

8 Vers la diversification des énergies

▶ **Énergie renouvelable**
Énergie tirée de ressources naturelles inépuisables (soleil, vent, chaleur de la terre) ou encore de végétaux.

▶ **Gaz à effet de serre**
Gaz qui participent au réchauffement climatique.

▶ **Transition énergétique**
Passage d'une forte consommation d'énergies fossiles non renouvelables (pétrole, charbon) à des énergies renouvelables.

9 L'éco-cité de Tianjin

Une éco-cité est une ville aménagée pour respecter les objectifs du développement durable comme à Tianjin.

L'éco-cité de Tianjin se veut un modèle durable et soucieux de l'environnement, dans un pays où l'urbanisation rapide, la pollution et la circulation automobile rendent les grandes villes de plus en plus invivables.

Les logements sont prévus avec des doubles vitrages, près de 60 % des déchets ménagers y seront recyclés et 20 % de l'énergie consommée proviendra d'énergies renouvelables. Une fois traitées, les eaux usées seront acheminées vers un lac et réutilisées. Quant au réseau de transports, il utilisera des véhicules hybrides[1].

■ D'après « En Chine, une "éco-cité" censée réconcilier écologie et urbanisation », www.20minutes.fr, 18 juin 2012.

1. Un véhicule hybride utilise plusieurs sources d'énergie.

10 Cop 21 : la Chine s'engage dans la réduction des émissions de CO_2

Le Premier ministre chinois a présenté, lors d'une visite à l'Élysée, la contribution de son pays à la réduction des émissions de CO_2, dans la perspective de la conférence mondiale sur le climat[1]. La Chine s'est fixé comme objectif d'« atteindre le pic de ses émissions de CO_2 autour de 2030 tout en s'efforçant de l'atteindre au plus tôt ».

Le pays est le premier pollueur mondial avec 25 % des rejets de gaz à effet de serre. La Chine entend aussi « baisser les émissions de CO_2 de 60 % par rapport à 2005 » et « porter la part des énergies non fossiles dans la consommation énergétique primaire à environ 20 % ».

Toujours selon la délégation chinoise à Paris, la Chine projette d'« augmenter [son] stock forestier d'environ 4,5 milliards de mètres cubes par rapport à 2005 ».

■ D'après une dépêche AFP, 30 juin 2015.

1. La Cop21 est la 21e conférence mondiale des Nations Unies sur les changements climatiques qui s'est tenue à Paris en 2015.

Activités

Question clé | **Comment la Chine peut-elle assurer son développement sans compromettre l'environnement ?**

ITINÉRAIRE 1

ou

ITINÉRAIRE 2

▶ **Je comprends les documents**

❹ **Doc 6 et 7.** Quelles sont les conséquences de la consommation énergétique en Chine pour les êtres humains et pour l'environnement ?

❺ **Doc 8.** Montrez que la Chine a diversifié ses productions énergétiques depuis 2004.

❻ **Doc 7 à 10.** Quels choix faits par la Chine vont progressivement modifier sa politique énergétique ?

▶ **J'argumente à l'écrit**

❼ Rédigez quelques lignes pour répondre à la question clé.

▶ **Je complète un organigramme (étape 2)**

Finissez de compléter l'organigramme en trouvant dans les documents des arguments et des exemples.

Des besoins croissants → p. 232-233	Des ressources limitées → p. 232-233	Des conséquences pour l'être humain et l'environnement → doc 6 et 7

Des solutions et des choix durables sont nécessaires → doc 8 à 10

➡
➡

Étude de cas

SOCLE Compétences
- **Domaine 1** : je m'exprime à l'oral
- **Domaine 5** : j'identifie les principaux enjeux d'un développement humain durable

Gérer la ressource en eau : le cas du Moyen-Orient

Question clé Comment assurer durablement l'accès de tous à l'eau ?

A Des besoins croissants et des inégalités

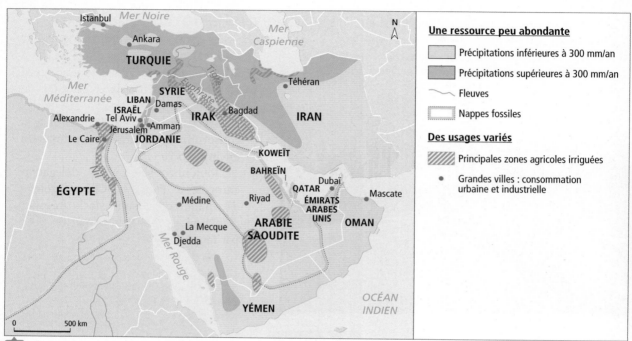

Une ressource peu abondante

- Précipitations inférieures à 300 mm/an
- Précipitations supérieures à 300 mm/an
- Fleuves
- Nappes fossiles

Des usages variés

- Principales zones agricoles irriguées
- Grandes villes : consommation urbaine et industrielle

1 L'eau, une ressource inégalement répartie

2 Une consommation croissante

Le Moyen-Orient ne dispose que d'un pourcentage infime (1 à 1,5 %) des ressources mondiales en eau[1] alors que ses besoins sont croissants, pour des raisons climatiques mais aussi pour des raisons démographiques et économiques.

La population du Moyen-Orient continue d'augmenter et de s'urbaniser rapidement [...]. Certaines activités comme l'agriculture (qui a accaparé 88 % de la consommation d'eau douce en Arabie Saoudite entre 2002 et 2007) et le tourisme (aménagements littoraux dans le sud de la Turquie ou aux Émirats arabes unis) consomment beaucoup d'eau.

■ D'après P. Prudent, F. Perrier, *Moyen-Orient, la résistible quête d'un équilibre régional*, Ellipses, 2012.

1. Les ressources mondiales en eau sont les eaux de surface (cours d'eau, océans...) et les eaux souterraines.

CHIFFRES CLÉS

➡ Le Moyen-Orient compte **317,8 millions d'habitants**, pour une superficie de **5,6 millions de km²**

VOCABULAIRE

▸ **Aridité**
Manque d'eau permanent.

▸ **Nappe fossile**
Nappe d'eau souterraine non renouvelable.

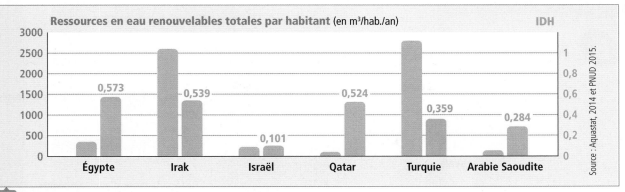

Ressources en eau renouvelables totales par habitant (en m³/hab./an)   IDH

Égypte : 0,573
Irak : 0,539
Israël : 0,101
Qatar : 0,524
Turquie : 0,359
Arabie Saoudite : 0,284

Source : Aquastat, 2014 et PNUD 2015.

3 **Des disponibilités en eau inégales**

4 **Deux pays en situation de pénurie, mais aux accès à l'eau différents**

a. Enfants devant une citerne d'eau à Sanaa, Yémen, 2014.

b. Un parcours de golf à Riyadh en Arabie Saoudite, 2014.

Les Émirats arabes unis comptent aujourd'hui une vingtaine de golfs arrosés, certains de renommée mondiale, dans un pays en grande partie désertique.

Activités

Question clé | **Comment assurer durablement l'accès de tous à l'eau ?**

ITINÉRAIRE 1

ou

ITINÉRAIRE 2

▶ **Je comprends les documents**

❶ Doc 1. Quelles sont les différentes ressources en eau au Moyen-Orient ?

❷ Doc 1 à 4. Montrez que la ressource en eau est inégalement répartie.

❸ Doc 2 et 4b. Pourquoi les besoins en eau sont-ils croissants dans cette région ?

❹ Doc 4. Expliquez en quoi ces deux photographies illustrent des usages de l'eau très différents, voire en conflits.

▶ **Je complète un organigramme (étape 1)**

Complétez les colonnes 1 et 2 de l'organigramme suivant en trouvant dans les documents des arguments et des exemples.

| Des besoins croissants → doc 2 et 4 | Des ressources limitées → doc 1 et 3 | Des conséquences pour l'être humain et l'environnement → doc 4 |

↓   ↓   ↓

Des solutions et des choix durables sont nécessaires
→ p. 238-239

➡
➡

B Aménager pour mieux gérer la ressource

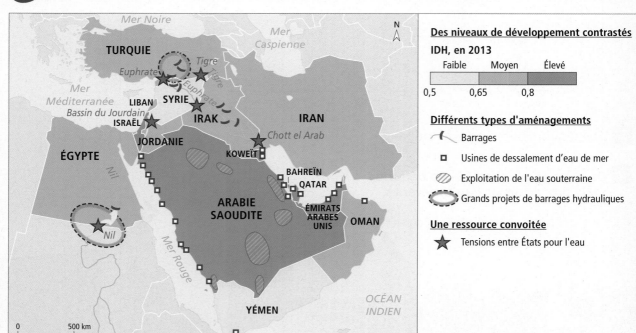

5 Aménagements et gestion durable

6 Dessaler l'eau de mer : une solution durable ?

Sortie du sable en 2013, l'usine de dessalement fournit 20 % de l'eau courante d'Israël, donnant littéralement la mer à boire à 1,5 million de personnes. L'installation est un bijou technologique : « À la fin, l'eau est parfaitement propre à la consommation », décrit le directeur technique.

Le dessalement est l'une des recettes qui a permis à Israël de surmonter le stress hydrique auquel semblait le condamner son climat semi-désertique[1]. Quatre usines ont été ouvertes durant la dernière décennie ; une cinquième doit être mise en service d'ici à la fin 2015. Ensemble, elles produiront 70 % de l'eau consommée par les ménages israéliens.

Les défenseurs de l'environnement tempèrent les louanges à l'égard d'un procédé jugé très énergivore et s'inquiètent aussi de l'impact, mal connu, des multiples rejets d'eau très salée sur les milieux marins.

■ Marie de Vergès, « Le dessalement, recette miracle au stress hydrique en Israël », *Le Monde*, 29 juillet 2015.

1. Climat marqué par une saison sèche très longue et une saison des pluies courte.

7 Agriculture : changer les techniques d'irrigation

La mise en place d'économies de l'eau est impérative [au Moyen-Orient]. Le domaine agricole est particulièrement concerné par le gaspillage. La technique d'irrigation par gravité[1], la plus utilisée, est très forte consommatrice. On pourrait avoir recours, beaucoup plus largement, à l'aspersion[2] ou au goutte-à-goutte. [...]

Il faut aussi mettre en cause l'inefficacité des équipements : beaucoup de pertes au cours du transport dans les canalisations ou bien par évaporation. L'arrosage est trop souvent inefficace. [...]

Le gaspillage de l'eau ne concerne pas que le seul secteur agricole. Dans les villes, les canalisations sont souvent très vétustes et mal entretenues. [...]

L'eau ainsi économisée permettrait de faire face en partie aux nouveaux besoins urbains et industriels.

■ D'après G. Mutin, *L'Eau dans le monde arabe. Menaces, enjeux, conflits*, Ellipses, 2011.

1. L'eau est acheminée par un réseau de canaux et répartie sur les parcelles grâce à la pente du sol.
2. L'eau est envoyée dans l'atmosphère pour simuler la pluie naturelle. Elle retombe ensuite en aspergeant la terre et les plantes de fines gouttelettes.

8 L'agriculture irriguée dans la vallée de Beth Shean, Israël, 2013

1 Désert

2 Bassins collecteurs d'eau (pour l'irrigation)

3 Cultures irriguées

4 Village agricole

Activités

Question clé | **Comment assurer durablement l'accès de tous à l'eau ?**

ITINÉRAIRE 1

▸ **Je comprends des documents**

5 Doc. 5, 7 et 8. Quelles solutions sont proposées pour répondre aux besoins d'eau de l'agriculture et pour les diminuer ?

6 Doc 6. Comment certains pays riches fournissent-ils de l'eau à leur population ? Est-ce une solution durable ?

7 Doc 5. Relevez un exemple montrant que l'eau est à l'origine de tensions entre les États du Moyen-Orient.

▸ **Je m'exprime à l'oral pour communiquer**

8 Votre classe intervient dans toutes les classes de 6ᵉ du collège qui étudient en géographie la manière dont les femmes et les hommes habitent un espace aride. Utilisez vos réponses aux questions pour construire votre exposé de 5 minutes qui répondra à la question clé.

OU

ITINÉRAIRE 2

▸ **Je complète un organigramme (étape 2)**

Finissez de compléter l'organigramme suivant en trouvant dans les documents des arguments et des exemples.

Des besoins croissants → doc 5 à 8	Des ressources limitées → doc 5 et 6	Des conséquences pour l'être humain et l'environnement → doc 5 à 8

↓   ↓   ↓

Des solutions et des choix durables sont nécessaires → doc 5 à 8

➡
➡

Des études de cas...

SOCLE Compétences

➡ **Domaine 4 :** je formule des hypothèses et je les vérifie
➡ **Domaine 5 :** j'identifie les principaux enjeux d'un développement humain durable

Quels sont les enjeux mondiaux pour les ressources en eau et en énergie ?

MISE EN PERSPECTIVE

ÉTAPE 1 Je compare les enjeux de deux ressources : énergie et eau

🅰 Recopiez le tableau suivant.

site élève
⬇ tableau à imprim

	L'énergie en Chine	L'eau au Moyen-Orient
1	• Développement économique • Hausse du niveau de vie de la population	• Accroissement démographique • Développement de l'agriculture et du tourisme
2	• Ressources énergétiques inégalement réparties sur le territoire • Importations croissantes	• Faible disponibilité en eau par habitant • Fortes inégalités dans l'accès à l'eau suivant le niveau de développement
3	• Consommation massive d'énergies fossiles • Forte pollution de l'environnement, en particulier de l'air	• Concurrence entre les différents usagers de l'eau • Aménagements inégaux en fonction du niveau de développement du pays
4	• Engagement à limiter ses émissions de CO_2 (Cop 21) • Développement des énergies renouvelables	• Lutte contre le gaspillage de l'eau • Développement de nouvelles technologies, innovations plus économes et non polluantes

🅱 En vous appuyant sur la ressource que vous avez étudiée, associez chaque numéro de ligne avec le titre qui lui correspond :

a. Des conséquences pour l'être humain et l'environnement.

b. Des solutions et des choix durables nécessaires.

c. Des besoins croissants.

d. Des ressources limitées.

ÉTAPE 2 J'en déduis des hypothèses

Une hypothèse est une idée que l'on propose et qu'il faudra ensuite vérifier pour savoir si elle est vraie ou fausse.

🅲 Choisissez ci-dessous les quatre hypothèses qui vous semblent les plus justes.

1. La consommation des ressources en énergie et en eau augmente partout dans le monde.
2. Ne pas pouvoir accéder aux ressources essentielles (eau, énergie) est un frein au développement.
3. Seuls les pays en développement sont concernés par les pollutions liées à leurs besoins de ressources.
4. Les pays s'engagent progressivement vers l'exploitation de ressources renouvelables et vers des consommations plus durables.
5. Le développement des pays accroît la pression sur les ressources pourtant limitées.
6. L'inégal accès aux ressources s'explique exclusivement par des raisons naturelles (relief, climat).

ÉTAPE 3 Je vérifie si mes hypothèses sont justes

D Observez les documents 1 à 3 ci-dessous. Indiquez à quelle hypothèse retenue dans l'étape 2 correspond chaque document.
Un document peut répondre à plusieurs hypothèses.

1 Accéder à l'électricité, un défi pour le développement

Aujourd'hui, 1,285 milliard d'hommes sur Terre n'ont pas accès à l'électricité : 622 millions en Afrique (essentiellement en Afrique subsaharienne) et 620 millions en Asie (dont 304 millions en Inde). Cela représente 18 % de la population mondiale mais en pourcentages, les différences entre Afrique et Asie sont fortes puisque la part de la population sans électricité est de 57 % en Afrique (68 % en Afrique subsaharienne), contre « seulement » 17 % en Asie (25 % en Inde). Partout, de grands contrastes entre le monde urbain et le monde rural existent : la part des habitants ne disposant pas d'électricité est de 6 % dans le premier cas, contre 32 % dans le second.

Vivre sans éclairage le soir empêche les enfants de faire leurs devoirs et d'apprendre leurs leçons ; sans réfrigérateur, impossible de conserver ses vaccins et de nombreux médicaments ; sans pompage, l'irrigation et l'approvisionnement en eau douce sont limités.

■ D'après Bertrand Barré et Bernadette Mérenne-Schoumaker, *Atlas des énergies mondiales. Quels choix pour demain ?*, Autrement, 2015.

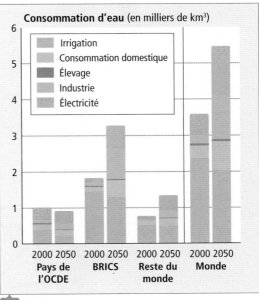

Consommation d'eau (en milliers de km³)

Légende :
- Irrigation
- Consommation domestique
- Élevage
- Industrie
- Électricité

(Pays de l'OCDE / BRICS / Reste du monde / Monde — 2000 et 2050)

2 Qui consomme le plus d'eau ?

D'ici 2050, la demande en eau devrait augmenter de 55 % : la population augmente et les transformations des modes de vie accentuent les besoins. Rapport ONU-Eau, 2015.

États-Unis
AMÉRIQUE DU NORD

3 Le parc éolien de San Gorgonio Pass (États-Unis), 2014

Créé en 1982, ce parc compte plus de 3 200 éoliennes. C'est un des trois plus grands parcs éoliens de Californie.

L'énergie et l'eau : des ressources limitées à ménager et à renouveler

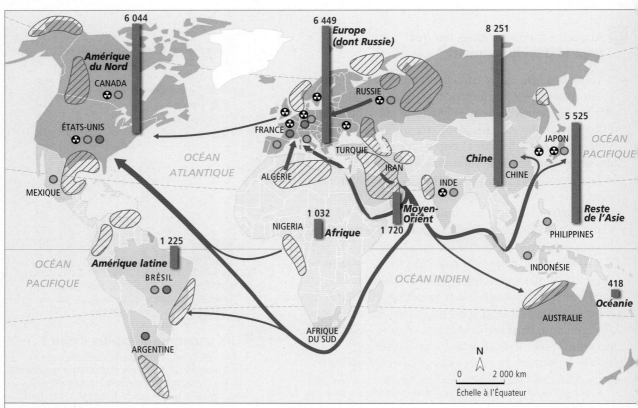

La consommation d'énergie dans le monde

	Pays développés très consommateurs
	Pays émergents : une consommation en très forte croissance
	Pays en développement : des besoins qui augmentent
	Émissions de CO₂ par ensemble régional (en millions de tonnes, 2012)

Les espaces de production d'énergies non renouvelables

- Principaux gisements de charbon et d'hydrocarbures
- ☢ Principaux pays producteurs d'électricité d'origine nucléaire
- → Exportations d'hydrocarbures vers les foyers de consommation

Les espaces de production d'énergies renouvelables

- Principaux pays producteurs d'électricité renouvelable
- Principaux pays producteurs de biocarburants

1 L'énergie dans le monde et ses enjeux

VOCABULAIRE

▶ **Eau renouvelable**
Eau souterraine ou de surface qui se renouvelle au sein du cycle de l'eau.

▶ **Énergie**
Besoin fondamental pour les sociétés humaines leur permettant de se déplacer, de travailler, de se chauffer, etc.

▶ **Ressource**
Richesse nécessaire pour le fonctionnement d'une économie, d'un territoire, d'une collectivité, etc.

▶ **Ressource renouvelable**
Ressource qui se reconstitue en permanence. On peut donc la prélever, mais sans dépasser sa capacité à se reproduire, sinon elle s'épuise.

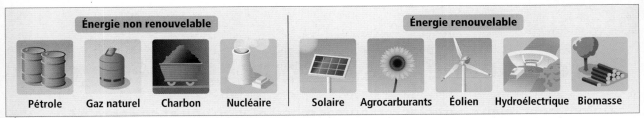

Énergie non renouvelable: Pétrole, Gaz naturel, Charbon, Nucléaire

Énergie renouvelable: Solaire, Agrocarburants, Éolien, Hydroélectrique, Biomasse

2 Énergies renouvelables et énergies non renouvelables

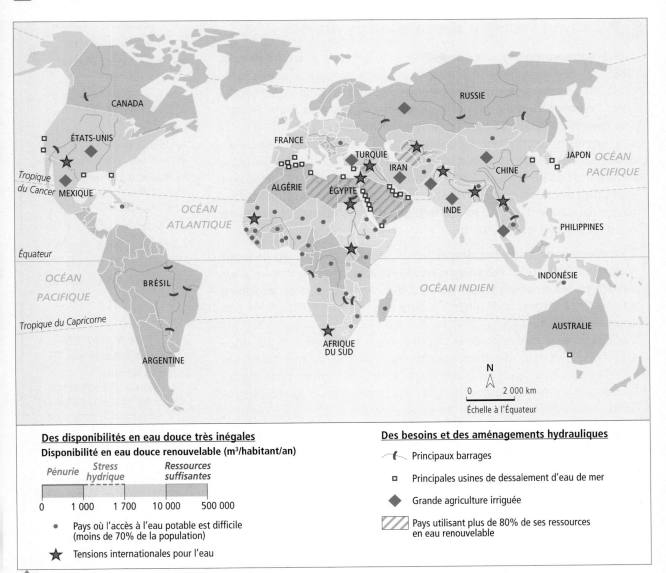

Des disponibilités en eau douce très inégales

Disponibilité en eau douce renouvelable (m³/habitant/an)

Pénurie | Stress hydrique | Ressources suffisantes

0   1 000   1 700   10 000   500 000

• Pays où l'accès à l'eau potable est difficile (moins de 70% de la population)

★ Tensions internationales pour l'eau

Des besoins et des aménagements hydrauliques

⌒ Principaux barrages

□ Principales usines de dessalement d'eau de mer

◆ Grande agriculture irriguée

▨ Pays utilisant plus de 80% de ses ressources en eau renouvelable

3 Des enjeux sur l'eau, une ressource vitale de plus en plus limitée

---

QUESTIONS

▶ Je me repère dans l'espace

1 Quels sont les principaux pays consommateurs d'énergie dans le monde ? et les moins énergivores ?

2 Dans quelles parties du monde les ressources en eau sont-elles abondantes ? et inversement, insuffisantes ?

3 Des pays développés ou en développement, lesquels sont les plus consommateurs de ressources énergétiques et d'eau ? Justifiez votre réponse par deux exemples précis.

4 Citez trois pays où les énergies renouvelables sont exploitées.

Eau et énergie, des ressources à ménager

→ Comment mieux gérer les ressources mondiales en eau et en énergie ?

A L'eau et l'énergie, des ressources vitales

1. La **consommation d'énergie** dans le monde a **triplé depuis 1965**. Cette hausse est due à la croissance démographique mais aussi au **développement économique** comme en Chine ou en Inde. C'est l'**électricité** qui connaît la plus forte croissance, mais la part des **énergies fossiles** reste largement dominante.

Les **sociétés sont très inégales** face à l'énergie. Les sociétés urbaines développées consomment plus de la moitié de l'énergie mondiale. Les besoins des pays émergents augmentent, alors que certaines sociétés rurales d'Afrique ou d'Asie ont des difficultés d'approvisionnement. Ainsi, **1,2 milliard d'êtres humains sur Terre** n'ont pas accès à l'électricité.

2. L'eau douce est abondante sur la planète mais **inégalement répartie**. C'est une **ressource renouvelable** indispensable pour **satisfaire les besoins essentiels** (boire) mais aussi pour **produire** (industrie, énergie, agriculture). L'agriculture représente 70 % des usages (**irrigation**).

L'**accès à l'eau** dépend des disponibilités naturelles mais également du niveau de développement, comme le montrent les situations contrastées de deux pays arides, le Yémen et le Qatar. La demande en eau augmente avec l'urbanisation et la croissance de la population mondiale et de ses besoins.

B Des ressources limitées à mieux gérer

1. Maîtriser ses ressources et ses sources d'approvisionnement est un moyen pour un État d'affirmer son indépendance et sa puissance. Cette question est donc **source de tensions** entre les pays mais aussi **entre les différents usagers de ces ressources**. Ainsi agriculteurs, touristes, citadins sont concurrents pour l'eau.

2. Actuellement les habitants de la Terre **consomment davantage de ressources naturelles** que la Terre peut produire en un an. Cependant, grâce **aux progrès technologiques**, de **nouvelles ressources** en énergie et en eau peuvent être exploitées.

3. Les sociétés prennent conscience de la nécessité de préserver les ressources pour les générations futures : **changement des modes de consommation**, développement de **politiques de lutte contre le gaspillage des ressources**. Les objectifs de développement durable à l'horizon 2030 de l'ONU incluent un accès à une eau propre et à l'assainissement ainsi qu'à une énergie propre et renouvelable.

CHIFFRES CLÉS

→ **Consommation d'eau dans le monde**
- Agriculture **67 %**
- Industrie **20 %**
- Ménages **13 %**

→ **800 millions** de personnes sans eau potable

→ **Sources d'énergie dans le monde**
- Pétrole **33 %**
- Charbon **30 %**
- Gaz **24 %**
- Électricité **11 %**
- Énergies renouvelables **2 %**

VOCABULAIRE

▸ **Accès à l'eau**
Situation d'un habitant disposant d'eau potable (20 litres/jour) à moins de quinze minutes de marche.

▸ **Énergie fossile**
Énergies produites par la fossilisation des êtres vivants (pétrole, gaz naturel et charbon). Présentes en quantité limitée et non renouvelables, leur combustion entraîne des gaz à effet de serre.

▸ **Irrigation**
Ensemble des techniques permettant d'amener de l'eau aux cultures quand il ne pleut pas.

▸ **Ressource renouvelable**
Ressource qui se reconstitue en permanence. On peut donc la prélever, mais sans dépasser sa capacité à se reproduire, sinon elle s'épuise.

Des ressources vitales pour les êtres humains

- **Des ressources indispensables** pour satisfaire les besoins humains fondamentaux : se nourrir, se loger, se déplacer, se chauffer…

- **Augmentation des besoins** en eau et en énergie en raison de l'augmentation de la population mondiale et du niveau de vie.

- **Assurer l'approvisionnement** en eau et en énergie pour une humanité croissante.

L'énergie, l'eau : des ressources à ménager et à mieux utiliser

Des ressources sources de tensions

- **Inégalités** d'accès et de consommation de ces ressources.

- **Conflits** liés aux usages des ressources entre les différents acteurs.

- **Tensions** entre les pays pour la maîtrise des ressources.

Gérer durablement des ressources convoitées

- Risques de **surexploitation** et de **pollution**.

- Changer les **modes de consommation** : lutter contre le **gaspillage**, économiser les ressources.

- Développer de **nouvelles technologies** pour augmenter les capacités.

● **Je vérifie que je connais les principaux repères du chapitre.**

Je sais définir et utiliser dans une phrase :

▶ ressource
▶ énergie fossile
▶ ressource renouvelable
▶ accès à l'eau
▶ irrigation

Je sais situer sur un planisphère :

▶ les principaux foyers de production et de consommation d'énergie
▶ les principales régions du monde où l'eau est rare
▶ les principales régions du monde où l'eau est abondante

site élève
⬇ fond de carte

Je sais expliquer :

▶ l'évolution de la consommation d'énergie et d'eau dans le monde.
▶ les conséquences humaines et environnementales de la consommation de ces ressources limitées.
▶ les solutions mises en œuvre par les pays pour gérer et préserver les ressources.

Comment apprendre ma leçon ?

Je crée une fiche de révision

Cet exercice permet de dégager ce qu'il faut retenir, de classer les informations et donc de mémoriser la leçon.

▶ **Étape 1**

- Listez d'abord les idées : pas de phrases complètes ni de verbe. Suivez le plan du cours, cela peut vous aider. Abrégez les mots : faites-vous plaisir, vous ne pouvez pas le faire sur vos copies !

 Voici les éléments qui doivent figurer sur la fiche : la question clé de la leçon ; les dates et repères géographiques importants ; les acteurs (qui sont-ils, pourquoi sont-ils importants ?) ; les mots clés ; les idées essentielles.

▶ **Étape 2**

- Soulignez les mots importants de la fiche de révision et utilisez des couleurs différentes pour sélectionner les informations et les organiser.

Titre du chapitre : Eau et énergie, des ressources à ménager

Question clé : Comment mieux gérer les ressources mondiales en eau et en énergie ?

Plan

1. Augmentation de la consommation mondiale en eau et en énergie
- Consommation d'énergie × 3 depuis 1965
- Forte demande des pays émergents (Chine, Inde)

2. Consommation inégale dans le monde
- 1,285 milliards d'habitants n'ont pas accès à l'électricité
- Sociétés urbaines développées énergivores/difficultés d'approvisionnement dans les sociétés rurales en Asie et en Afrique

3. Eau douce abondante mais inégalement répartie et accessible
Ressource renouvelable
Accès à l'eau
- Indispensable pour les besoins essentiels (boire) et produire (agriculture, industrie)
- Un accès qui dépend du niveau économique et social des populations (Yémen/Qatar)

4. Conflits d'usages à différentes échelles
Stress hydrique
- Entre États
- Entre touristes et agriculteurs

Tu dois faire attention à ne pas trop surcharger tes documents (textes, images) et travailler dans un endroit loin des fenêtres et des mouvements.

Je vérifie mes connaissances

1 Vrai ou faux ?

Pour chacune des affirmations suivantes sur l'eau, indiquez si elle est juste ou fausse.

	Vrai	Faux
a. L'agriculture est le secteur qui consomme le plus d'eau.	☐	☐
b. Les ressources en eau douce représentent la part la plus importante d'eau sur Terre.	☐	☐
c. Près de 750 millions d'êtres humains ne disposent pas d'accès à l'eau potable.	☐	☐
d. La consommation d'eau douce augmente en raison du développement des pays et de la croissance démographique.	☐	☐
e. La pénurie en eau ne concerne que les pays en développement.	☐	☐

2 Je réponds aux questions suivantes sur l'énergie.

a. Classez les énergies suivantes selon qu'elles sont renouvelables ou pas :

charbon   vent   biomasse   soleil   hydroélectricité   gaz   nucléaire   pétrole

Énergies renouvelables	Énergies non renouvelables

b. Comment évolue la consommation d'énergie dans le monde ? Citez deux raisons à cette évolution.

c. Quelle est la principale énergie consommée dans le monde ?

3 Reliez chaque mot à sa définition.

Énergies fossiles •

Usine de dessalement •

Énergie renouvelable •

Irrigation •

• Usine permettant de retirer le sel de l'eau de mer pour la rendre potable.

• Énergie tirée de ressources naturelles inépuisables (soleil, vent, chaleur, de la terre) ou encore de végétaux.

• Ensemble de techniques permettant d'amener de l'eau aux cultures quand il ne pleut pas.

• Énergies produites par la fossilisation des êtres vivants (pétrole, gaz naturel et charbon). Présentes en quantité limitée et non renouvelables, leur combustion entraîne des gaz à effet de serre.

4 J'ai des repères : les ressources en eau.

a. Identifiez les fleuves indiqués par les chiffres 1 à 3.

b. Complétez la légende concernant les ressources en eau dans le monde.

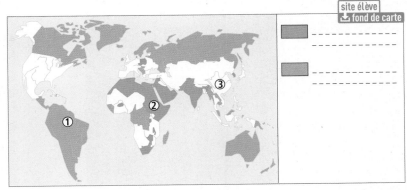

site élève
⬇ fond de carte

5 Retrouvez des exercices supplémentaires sous forme interactive sur le site Nathan.

site élève
⬇ exercices interactifs

Exercices

1 Je comprends un document sur la consommation mondiale d'énergie

↳ SOCLE : Domaine 5

Du fait des 2 milliards d'humains supplémentaires attendus sur Terre, la consommation mondiale d'énergie va encore s'accroître de 37 % d'ici à 2040. [...]

La croissance mondiale devient moins vorace en énergie. Un exemple ? Les voitures. Les trois quarts d'entre elles sont désormais soumises à des normes en matière de consommation, note l'AIE[1]. Résultat, alors que le nombre d'automobiles et de camions circulant dans le monde devrait plus que doubler d'ici à 2040, les besoins en carburant n'augmenteront en principe que de 25 % environ. Ces efforts d'efficacité énergétique devraient permettre d'économiser 23 millions de barils de pétrole par jour à l'horizon 2040, « plus que la production actuelle cumulée de l'Arabie Saoudite et de la Russie », se réjouit l'AIE.

■ D'après Denis Cosnard, « Selon l'AIE, la température sur Terre pourrait grimper de 3,6 °C d'ici à la fin du siècle », *Le Monde*, 12 novembre 2014.

1. AIE : Agence internationale de l'énergie.

QUESTIONS

❶ Relevez dans le document une phrase décrivant l'évolution de la consommation d'énergie dans le monde.

❷ Relevez dans le texte les raisons de cette évolution.

❸ Comment va évoluer la part des énergies fossiles dans la consommation mondiale ?

2 J'étudie un paysage sur la forte concurrence pour l'eau en Andalousie (Espagne)

↳ SOCLE : Domaine 5

QUESTIONS

❶ Où a été prise la photographie (région, pays, continent) ?

❷ Pour chacun des trois espaces identifiés, décrivez le paysage et l'usage de l'eau qui y est fait.

❸ Pourquoi peut-on parler de forte concurrence pour l'eau ?

❶ Station d'épuration
❷ Cultures irriguées sous serre
❸ Lotissement balnéaire

3 J'analyse des graphiques sur la consommation d'eau dans le monde

↳ SOCLE : Domaine 1

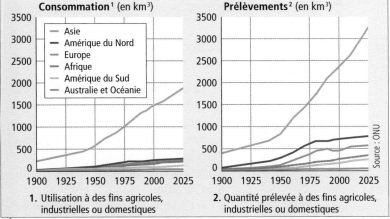

1. Utilisation à des fins agricoles, industrielles ou domestiques

2. Quantité prélevée à des fins agricoles, industrielles ou domestiques

1 Évolution des prélèvements et de la consommation d'eau dans le monde

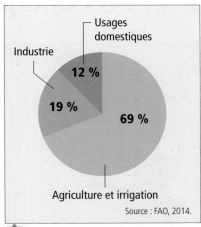

Source : FAO, 2014.

2 L'utilisation de l'eau dans le monde

MÉTHODE

Il existe différents types de graphiques :

▸ le graphique en courbe montre l'évolution dans le temps d'un phénomène ;

▸ le graphique circulaire permet de visualiser immédiatement et de comparer l'importance d'une valeur par rapport aux autres ;

▸ le graphique en barres ou histogramme permet de mesurer l'écart entre des valeurs et de comparer les différentes valeurs (voir p. 237 ou 241).

QUESTIONS

site élève
⬇ tableau à compléter

1 Complétez le tableau suivant :

Documents	Type de graphique	Informations représentées
Doc 1		
Doc 2		

2 **Doc 1.** Comment évoluent les prélèvements d'eau et la consommation d'eau douce dans le monde ?

3 **Doc 1.** Quel continent connaît la plus forte évolution ? Pourquoi ?

4 **Doc 2.** Quel secteur d'activité utilise le plus d'eau ?

MON BILAN DE COMPÉTENCES

Domaines du socle	Compétences travaillées	Pages du chapitre
D1 Les langages pour penser et communiquer	● Je sais lire et interpréter des graphiques et des cartes. ● Je sais m'exprimer à l'oral.	**Étude de cas** .... p. 232-235 **Exercice 3** .... p. 249 **Étude de cas** .... p. 236-239
D2 Les méthodes et outils pour apprendre	● Je sais organiser mon travail personnel.	**Apprendre à apprendre** .... p. 246
D4 Les systèmes naturels et les systèmes techniques	● Je sais formuler et vérifier des hypothèses.	**Des études de cas au monde** .... p. 240-241
D5 Les représentations du monde et de l'activité humaine	● Je sais identifier les principaux enjeux d'un développement humain durable. ● Je sais me repérer dans l'espace. ● Je comprends un document. ● Je sais étudier un paysage.	**Étude de cas** .... p. 232-235 et p. 236-239 **Des études de cas au monde** .... p. 240-241 **Carte** .... p. 242-243 **Exercice 1** .... p. 248 **Exercice 2** .... p. 248

Comment lutter contre l'inégal accès à l'eau potable ?

#ActNowFT   cop21.unicef.fr

L'EAU EST PRÉCIEUSE
NE LA GÂCHONS PAS, PRÉSERVONS-LA !
AGISSONS AU QUOTIDIEN
CONTRE LE GASPILLAGE ET LA POLLUTION !

©UNICEF/NYHQ2005-0241/Pirozzi

unicef

1 Campagne de l'Unicef pour la préservation de l'eau potable

site élève
⬇ lien vers la vidéo

Vraiment on manque d'eau potable

▶ ⏸ ━━━━━●━━━━━━━━

2 L'accès à l'eau, une nécessité de santé

La communauté de Binza Météo (République démocratique du Congo) a commencé à développer le forage de puits afin d'améliorer l'accès à l'eau potable pour tous, une étape importante pour leur garantir une vie saine.

« Chaque jour je suis obligée de venir puiser des eaux usées pour ma famille. On manque d'eau potable car nous n'avons pas de puits foré. Nous avons des problèmes de santé, nous attrapons des infections parce que nous buvons de l'eau qui n'est pas propre, les enfants ont des problèmes de peau [...] cela doit changer », déplore Marie Matondo, mère de 6 enfants.

Pour Papy Bakambu, « avant [le forage du puits], les femmes allaient puiser l'eau à plus d'1 km. Le puits proche réduit la mortalité des enfants de 0 à 5 ans et des femmes. 200 000 personnes sont déjà desservies par la technique de forage. »

■ ■ *Eau, assainissement et hygiène,* Unicef.fr

QUESTIONS

▶ **Je comprends les documents**

❶ Doc 1. Quelle organisation humanitaire est à l'origine de ce document ?

❷ Doc 1 et 2. À quelles difficultés sont confrontées les personnes présentées ?

❸ Doc 2. Quelles solutions sont mises en avant pour favoriser l'accès à l'eau potable ?

▶ **Je m'engage et je fais preuve de solidarité**

❹ Afin de sensibiliser les élèves du collège aux inégalités d'accès à l'eau dans le monde et aux gestes à accomplir pour préserver cette ressource, vous réalisez, en groupes, une production de votre choix (affiche, blog, reportage audio, vidéo...) que vous présenterez à vos camarades.

Des levers de soleil virtuels en Chine : un canular ?

EMI

CONSIGNE

Incroyable ! En venant au collège ce matin, un élève de 3ᵉ vous a montré un tweet pour vous prouver que la Chine était très polluée. L'image montrait le smog, un brouillard de pollution si épais que l'État chinois diffuse désormais des vidéos de lever de soleil pour réconforter les populations le matin. Vous décidez de mener votre enquête.

1 Un écran géant diffuse une vidéo de lever de soleil à Pékin, le 16 janvier 2014.
Daily Mail, 17 janvier 2014.

site élève
lien vers le site

Étape 1 Puis-je faire confiance au site consulté ?
Accéder à l'article : https://frama.link/RfU5qjm3

1 Quel journal en ligne a publié cet article ?

2 Mémo'EMI. À quelle famille de journaux le *Daily Mail* appartient-il ?

3 Les informations du *Daily Mail* sont-elles dignes de confiance ? Expliquez.

Étape 2 J'apprends à croiser l'information en consultant d'autres sources
Accéder à l'article : https://frama.link/xCFkHfaF

4 Qui est l'auteure de cet article ? Pour quel journal travaille-t-elle ?

5 Par quel réseau social l'information du *Daily Mail* a-t-elle été diffusée ?

6 Pourquoi l'article du *Daily Mail* peut-il être considéré comme un canular ? Expliquez.

mémo EMI

La « presse people »

• Le site qui publie cet article est un journal britannique, le *Daily Mail*. Il appartient à une famille de presse, dite « presse people » ou presse à sensation.

• Pour vendre le plus de titres, ces journaux traitent de l'actualité avec des reportages photographiques, des textes courts et des titres très accrocheurs.

13 Nourrir l'humanité

→ **Comment répondre aux besoins alimentaires croissants de la population mondiale ?**

Au cycle 3

En CM1, j'ai appris que satisfaire les besoins alimentaires en France soulève des problèmes géographiques liés à la question des ressources et de leur gestion durable.

Au cycle 3

En 6ᵉ, j'ai découvert qu'il existait une grande variété de paysages agricoles dans le monde.

Ce que je vais découvrir

Les enjeux liés à l'approvisionnement en nourriture d'une humanité en croissance.

1 Ramassage manuel des pommes de terre, hauts plateaux andins, Pérou, 2013

Le sais-tu ?

Aujourd'hui encore 1 personne sur 9 dans le monde souffre de la faim. Pourtant les ressources alimentaires disponibles sont suffisantes pour satisfaire tous les besoins.

2 **Une agriculture urbaine modernisée et très productive à Vancouver, Canada, 2012**
Chaque année, les 6 000 m² de cette plantation verticale produisent jusqu'à 68 000 kg de légumes.

Nourrir le Brésil : agriculture et sécurité alimentaire

Question clé Comment le Brésil répond-il aux besoins alimentaires de sa population ?

Brésil
AMÉRIQUE DU SUD

A Une population plus nombreuse, des ressources accrues

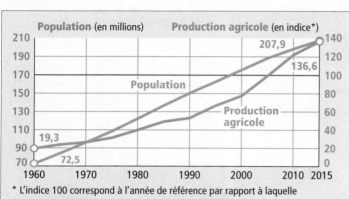

Population (en millions)   **Production agricole** (en indice*)

207,9

136,6

Population

Production agricole

19,3

72,5

1960   1970   1980   1990   2000   2010 2015

* L'indice 100 correspond à l'année de référence par rapport à laquelle on analyse l'évolution de la production. Base 100 en 2006.   Source : FAO, 2015.

1 Croissance démographique et augmentation des productions agricoles

3 Un développement centré sur la lutte contre la faim

« Nous allons créer les conditions nécessaires pour que chacun dans notre pays puisse manger convenablement trois fois par jour, tous les jours, sans avoir besoin de dons de quiconque. » Lula da Silva, président de la République, 1er janvier 2003.

Le programme Faim Zéro a été lancé en 2003, dans le but de faire disparaître la faim. Les mesures comprenaient : les bons d'alimentation, l'alimentation d'urgence, garantie par des réserves publiques de vivres, la sécurité sanitaire des aliments, la nutrition maternelle et infantile, les repas scolaires et l'éducation nutritionnelle.

L'application du programme a permis au Brésil, dès 2010, de remplir l'Objectif du Millénaire pour le développement consistant à diminuer de moitié la faim et la pauvreté.

■ *Programme Faim Zéro, l'expérience brésilienne,* FAO, 2012.

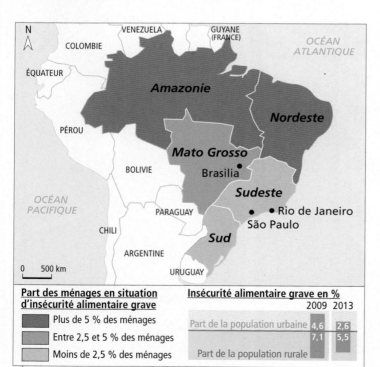

Part des ménages en situation d'insécurité alimentaire grave

- Plus de 5 % des ménages
- Entre 2,5 et 5 % des ménages
- Moins de 2,5 % des ménages

Insécurité alimentaire grave en %	2009	2013
Part de la population urbaine	4,6	2,6
Part de la population rurale	7,1	5,5

2 Les inégalités en matière de sécurité alimentaire au Brésil

VOCABULAIRE

▸ **Malnutrition**
Maladie liée à une alimentation déséquilibrée en qualité (excès de graisses, par exemple).

▸ **Obésité**
Maladie liée à l'accumulation excessive de graisses dans l'organisme.

▸ **Sécurité alimentaire**
Situation dans laquelle une personne a accès en permanence à une alimentation suffisante et saine, qui peut satisfaire ses besoins essentiels.

▸ **Sous-alimentation**
Situation dans laquelle une personne ne parvient pas à se procurer assez de nourriture pour satisfaire ses besoins énergétiques alimentaires quotidiens.

4 **Des inégalités d'accès aux ressources alimentaires**

a. Solange, agricultrice, expose la nourriture d'une journée type : fruits et noix du Brésil, riz, pâtes et semoule de maïs ainsi que la boisson gazeuse fabriquée à partir du guarana, une baie brésilienne, 2012.

b. Snack-bar sur l'avenue Atlantique de Copacabana à Rio de Janeiro, 2014. Une autre forme de malnutrition se développe désormais avec l'obésité.

Activités

Question clé **Comment le Brésil répond–il aux besoins alimentaires de sa population ?**

ITINÉRAIRE 1

ou

ITINÉRAIRE 2

▸ **Je localise et je situe**

❶ **Chiffres clés.** À quel groupe de pays appartient le Brésil du point de vue de son développement ?

▸ **Je comprends les documents**

❷ **Doc 1.** Quelle évolution a connue la population brésilienne entre 1960 et 2015 ? et la production agricole ?

❸ **Doc 2 et 3.** Comment le Brésil a-t-il assuré la sécurité alimentaire pour sa population ?

❹ **Doc 2 et 4.** Quelles inégalités d'accès à l'alimentation existe-t-il encore aujourd'hui ?

▸ **Je réalise une carte mentale (étape 1)**

À partir des documents, commencez à dessiner une carte mentale reprenant les thèmes suivants :

Une situation alimentaire (population, besoins, inégalités) [**Doc 1, 2 et 4**]

Nourrir les Brésiliens

Des solutions durables encore limitées [**Doc 3**]

Une situation agricole (production, progrès) [**p. 256-257**]

Étude de cas

B Augmenter durablement les ressources alimentaires

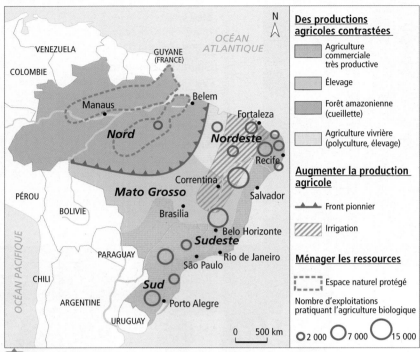

5 Les espaces agricoles au Brésil

Map legend:

Des productions agricoles contrastées
- Agriculture commerciale très productive
- Élevage
- Forêt amazonienne (cueillette)
- Agriculture vivrière (polyculture, élevage)

Augmenter la production agricole
- Front pionnier
- Irrigation

Ménager les ressources
- Espace naturel protégé
- Nombre d'exploitations pratiquant l'agriculture biologique
  - 2 000
  - 7 000
  - 15 000

Map labels: VENEZUELA, COLOMBIE, GUYANE (FRANCE), OCÉAN ATLANTIQUE, Manaus, Belem, Nord, Fortaleza, Nordeste, Recife, Correntina, Salvador, Mato Grosso, PÉROU, BOLIVIE, Brasilia, Belo Horizonte, Sudeste, PARAGUAY, São Paulo, Rio de Janeiro, CHILI, Sud, ARGENTINE, Porto Alegre, URUGUAY, OCÉAN PACIFIQUE, 0 500 km

VOCABULAIRE

▶ **Agriculture productiviste**
Agriculture qui recherche une production maximale et des rendements élevés en utilisant les techniques les plus efficaces (machines, engrais, pesticides, semences sélectionnées).

▶ **Agriculture vivrière**
Agriculture destinée à la consommation des paysans qui la produisent.

▶ **Front pionnier**
Mise en valeur d'un territoire jusque-là inoccupé.

▶ **Rendement**
Quantité produite sur une surface cultivée.

6 Une agriculture commerciale et mécanisée

Le soja est récolté par des moissonneuses appartenant à la ferme Delta dans la région de Correntina, 2012. Le Brésil compte 39 000 fermes de plus de 2 000 hectares.

7 L'agriculture vivrière des Guarani

Un indien Guarani cultive un petit champ de façon traditionnelle dans l'État du Mato Grosso do Sul, Brésil, 2012.

8 Les fronts pionniers étendent la surface agricole

Les quatre étapes d'un front pionnier pour étendre les pâturages d'une grande ferme d'élevage en Amazonie en 2014 :

1 Forêt équatoriale encore préservée

2 Forêt incendiée par les agriculteurs

3 Parcelle avec un sol nu où la forêt a été récemment brûlée

4 Pâturage prêt à accueillir le bétail

9 Des résultats positifs durables ?

Le Brésil est le deuxième producteur de produits agricoles et alimentaires de la planète. La croissance de la production découle d'une hausse des rendements des cultures. Le développement agricole offre de plus en plus de possibilités, pour certaines cultures vivrières mais aussi pour des produits qui ont une valeur élevée, comme le café et les fruits tropicaux.

La croissance de l'agriculture a aussi été associée à l'expansion des surfaces agricoles, 34 millions d'hectares entre 1990 et 2012. Ce déboisement a suscité des préoccupations concernant l'expansion de l'agriculture en Amazonie qui abrite la plus grande part de la biodiversité terrestre mondiale.

La pression exercée sur les ressources naturelles devrait être atténuée par des initiatives de protection de l'environnement et de préservation des ressources.

■ D'après *Perspectives agricoles de l'OCDE et de la FAO 2015-2024*, 2015.

Activités

Question clé   **Comment le Brésil répond-il aux besoins alimentaires de sa population ?**

ITINÉRAIRE 1

▶ **Je comprends les documents**

5 **Doc 5 à 7.** Quelles sont les différents types d'agricultures au Brésil ?

6 **Doc 6, 8 et 9.** Comment les Brésiliens ont-ils augmenté la production agricole ?

7 **Doc 5 et 9.** Comment le Brésil peut-il développer une agriculture plus durable pour les sociétés et l'environnement ?

▶ **Je m'exprime à l'oral pour communiquer**

8 Pour répondre à la question clé, imaginez l'interview de 2 agriculteurs : l'un pauvre pratiquant une agriculture vivrière, l'autre riche possédant une grande ferme productiviste.

OU

ITINÉRAIRE 2

▶ **Je réalise une carte mentale (étape 2)**

Complétez votre carte mentale pour répondre à la question clé.

- Une situation alimentaire (population, besoins, inégalités) [**Doc 7**]
- Des solutions durables encore limitées [**Doc 5 et 9**]
- **Nourrir les Brésiliens**
- Une situation agricole (production, progrès) [**Doc 5 à 9**]

L'Éthiopie face au défi alimentaire

CONSIGNE

En Éthiopie, plus de 10 millions de personnes sont en situation de sous-alimentation.

Vous êtes chargé par l'organisation humanitaire Action contre la faim, de présenter un bilan de la situation alimentaire de ce pays et de proposer des solutions sous forme d'affiche, de dossier, de diaporama...

Éthiopie
AFRIQUE

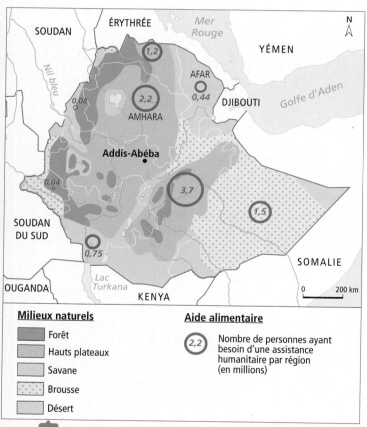

Milieux naturels

- Forêt
- Hauts plateaux
- Savane
- Brousse
- Désert

Aide alimentaire

(2,2) Nombre de personnes ayant besoin d'une assistance humanitaire par région (en millions)

1 L'agriculture en Éthiopie

2 L'Éthiopie exposée au risque de famine

La sécheresse frappe aujourd'hui le deuxième pays le plus peuplé du continent et plus largement toute l'Afrique de l'Est et l'Afrique australe, où 14 millions de personnes sont confrontées à la sous-alimentation.

Les régions les plus touchées sont les régions qui vivent du bétail, comme l'Afar. Mais il y a aussi des régions agricoles, comme la région Amhara.

La saison des pluies, qui donne la plus grande partie des récoltes, a été mauvaise. C'est pour cela que l'ampleur des besoins est immense. À cause de la sécheresse, les hommes sont partis avec les bêtes pour chercher des pâturages, ce qui a entraîné la raréfaction du lait pour les nourrissons.

Dans les régions agricoles, les pertes des récoltes vont de 40 % à 80 %.

■ D'après Pierre Lepidi, « Il faut agir maintenant pour éviter une catastrophe alimentaire en Éthiopie », *Le Monde*, 9 février 2016.

VOCABULAIRE

▶ **Pays les moins avancés (PMA)**
Les pays les plus pauvres de la planète. Catégorie définie par l'ONU à partir de trois critères : revenu par habitant, IDH et fragilité économique.

▶ **Sous-alimentation**
Voir p. 255.

CHIFFRES CLÉS

➡ **98,1 millions** d'habitants en 2015, **165 millions** en **2050**

➡ **IDH : 0,442** [174e rang mondial sur 187 pays classés], **PMA**

➡ **1 habitant sur 3** est sous-alimenté

3 Agriculture traditionnelle et vivrière dans la région d'Amhara, 2013

La culture du blé permet aux habitants d'assurer leur alimentation.

4 Une politique agricole durable ?

Des stratégies ont été mises en place pour accroître la production agricole, et assurer la sécurité alimentaire.

Le gouvernement a sélectionné plus de 3 millions d'hectares de terres pour la création de fermes commerciales. Il est à la recherche d'investisseurs étrangers voulant contribuer à la modernisation du secteur agricole et lui permettre de produire plus efficacement.

Le gouvernement prévoit de dépenser environ 4,4 milliards de dollars pour la mécanisation agricole, la recherche sur les cultures, l'élevage et les ressources naturelles. Le secteur agricole souffre du surpâturage[1], de la déforestation, des ressources en eau sous-développées et de la sécheresse.

■ D'après *Nations émergentes*, n° 24, avril 2015.

1. Excès de l'exploitation des ressources végétales pour l'alimentation des animaux.

5 Marché alimentaire à Addis Abeba, capitale de l'Éthiopie, 2014

Ce marché, bien approvisionné, garantit la sécurité alimentaire de la population urbaine.

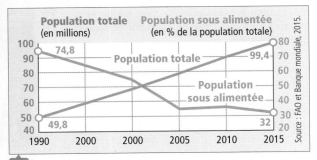

Source : FAO et Banque mondiale, 2015.

6 Le recul de la sous-alimentation

COUP DE POUCE

Pour préparer votre rapport, complétez ce tableau pour organiser vos idées.

La situation alimentaire (population, besoins, inégalités)	La situation agricole (production, progrès)	Des solutions durables encore limitées
Doc 1, 2, 5 et 6	Doc 1, 3 et 4	Doc 4

Des études de cas...

SOCLE Compétences
▶ **Domaine 4 :** je formule des hypothèses et je les vérifie
▶ **Domaine 5 :** j'identifie les enjeux d'un développement humain durable

Comment répondre aux besoins alimentaires accrus d'une population en augmentation ?

ÉTAPE 1 Je fais le point

A Recopiez le tableau suivant.

site élève
⬇ tableau à imprimer

	Brésil	**ou**	Éthiopie
Évolution de la population			
Évolution de la production agricole			
Évolution des besoins alimentaires			
Types d'agriculture			
Solutions apportées ou envisagées			

B Remplissez le tableau pour le pays que vous venez d'étudier (le Brésil ou l'Éthiopie) en utilisant, pour chaque ligne, un ou plusieurs mot(s) ou expression(s) proposés ci-dessous.

1. Population croissante / population stable / population en diminution.
2. Productions agricoles en hausse / Productions agricoles stables / Productions agricoles en baisse.
3. Besoins alimentaires en hausse / besoins alimentaires stables / besoins alimentaires en diminution / situation d'insécurité alimentaire / sécurité alimentaire / fortes inégalités alimentaires entre villes et campagnes.
4. Agriculture vivrière très importante / agriculture vivrière en recul / agriculture productiviste en développement / agriculture productiviste très importante.
5. Extension des cultures par la déforestation / investissements étrangers pour une agriculture commerciale / recherches de meilleurs rendements (mécanisation, engrais, semences).

ÉTAPE 2 J'en déduis des hypothèses

C En vous appuyant sur le travail précédent, choisissez parmi les hypothèses proposées ci-dessous les quatre qui vous semblent le mieux compléter la phrase suivante :

> Une hypothèse est une idée que l'on propose et qu'il faudra ensuite vérifier pour savoir si elle est vraie ou fausse.

De manière générale, la situation alimentaire du pays étudié nous laisse penser qu'à l'échelle mondiale...

1. l'agriculture est en mesure de nourrir une population croissante, la sous-alimentation diminue.
2. la population augmente beaucoup plus vite que la production agricole.
3. les inégalités d'accès aux ressources alimentaires demeurent importantes, quelles que soient les échelles.
4. les famines dans le monde sont encore très importantes.
5. l'agriculture productiviste plus moderne produit plus que l'agriculture vivrière traditionnelle.
6. les pays pauvres ont une agriculture vivrière très productive qui dégrade l'environnement.
7. face aux problèmes soulevés par l'agriculture productiviste, l'agriculture durable reste à inventer.

ÉTAPE 3 — Je vérifie si mes hypothèses sont justes

D Comparez successivement chacun des trois documents ci-dessous avec chacune des hypothèses retenues à l'étape 2. Toutes les hypothèses sont-elles validées ? Justifiez vos réponses.

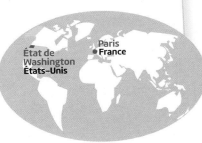

État de Washington
États-Unis

Paris
● France

1 **Distribution alimentaire des Restos du Cœur à Paris, 2015**
En 2014-2015, 128,5 millions de repas ont été distribués.

2 **La fausse menace de la surpopulation**

Le démographe Hervé Le Bras explique pourquoi la sous-alimentation existe encore, alors que la production alimentaire est suffisante.

L'idée d'une catastrophe alimentaire à cause du trop grand nombre d'humains est une prédiction très contestable. Même à l'époque de la plus forte explosion démographique, le volume de vivres produits augmentait plus vite que la population.

La crise alimentaire tient au fait que les pays émergents adoptent le régime alimentaire des pays développés, ce qui stimule la demande de viande, retirant une part de plus en plus importante de la production céréalière aux plus pauvres.

Les pays développés se servent de l'argument démographique pour rejeter la responsabilité sur des pays peuplés et en croissance démographique comme la Chine ou l'Inde, sans remettre en cause leur façon de consommer.

■ Propos recueillis par Nicolas Journet, « La population mondiale n'est pas une menace » Trois questions à... Hervé Le Bras, *Sciences Humaines*, n° 213 – mars 2010.

3 **Champ de pommes de terre traité aux pesticides, État de Washington, États-Unis, 2014**

Les pesticides utilisés dans l'agriculture productiviste augmentent les rendements mais constituent un problème de santé publique.

Des besoins alimentaires croissants

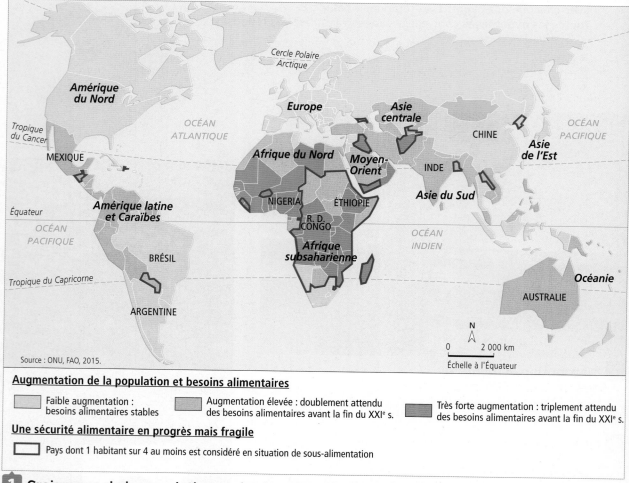

Source : ONU, FAO, 2015.

Échelle à l'Équateur

Augmentation de la population et besoins alimentaires

- Faible augmentation : besoins alimentaires stables
- Augmentation élevée : doublement attendu des besoins alimentaires avant la fin du XXIe s.
- Très forte augmentation : triplement attendu des besoins alimentaires avant la fin du XXIe s.

Une sécurité alimentaire en progrès mais fragile

- Pays dont 1 habitant sur 4 au moins est considéré en situation de sous-alimentation

1 Croissance de la population et des besoins alimentaires

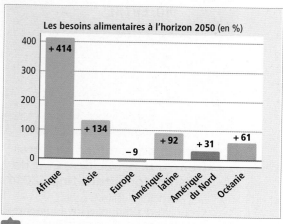

Les besoins alimentaires à l'horizon 2050 (en %)

2 Les besoins alimentaires en 2050

VOCABULAIRE

▶ **Agriculture durable**
Agriculture qui répond aux besoins des populations actuelles sans compromettre la capacité des populations futures à répondre aux leurs.

▶ **Sécurité alimentaire**
Situation dans laquelle une personne a accès en permanence à une alimentation suffisante et saine, qui peut satisfaire ses besoins essentiels.

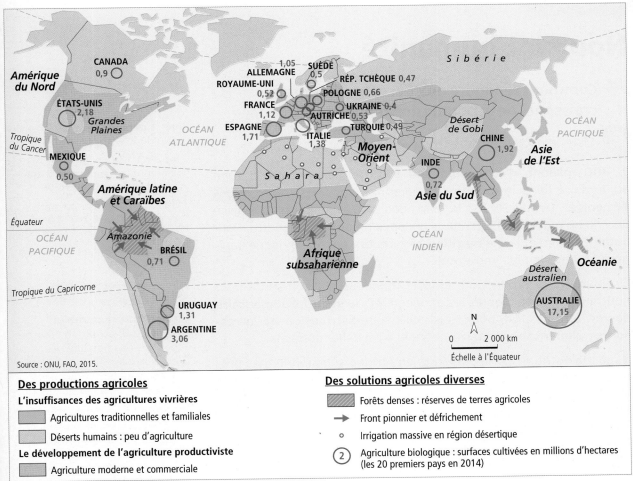

Source : ONU, FAO, 2015.

Des productions agricoles

L'insuffisances des agricultures vivrières

Agricultures traditionnelles et familiales

Déserts humains : peu d'agriculture

Le développement de l'agriculture productiviste

Agriculture moderne et commerciale

Des solutions agricoles diverses

Forêts denses : réserves de terres agricoles

→ Front pionnier et défrichement

○ Irrigation massive en région désertique

② Agriculture biologique : surfaces cultivées en millions d'hectares (les 20 premiers pays en 2014)

3 **Des ressources alimentaires inégales**

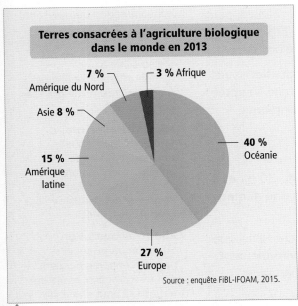

Terres consacrées à l'agriculture biologique dans le monde en 2013

- 7 % Amérique du Nord
- 3 % Afrique
- Asie 8 %
- 40 % Océanie
- 15 % Amérique latine
- 27 % Europe

Source : enquête FiBL-IFOAM, 2015.

4 **L'agriculture biologique dans le monde en 2013**

QUESTIONS

▶ **Je situe dans l'espace**

❶ **Doc 1 et 2.** Quel continent devrait connaître une forte augmentation de ses besoins alimentaires ? Pour lesquels, au contraire, ces besoins n'augmenteront pas ?

❷ **Doc 1.** Dans quelles régions du monde la sécurité alimentaire n'est-elle pas assurée ?

❸ **Doc 3.** Où a-t-on développé l'agriculture productiviste ? Où trouve-t-on une agriculture vivrière ?

❹ **Doc 2 et 3.** Quel type d'agriculture est pratiquée dans les régions où la sécurité alimentaire n'est pas encore assurée ?

❺ **Doc 3 et 4.** Laquelle des trois solutions présentées sur la carte vous semble la plus proche d'un développement durable ?

Nourrir l'humanité

→ **Comment répondre aux besoins alimentaires croissants de la population mondiale ?**

A Une inégale distribution de la nourriture

1. 800 millions d'êtres humains souffrent encore de la **faim** aujourd'hui dans le monde ; 1 personne sur 9 est donc **sous-alimentée**. Depuis 1990, la part des sous-alimentés a baissé de 7 % en moyenne (10 % dans les pays en développement). Pour autant, la faim et la **malnutrition** constituent encore le risque sanitaire mondial le plus important.

2. Pourtant, la production agricole mondiale est suffisante pour nourrir l'humanité. Depuis les années 1960, la **sécurité alimentaire** devrait être assurée pour tous. Mais la **redistribution de la ressource alimentaire** reste très inégale à l'échelle mondiale.

3. La malnutrition est la plus forte en Afrique subsaharienne : près d'un habitant sur quatre souffre de la faim. Par contre, l'**insécurité alimentaire** a reculé en Asie et a diminué des deux tiers depuis 1990 en Amérique Latine et dans les Caraïbes.

B Des systèmes agricoles variés

1. L'extension des terres cultivées sur les **fronts pionniers**, comme en Amazonie, et l'amélioration des **rendements** ont permis d'augmenter la production agricole mondiale.

2. Cependant, l'**agriculture vivrière** est fortement pratiquée dans les pays en développement : rendements faibles, travail manuel, peu d'engrais et de pesticides la caractérisent. Comme en Éthiopie, elle demeure insuffisante pour assurer la **sécurité alimentaire** de ces pays.

3. Les ressources alimentaires mondiales sont pour l'essentiel issues de l'**agriculture productiviste**. Fortement mécanisée, elle s'appuie sur la recherche et l'innovation pour améliorer ses rendements.

C Des défis pour demain

1. En 2050, la population mondiale aura augmenté de 30 % et il faudra lui assurer un accès (production, distribution) à une **alimentation suffisante**.

2. L'évolution de la consommation, et donc de la production, ainsi que les progrès de l'agriculture, ont des conséquences sur l'**environnement** : déforestation, irrigation excessive, pollution des sols, surpâturage...

3. Pour nourrir l'humanité sans mettre en danger les équilibres environnementaux, l'agriculture doit adopter des techniques plus **durables**. Les pays riches développent une agriculture biologique.

CHIFFRES CLÉS

→ **1** personne sur **9** dans le monde est sous-alimentée

→ **45 %** des décès d'enfants de **moins de 5 ans** sont liés à la malnutrition

→ Un champ d'un hectare nourrit **2 personnes** en 1960, **4** en 2006 et **6** en 2050

VOCABULAIRE

▸ **Agriculture durable**
Agriculture qui répond aux besoins des populations actuelles sans compromettre la capacité des populations futures à répondre aux leurs.

▸ **Agriculture productiviste**
Agriculture qui recherche une production maximale et des rendements élevés en utilisant les techniques les plus efficaces (machines, engrais, pesticides, semences sélectionnées).

▸ **Agriculture vivrière**
Agriculture destinée à la consommation des paysans qui la produisent.

▸ **Malnutrition**
Maladie liée à une alimentation déséquilibrée en qualité (excès de graisses, par exemple).

▸ **Sécurité alimentaire**
Situation dans laquelle une personne a accès en permanence à une alimentation suffisante et saine, qui peut satisfaire ses besoins essentiels.

▸ **Sous-alimentation**
Situation dans laquelle une personne ne parvient pas à se procurer assez de nourriture pour satisfaire ses besoins énergétiques alimentaires quotidiens.

Je retiens autrement

Situation alimentaire

- **Croissance des populations, croissance des productions**
- **Ressources** alimentaires mondiales **suffisantes**
  sécurité alimentaire globale
- **Inégalités** importantes :
  - entre les pays, entre riches et pauvres
  - sous-alimentation malnutrition

Comment nourrir durablement une population croissante ?

Des solutions durables limitées

- Nécessité de **produire autrement**
- Permettre l'**accès** aux **ressources alimentaires à tous**
- Vers une **agriculture durable**

Situation agricole

- **Augmenter** les **surfaces cultivées**
- **Augmenter les rendements**
- Deux modèles agricoles :
  - **agriculture vivrière**, faibles rendements
  - **agriculture productiviste**, très hauts rendements

Je révise chez moi

● **Je vérifie que je connais les principaux repères du chapitre.**

Je sais définir et utiliser dans une phrase :
- sécurité alimentaire
- agriculture vivrière
- agriculture productiviste
- agriculture durable
- malnutrition
- sous-alimentation

Je sais situer sur un planisphère :
- les grandes régions de forte croissance démographique
- les principales régions sous-alimentées
- quelques pays d'agriculture vivrière et d'agriculture productiviste
- les grands déserts humains où l'agriculture est rare

site élève
⬇ fond de carte

Je sais expliquer :
- comment ont évolué la population mondiale et la production agricole.
- comment on est parvenu à augmenter la production agricole.
- les difficultés alimentaires que connaît le monde.
- les défis pour l'agriculture de demain.

Comment apprendre ma leçon ?

Je révise en construisant un schéma

Un schéma est un très bon outil pour mémoriser une leçon. C'est une représentation visuelle de tout ce qui a été appris.

▶ **Étape 1**

• Prenez une feuille et écrivez dans une case le sujet du chapitre.

> Nourrir une population en pleine croissance et assurer sa sécurité alimentaire

▶ **Étape 2**

• Dessinez des branches qui représentent les principaux thèmes du chapitre. Vous pouvez choisir une couleur différente par branche.

▶ **Étape 3**

• Complétez votre schéma grâce à la boîte à idées ci-contre et avec ce que vous a appris votre professeur.

 Vous pouvez aussi organiser vos idées avec une carte mentale.

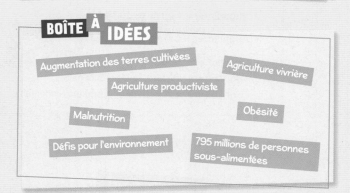

BOÎTE À IDÉES

- Augmentation des terres cultivées
- Agriculture vivrière
- Agriculture productiviste
- Malnutrition
- Obésité
- Défis pour l'environnement
- 795 millions de personnes sous-alimentées

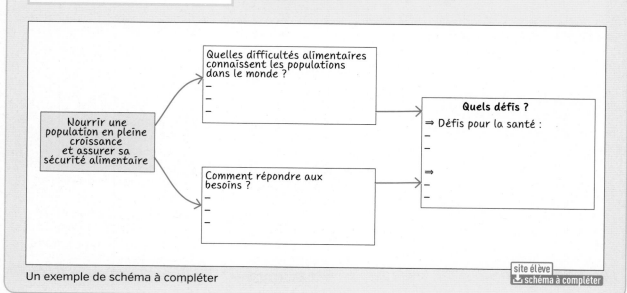

Un exemple de schéma à compléter

site élève
⬇ schéma à compléter

Je vérifie mes connaissances

1 **Je choisis la bonne définition.**

1. La malnutrition est une situation d'alimentation où la nourriture quotidienne est...

    [a] insuffisante en quantité.

    [b] insuffisante en qualité.

2. La sous-alimentation est une situation d'alimentation où la nourriture quotidienne est...

    [a] insuffisante en quantité.

    [b] insuffisante en qualité.

2 **Je vérifie les affirmations suivantes.**

1. La croissance de la population mondiale augmente les besoins alimentaires. ☐ Vrai ☐ Faux
2. Le nombre de personnes sous-alimentées est en forte augmentation. ☐ Vrai ☐ Faux
3. La malnutrition ne concerne que les pays pauvres. ☐ Vrai ☐ Faux
4. L'agriculture productiviste est surtout développée dans les pays riches. ☐ Vrai ☐ Faux
5. Certaines personnes dans les pays riches ont des difficultés à se nourrir. ☐ Vrai ☐ Faux

3 **J'associe à chaque photographie le type d'agriculture qui lui correspond.**

Choisissez parmi les propositions suivantes : [a] agriculture productiviste ; [b] agriculture vivrière.

Puis décrivez chacun de ces paysages : activités, outils/type de travail, nombre de personnes, surface cultivée...

Un agriculteur laboure son champ dans les montagnes de la cordillère des Andes, Pérou, 2013.

Un agriculteur laboure son champ dans les plaines du Manitoba, Canada, 2014.

4 **J'argumente en complétant l'idée générale par la bonne preuve.**

Les idées générales :
1. Le monde est aujourd'hui mieux nourri parce que...
2. Les inégalités face à l'alimentation demeurent puisque...
3. L'agriculture vivrière nourrit difficilement car...

Les preuves :

c ... 795 millions de personnes souffrent encore de la faim.

a ... les petits agriculteurs constituent 80 % des personnes sous-alimentées de la planète.

b ... la part des sous-alimentés dans la population mondiale a été divisée par 2,6 en 50 ans.

5 Retrouvez d'autres exercices sous forme interactive sur le site Nathan.

site élève
⬇ exercices interactifs

Exercices

1 J'analyse une photographie sur la consommation alimentaire à Beijing

↳ **SOCLE** : Domaine 5

Beijing
Chine

Malaisie

Indonésie

1 La consommation alimentaire hebdomadaire de la famille Dong à Beijing, 2014

QUESTIONS

1 Décrivez les ressources alimentaires présentées sur cette photographie.

2 Quel modèle de consommation se développe en Chine ? Quel est son impact sur les besoins alimentaires chinois ?

2 J'étudie un texte sur l'adaptation des modes de production

↳ **SOCLE** : Domaine 1

Apprendre à produire autrement pour nourrir l'humanité

L'être humain sait produire beaucoup d'aliments avec une apparente efficacité. Mais cette efficacité reste très relative car elle s'exerce uniquement dans des conditions favorables où les ressources sont abondantes. Les grandes quantités de céréales, de lait, de viande, de fruits, de légumes utilisent en effet beaucoup d'eau, d'énergie, de chimie, de mécanique et la quasi-totalité des sols disponibles. On produit « beaucoup avec beaucoup ».

L'être humain doit maintenant apprendre à produire « à la fois plus et mieux, mais avec moins » : moins d'eau, moins de sol, moins d'énergie, moins de chimie. Ce pari n'est pas gagné, d'autant plus que l'on a dégradé les sols et les cours d'eau, diminué la biodiversité et contribué à un réchauffement de la planète aux conséquences difficiles à prévoir.

■ D'après Bruno Parmentier, *Nourrir l'humanité. Les grands problèmes de l'agriculture mondiale au XXIᵉ siècle*, Éditions La Découverte, 2009.

QUESTIONS

1 Que faut-il selon l'auteur pour produire beaucoup d'aliments ?

2 D'après vos connaissances, de quel type d'agriculture parle l'auteur quand il dit : produire « beaucoup avec beaucoup » ?

3 Quelles ressources les productions agricoles doivent-elles ménager dans les années à venir ?

4 D'après vos connaissances, à quel type d'agriculture renvoie la citation soulignée : produire « à la fois plus et mieux, mais avec moins » ?

3 Je prends conscience de l'impact de l'activité humaine sur l'environnement

↳ SOCLE : Domaines 3 et 4

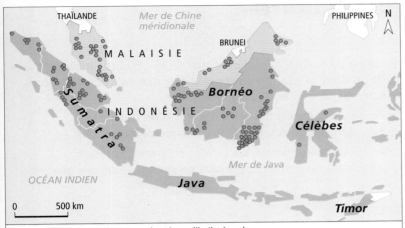

THAÏLANDE • Mer de Chine méridionale • PHILIPPINES • N

MALAISIE • BRUNEI

Sumatra • Bornéo • INDONÉSIE

Célèbes

OCÉAN INDIEN • Mer de Java • Java

Timor

0 — 500 km

• Principales exploitations de culture d'huile de palme

1 La culture d'huile de palme en Indonésie et Malaisie

QUESTIONS

▶ Je localise et je situe

❶ **Doc 1.** Quels sont les deux grands producteurs d'huile de palme dans le monde ? À quel continent appartiennent-ils ?

▶ Je pense par moi-même et avec les autres

❷ **Doc 1 et 2.** Cette activité agricole est-elle durable (effets sur les habitants et sur l'environnement) ? Justifiez votre avis.

▶ J'écoute les autres et je justifie mon point de vue

DÉBAT

❸ Dans la classe, organisez un débat sur cette question de société : faut-il encore consommer de l'huile de palme ?

2 Atouts et limites de l'huile de palme

Le principal atout de l'huile de palme réside dans sa rentabilité[1].

Face à une hausse très importante de la consommation depuis une vingtaine d'années, les pays producteurs ont augmenté les espaces dédiés à la culture du palmier à huile. Des millions d'hectares de forêts ont été détruits. Des problèmes se posent pour la biodiversité : plusieurs espèces animales vivant dans ces milieux sont menacées. La suppression des forêts a également des conséquences pour les populations des pays : en Indonésie, 40 % de la population dépendent des forêts.

■ D'après Blandine Le Cain, « De quoi l'huile de palme est-elle coupable ? », *Le Figaro*, 17 juin 2015.

1. Sa production demande peu de surface et son prix est inférieur à celui des autres huiles végétales.

MON BILAN DE COMPÉTENCES

Domaines du socle	Compétences travaillées	Pages du chapitre
D1 Les langages pour penser et communiquer	• Je sais m'exprimer en à l'oral. • Je comprends un texte.	Étude de cas .... p. 254-257 Exercice 2 .... p. 268
D2 Les méthodes et outils pour apprendre	• Je sais résoudre un problème en équipe. • Je sais organiser mon travail personnel.	Étude de cas .... p. 258-259 Apprendre à apprendre ..... p. 266
D4 Les systèmes naturels et les systèmes techniques	• Je sais formuler et vérifier des hypothèses. • Je prends conscience de l'impact de l'activité humaine sur l'environnement.	Des études de cas... au monde .... p. 260-261 Exercice 3 .... p. 269
D5 Les représentations du monde et de l'activité humaine	• Je sais identifier les principaux enjeux d'un développement humain durable. • Je sais me repérer dans l'espace. • Je sais analyser une photographie.	Étude de cas .... p. 254-257 et p. 258-259 Des études de cas... au monde .... p. 260-261 Carte .... p. 262-263 Exercice 1 .... p. 268

Comment répondre à nos besoins alimentaires de demain ?

CONSIGNE

À l'occasion de la Journée mondiale de l'alimentation de l'ONU, le 16 octobre, votre classe a décidé de monter une exposition dans la cantine pour présenter des solutions durables (et locales) répondant aux besoins alimentaires de demain.

- Chaque équipe analyse et choisit un scénario qui offre une solution durable, et en imagine la mise en œuvre dans l'établissement ou dans sa région proche.

- La classe réalise ensuite une affiche qui présente les quatre scénarios retenus et leurs applications à l'échelle locale pour nourrir la population mondiale de demain.

ÉQUIPE 1

Produire plus, avec moins de ressources

Votre équipe doit réfléchir à comment obtenir de meilleurs rendements agricoles et donc produire davantage de ressources alimentaires.

Scénario 2 La viande *in vitro*[1], une solution alimentaire ?

Le professeur Post a présenté en 2013, à Londres, un hamburger fait avec de la viande produite en laboratoire.

Il estime que la viande artificielle est la seule solution pour lutter contre la famine tout en préservant l'environnement. Le steak a été fabriqué en seulement 3 mois. [...]

Cette technique présente des avantages évidents : la production artificielle économise jusqu'à 45 % d'énergie, 96 % d'eau et 99 % de surface agricole et permet de réduire les gaz à effet de serre d'environ 96 %.

■ D'après Franziska Badenschier et Julian Windisch, *ARTE Magazin*, 20 novembre 2015.

1. Fabriquée en laboratoire.

Scénario 1 Les élevages d'insectes comestibles plus productifs que les élevages de bétail

Les élevages d'insectes comestibles ont un bien meilleur rendement que les élevages de bétail. Il faut 2 kg d'aliments pour produire 1 kg d'insectes, contre 8 kg pour produire 1 kg de viande bovine. Les insectes ont une croissance rapide et un faible impact sur l'environnement : ils consomment peu d'eau. Très nourrissants, les insectes sont une nourriture d'avenir, déjà consommée dans de nombreux pays en développement.

Accroître les surfaces cultivées

ÉQUIPE 2

Votre équipe doit réfléchir à comment accroître les surfaces agricoles afin d'augmenter les productions alimentaires.

Scénario 1 Développer l'agriculture urbaine

L'agriculture dans des espaces urbains (les toits, par exemple), représente aujourd'hui 5,9 % des terres cultivées dans le monde. Le projet « Bamboo Nest Towers » propose de bâtir des structures en bambou conçues pour recevoir des potagers. Il permettrait aux habitants des villes de cultiver leur propre alimentation. Vincent Callabaut Architectures, Paris, 2014-2015.

Scénario 2 Acheter de nouvelles terres cultivables à l'étranger

Les achats de terres agricoles par des étrangers en Afrique et ailleurs dans le monde menacent la sécurité alimentaire des populations pauvres.

Les Chinois, Indiens, Coréens du Sud et les économies pétrolières du Golfe sont à la recherche de terres étrangères pour répondre à leurs besoins croissants de production alimentaire. Les pays occidentaux, eux, sont intéressés par les opportunités de production pour leurs biocarburants[1]. En théorie, les ventes de terres agricoles peuvent constituer une chance, pour un pays pauvre avec une faible densité de population, d'acquérir des nouvelles technologies, des formations et des capitaux. En pratique, le marché des terres ne bénéficie pas aux populations et entraîne des dégâts environnementaux.

Grande exploitation agricole appartenant à une entreprise chinoise en Angola, 2014

■ D'après Jean Serjanian, « La course aux terres agricoles en Afrique », *Géopolis*, 19 juin 2012.

1. Carburants fabriqués à partir de plantes cultivées.

ÉQUIPE 3

Diminuer les gaspillages alimentaires

Votre équipe doit expliquer comment la lutte contre les gaspillages de nourriture permettra d'augmenter les ressources alimentaires.

Scénario 1 — Pertes et gaspillages continuent d'accentuer les inégalités alimentaires

L'Organisation des Nations unies pour l'alimentation et l'agriculture (FAO) estime qu'un tiers de la part des aliments destinés à la consommation humaine est perdu ou gaspillé dans le monde, soit plus de 160 kg par an et par habitant. Le gaspillage alimentaire à l'échelle mondiale a lieu, pour 54 % durant les phases de production [...] et pour 46 % au stade [...] de la consommation. Dans les pays en développement, les pertes ont lieu essentiellement au cours de la production [...] faute d'outils et d'infrastructures suffisantes et adaptées. En revanche, dans les pays riches, le gâchis se fait majoritairement à la consommation[1].

■ D'après Laetitia Van Eeckhout, « 5 questions sur le gaspillage alimentaires », *Le Monde*, 10 décembre 2015.

1. Selon la FAO, 110 kg par an et par habitant, contre 10 kg par an dans les pays en développement.

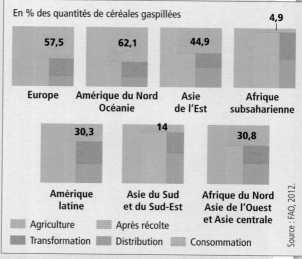

En % des quantités de céréales gaspillées

- Europe : 57,5
- Amérique du Nord Océanie : 62,1
- Asie de l'Est : 44,9
- Afrique subsaharienne : 4,9
- Amérique latine : 30,3
- Asie du Sud et du Sud-Est : 14
- Afrique du Nord Asie de l'Ouest et Asie centrale : 30,8

Agriculture — Après récolte — Transformation — Distribution — Consommation

Source : FAO, 2012.

Production de céréales perdue ou gaspillée aux différents stades de la chaîne alimentaire

---

LE GASPILLAGE ALIMENTAIRE EN FRANCE

Ministère de l'Agriculture, de l'Agroalimentaire et de la Forêt

gaspillagealimentaire.fr

CHAQUE ANNÉE, PLUS DE **10 MILLIONS DE TONNES** DE DÉCHETS ALIMENTAIRES SONT PRODUITS :

- PAR LES FOYERS **6,5 Mt.**
- PAR LA DISTRIBUTION **2,3 Mt.**
- PAR LA RESTAURATION* **1,5 Mt.**

* COLLECTIVE ET COMMERCIALE

DONT **1,2 Mt.** DE NOURRITURE ENCORE CONSOMMABLE

SOIT **20 kg** PAR AN ET PAR FRANÇAIS

SOURCES : RAPPORT URBAN FOOD LAB 2011 ET ADEME

Affiche de sensibilisation contre le gaspillage alimentaire, octobre 2014, France

Scénario 2

La sensibilisation contre le gaspillage permet d'augmenter les ressources.

Environ 1,4 milliard d'hectares, soit près de 30 % des terres agricoles cultivables, est exploité pour produire des aliments qui seront perdus. En France, la mobilisation contre le gaspillage alimentaire est forte. Une Journée nationale de lutte contre le gaspillage alimentaire est programmée chaque année (16 octobre). Une loi a également été votée en 2016 pour réduire le gaspillage alimentaire de moitié d'ici 2025.

Changer notre alimentation

ÉQUIPE 4

Votre équipe doit expliquer en quoi un changement de nos habitudes alimentaires permettra de mieux nourrir la planète sans compromettre les productions agricoles.

Scénario 1 — Consommation non durable et explosion de l'obésité

Les habitudes alimentaires se modifient rapidement avec le développement et la mondialisation, en particulier dans les pays en développement, où l'on constate une augmentation de la consommation de viande. Or, la production de viande est beaucoup plus coûteuse pour les ressources agricoles et moins durable.

Plus d'un adulte sur trois dans le monde souffre d'obésité ou de surpoids, soit 1,46 milliard de personnes. En moins de 30 ans, le nombre de ces personnes a presque quadruplé dans les pays en développement où la majorité des gens en surpoids ou obèses se trouvent aujourd'hui. Plus de gras et de sucre, une nourriture plus accessible et disponible sont autant de causes de l'obésité. Les migrations vers les villes, les mobilités réduites ont aggravé le phénomène.

■ D'après deux articles de Rémi Barroux, *Le Monde*, 6 janvier 2014, et de Marion Guénard, *Le Figaro*, 19 décembre 2011.

Le Mexique, le pays « le plus obèse » du monde

En 2015, 73 % de la population est en surpoids et 32,8 % des adultes sont obèses. Ils n'étaient que 10 % en 1989.

Scénario 2 — Maîtriser nos consommations

Il ne s'agit pas de demander aux plus pauvres de restreindre leur alimentation. Mais bien plutôt de changer les modes de consommation, à l'Ouest mais aussi dans les pays émergents où les habitudes alimentaires sont en plein bouleversement : partout dans le monde, la hausse des revenus s'accompagne d'une augmentation de la consommation de viande.

■ D'après S. Treyer, Science Po Iddri, cité dans *Slate*, 5 avril 2012.

Guide alimentaire publié par le centre intégré de santé et de services sociaux de Laval au Québec, Canada, 2015

Cette assiette montre comment composer ses repas en tenant compte des proportions recommandées pour un repas équilibré.

Partie 3

Prévenir les risques, s'adap

QUESTION CLÉ

→ À quels effets du changement global et à quels risqu
les sociétés humaines doivent-elles se préparer ?
Comment doivent-elles adapter leurs territoires ?

Une de l'hebdomadaire *Courrier international* n°1204, novembre 2013.

Une du magazine *Alternatives économiques* n°285, novembre 2009.

ENJEU 1 **Le changement global et ses effets**

▶ Comment se manifeste le changement global, notamment le changement climatique ?

▶ La vulnérabilité des sociétés est-elle liée à leur niveau de développement ?

→ **Chapitre 14, p. 276-297**

au changement global

地震対策資料
No.264-2013

地震防災ガイドブック

備えは
だいじょうぶ

静岡県

Guide de prévention du risque sismique émis par la province de Shizuoka (Japon), 2014.

Planète

| PLANÈTE | Population | Agriculture & Alimentation | Pollutions | Santé-environnement | Habitat | COP21 |

Brésil : coulée de boue gigantesque après la rupture d'un barrage minier

Le Monde.fr avec AFP | 05.11.2015 à 22h42 • Mis à jour le 06.11.2015 à 16h13

Abonnez vous à partir de 1 €   ⬛ Réagir ★ Classer 🖨 ✉   f Partager (3 252)   🐦 Tweeter

ENJEU 2 Prévenir les risques industriels et technologiques

▶ Quels sont les risques technologiques ?

▶ Comment les sociétés y font-elles face ?

➡ Chapitre 15, p. 298-315

Extrait d'un article du Monde.fr, 5 novembre 2015.

14 Le changement global et ses effets

→ Comment les sociétés s'adaptent-elles aux effets du changement global sur leur territoire ?

Au cycle 3

En CM2, j'ai compris que les différentes actions des femmes et des hommes peuvent améliorer la façon dont ils habitent leur territoire.

Au cycle 3

En 6e, j'ai étudié les différentes façons d'habiter les littoraux, espaces très peuplés et vulnérables. J'ai compris que dans les espaces à fortes contraintes, les habitants doivent préserver leur environnement.

Ce que je vais découvrir

En 5e, je vais découvrir comment les femmes et les hommes s'adaptent au changement global (réchauffement climatique, urbanisation accentuée...).

OCÉAN PACIFIQUE
Îles Kiribati
OCÉANIE

1 **Un barrage de sacs de sable contre la montée des eaux du Pacifique, îles Kiribati, 2015**

La population des îles Kiribati doit faire face à un double problème : les sols s'affaissent à cause de la destruction de la barrière de corail par les êtres humains, et le niveau de la mer monte du fait du réchauffement global.

En 2014, 1 personne par seconde a déménagé pour des raisons climatiques. Cela représente 19,3 millions de réfugiés climatiques par an !

CLIMAT: COMPRENDRE POUR AGIR

Organisation météorologique mondiale
Temps • Climat • Eau

2 Affiche de l'Organisation météorologique mondiale (OMM), ONU, 2015

L'activité croissante des sociétés accélère l'augmentation des températures. Depuis sa création en 1950, l'OMM surveille ces changements climatiques et les risques qu'ils posent pour les sociétés humaines.

Le Bangladesh face aux effets du changement global

Question clé À quels risques le Bangladesh est-il exposé ? Quelles sont les réponses apportées ?

Bangladesh
ASIE

A Un pays pauvre, des risques naturels accrus

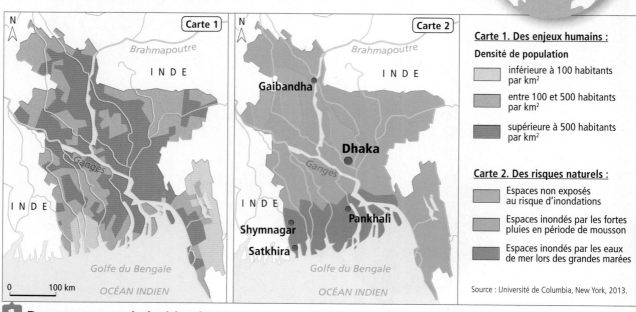

Carte 1. Des enjeux humains :

Densité de population

▢ inférieure à 100 habitants par km²

▢ entre 100 et 500 habitants par km²

▢ supérieure à 500 habitants par km²

Carte 2. Des risques naturels :

▢ Espaces non exposés au risque d'inondations

▢ Espaces inondés par les fortes pluies en période de mousson

▢ Espaces inondés par les eaux de mer lors des grandes marées

Source : Université de Columbia, New York, 2013.

1 Des espaces vulnérables fortement exposés aux risques naturels

2 Zariul raconte...

Zariul habite près de Gaibandha, au nord du Bangladesh.

« Les inondations, les tempêtes et les cyclones, ça arrive souvent. Ça peut durer quelques semaines, parfois un mois, alors on attend. La maison a pourtant été surélevée pour éviter les inondations, mais ce n'est pas suffisant. En 40 ans, j'ai déménagé huit fois, d'abord tous les 10 ans. Mais les trois dernières fois, c'était tous les 5 ans. Toujours à cause des inondations. Déplacer sa maison, ça veut dire recommencer une nouvelle vie. Se déplacer coûte très cher. Quand il faut partir, je perds mes terres, mes économies. On devient de plus en plus pauvre. On est huit dans la famille, je ne sais pas comment on va survivre. »

■ D'après J. Lallouët-Geffroy, *Reporterre*, 13 janvier 2015.

VOCABULAIRE

▶ **Changement global**
Évolutions ou modifications qui concernent le monde entier et qui augmentent les risques pour les sociétés, par exemple la montée du niveau des océans, l'accroissement de la population mondiale ou le réchauffement climatique.

▶ **Cyclone**
Phénomène climatique extrême en zone tropicale qui entraîne des vents violents, des pluies torrentielles, des vagues et des tempêtes destructrices.

▶ **Risque**
Danger qui peut menacer un groupe humain.

▶ **Vulnérabilité**
Plus ou moins grande fragilité d'une société face à un risque.

3 Des réfugiés climatiques dans les bidonvilles de Dhaka

Dhaka (15 millions d'habitants) accueille 1 000 migrants climatiques par jour.

4 Inondations dans la région de Satkhira, 2014

Les villageois de la région de Satkhira vivent dans les inondations 5 mois par an. Le Bangladesh est de plus en plus exposé au risque de cyclone.

Activités

> **Question clé** À quels risques le Bangladesh est-il exposé ? Quelles sont les réponses apportées ?

ITINÉRAIRE 1

▶ **Je localise et je situe**

❶ **Doc 1, Chiffres clés.** Présentez le Bangladesh (localisation, densité de population, développement).

▶ **Je comprends le sens général des documents**

❷ **Doc 1, 2 et 4.** Quels risques naturels menacent le Bangladesh ? Quelles régions en particulier ?

❸ **Doc 1 à 4.** Quelles sont les conséquences des inondations pour les populations ?

❹ **Doc 3.** Quelles sont les conséquences du changement global pour la ville de Dhaka ? Expliquez.

OU

ITINÉRAIRE 2

▶ **J'extrais des informations, je les classe (étape 1)**

À l'aide des documents 1 à 4, je complète le schéma pour répondre à la question clé.

augmente — **Changement global** — augmente

menacent

Risques naturels → Doc 1, 2 et 4   augmentent   **Des territoires vulnérables** (enjeux humains et économiques) → Doc 1 à 4 et chiffres clés

réduisent   réduisent

Des réponses apportées à toutes les échelles → p. 280-281

B Prévenir les risques pour protéger la population

5 Consolidation des digues de protection, 2015

Les digues de terre sont consolidées de manière artisanale par les villageois du village de Kalabogi, au sud du Bangladesh.

6 Atelier de prévention des risques dans le village de Pankhali, 2014

La prévention passe par la transmission de l'expérience des catastrophes naturelles comme ici, Mannan Molla, âgé de plus de 70 ans.

7 Agir à l'échelle mondiale contre le changement global

Interview d'Atiq Rahman, scientifique bangladais.

Le problème du réchauffement du climat est un problème de justice. Chaque Bangladais produit en moyenne 0,3 tonne de CO_2 par an. Aux États-Unis, en Europe, vous dépassez souvent les 10 tonnes par individu. Nous, au Sud, nous n'avons qu'une responsabilité extrêmement limitée dans le réchauffement. Le problème du réchauffement doit être traité globalement, pas « pays par pays ». Le Bangladesh a besoin d'argent. Cet argent permettrait de lutter sur tous les fronts : surveillance de l'environnement, prévention et plans de secours, transferts de connaissances et de technologies, etc. Nous avons, nous aussi, d'énormes progrès à accomplir. Si les vrais responsables du réchauffement ne prennent pas leurs responsabilités, nous allons au-devant de vastes déplacements de population.

■ D'après l'entretien réalisé par Philippe Lamotte, publié dans *La Revue Durable*, n° 42, mai-juin-juillet 2011, www.larevuedurable.com.

8 Un plan d'action contre le changement climatique

• Principaux projets attendus :

– Les systèmes d'alerte concernant les cyclones, marées de tempête et inondations du Bangladesh seront modernisés pour permettre des prévisions plus précises.

– Des abris résistants aux cyclones et aux inondations seront construits.

– Des programmes d'eau potable et d'assainissement seront mis en place dans les zones exposées aux effets du changement climatique : zones côtières et zones inondées.

– De nouvelles digues côtières et fluviales seront construites.

– Les scénarios de changement climatique seront modélisés et guideront la conception des nouvelles digues de protection contre les inondations.

– Le programme de boisement de la côte prévoit la plantation de mangroves le long du littoral pour le protéger.

■ Stratégie et plan d'action du Bangladesh contre le changement climatique mis en place par le gouvernement du Bangladesh, commission européenne, Alliance mondiale contre le changement climatique (AMCC), 2012.

9 Reconstruction du village de Shymnagar sur pilotis, 2009

Le Programme des Nations unies pour le développement a reconstruit sur pilotis ➊ le village détruit par le cyclone Aila en 2009, en prenant en compte le risque d'inondation.

Activités

Question clé — À quels risques le Bangladesh est-il exposé ? Quelles sont les réponses apportées ?

ITINÉRAIRE 1

OU

ITINÉRAIRE 2

▶ **Je comprends le sens général des documents**

➎ **Doc. 6 et 7** Quelles solutions les populations locales apportent-elles au risque d'inondation ?

➏ **Doc 8.** Quels projets le gouvernement bangladais met-il en œuvre ? Relevez deux exemples.

➐ **Doc 7, 8 et 9.** Quelles formes prend l'aide internationale ? Pourquoi est-elle nécessaire au pays ?

▶ **J'imagine, je conçois et je réalise une production**

➑ À l'aide des réponses aux questions 1 à 6, réalisez une affiche répondant à la question clé. Vous pouvez vous aider des trois cases du schéma de l'itinéraire 2 pour organiser vos arguments sur l'affiche.

▶ **Je complète un schéma (étape 2)**

À l'aide des documents 5 à 9, terminez le schéma pour répondre à la question clé.

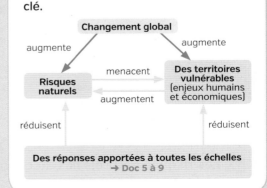

Changement global

augmente / augmente

Risques naturels — menacent → **Des territoires vulnérables** [enjeux humains et économiques]

augmentent

réduisent / réduisent

Des réponses apportées à toutes les échelles
→ Doc 5 à 9

Comment parviendrons-nous en France à faire face aux effets du changement global ?

CONSIGNE

La fragilité des territoires français face au changement climatique (doc 1 et 2) nous impose d'agir dès aujourd'hui pour demain. Chaque équipe doit identifier le scénario qui semble offrir les solutions les plus durables. Chacune réalise la production de son choix (diaporama, affiche...) pour la présenter aux autres équipes et argumenter. Les trois scénarios retenus (un par type d'espace) constitueront la proposition finale faite à votre député qui pourra en faire part à l'Assemblée nationale.

Le changement climatique en France

ÉQUIPES 1-2-3

Pour comprendre les enjeux du changement climatique à l'échelle de la France, commencez par répondre aux consignes suivantes à l'aide de ces deux documents :

❶ Quelles sont les deux origines possibles du changement climatiques ?

❷ Établissez une liste des effets du changement climatique sur les territoires.

Source : www.ademe.fr

- ● Grandes villes : vagues de chaleur avec augmentation de la pollution
- △ Montagnes : Fonte des neiges et risques naturels accrus (avalanches...)
- ── Littoraux menacés (érosion et inondations / submersion côtières)
- ○ Ports et industries menacés par les inondations
- ▨ Risques majeurs de sécheresses et feux de forêts
- ── Risques de crues

1 Les risques naturels liés au changement global en France métropolitaine

2 La France face au changement climatique

Le changement climatique est aujourd'hui un phénomène avéré, dont on attribue la cause à l'intensification des activités humaines ou à des processus naturels.

Les effets du changement climatique sur les territoires sont mieux connus : fonte des glaciers, diminution de l'enneigement, sécheresse, inondations, feux de forêts, montée du niveau des eaux, mais aussi nouvelles possibilités de culture, etc.

Malgré les efforts « d'atténuation » qui visent à réduire l'impact des activités humaines sur le climat, celui-ci évoluera et il faut s'y préparer.

▪ Territoires en mouvement, DATAR, 2012.

S'adapter à la montée des eaux sur le littoral

Avec le réchauffement climatique, le niveau des mers pourrait s'élever de 8 à 23 cm d'ici à 2030. Aujourd'hui, plus de 1 Français sur 10 habite sur le littoral, un territoire exposé aux risques d'érosion et de submersion (inondations côtières), notamment pendant les tempêtes. Comment prévenir, limiter, atténuer ces risques ?

Scénario 1 **Lutter contre les risques**

Des vagues se brisent sur les digues de Wimereux (Pas-de-Calais) lors des grandes marées de mars 2015. Les différents acteurs luttent contre les effets de l'érosion littorale et des submersions marines par des aménagements solides : enrochements, digues ou brise-lames.

Scénario 2 **Prévenir les risques et accompagner les populations**

Deux experts du ministère de l'Environnement et du Développement durable inspectent les zones inondées après le passage de la tempête Xynthia, pour définir un plan de prévention des risques d'inondation à La Faute-sur-Mer (Vendée), juin 2010. Il est interdit de construire en bord de mer, et toutes les activités et habitations sont déplacées dans les terres à l'abri des risques.

Scénario 3 **Fuir la montée des eaux : les migrations climatiques**

Dans le cas d'un scénario où la montée des eaux n'est pas ralentie, la submersion de certaines zones littorales obligerait de nombreuses populations du bord de mer à abandonner leur habitation. La question du relogement des réfugiés climatiques deviendrait un enjeu de société majeur.

Maison menacée par l'érosion du littoral et la submersion marine lors des tempêtes, Soulac-sur-Mer (Gironde), 2015.

ÉQUIPE 2

Adapter les espaces agricoles aux effets du changement global

Avec le réchauffement climatique, les températures en France pourraient augmenter de +0,5 °C à 1 °C d'ici 2030. Des territoires qui dépendent beaucoup des activités agricoles sont exposés aux risques de pénurie d'eau, de canicule et d'épisodes climatiques extrêmes (tempêtes, grêles). Comment prévenir, limiter, atténuer ces risques ?

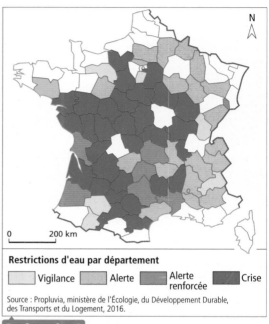

Restrictions d'eau par département

Vigilance — Alerte — Alerte renforcée — Crise

Source : Propluvia, ministère de l'Écologie, du Développement Durable, des Transports et du Logement, 2016.

Scénario 2 Interdire l'usage de l'eau pour les pratiques agricoles

Lorsque l'agriculture n'est pas adaptée, la poursuite de l'irrigation provoque des tensions très grandes sur la ressource en eau. L'État impose des arrêtés de limitation des usages de l'eau plus fréquents, plus longs et dans plus de régions.
Carte nationale des arrêtés de restriction d'eau au 1er août 2015.

Scénario 1 Privilégier des cultures adaptées

L'eau devenant plus rare, il faudra alors cultiver des variétés plus adaptées aux nouvelles conditions climatiques. Le sorgho, céréale tropicale peu exigeante en eau, remplace ainsi peu à peu la culture du maïs au sud de la Loire.
Livret de promotion de la culture du sorgho, 2016.

Scénario 3 Mettre en œuvre de nouvelles techniques agricoles

L'agroforesterie[1] permet de protéger les cultures et les animaux des aléas climatiques (soleil, vent, pluie), et de préserver le sol. Les simulations montrent que les cultures partiellement à l'ombre des arbres sont moins sensibles aux accidents climatiques (canicules) et hydriques (sécheresses). L'évaporation est réduite à l'ombre et la température des plantes inférieure de 2 à 8 °C à celles en plein soleil.

■ D'après INRA, *Agroforesterie, productivité et changement climatique*, 8 juillet 2015.

1. L'agroforesterie est un système associant l'agriculture (cultures et élevages) et la sylviculture (forêt).

ÉQUIPE 3

S'adapter au réchauffement climatique en montagne

Avec le réchauffement climatique, les températures hivernales minimales en montagne pourraient augmenter de +1,2 °C à 1,5 °C d'ici 2030. Ces territoires qui dépendent beaucoup du tourisme hivernal sont exposés aux risques de pénurie d'eau et de diminution de l'enneigement. Comment prévenir, limiter, atténuer ces risques ?

Scénario 1 Augmenter l'enneigement artificiel

Entretien avec Louis Guily, directeur du bureau d'études Dianeige[1].

Les pistes ont été considérablement élargies pour mieux répartir les contraintes exercées par les skis qui dégradent le manteau neigeux. Sauf que tous ces efforts seront vains si la douceur s'installe durablement en altitude ! Faire cracher les canons à neige n'est raisonnable qu'à partir d'une température de l'air inférieure à -2 °C. Les créneaux de production se réduisent : produire entre 0 °C et -2 °C revient bien trop cher. Cette activité pompe en effet beaucoup d'eau et d'électricité. La neige est un mélange d'eau et d'air qu'il est physiquement impossible de produire à température positive. Même si l'on y parvenait, elle fondrait rapidement une fois arrivée au sol.

■ D'après Vincent Nouyrigat, *Sciences & Vie*, n° 1178, novembre 2015.

1. Dianeige est une entreprise spécialisée dans l'aménagement des espaces montagnards.

Canon à neige.

Scénario 2 Diversifier les activités des stations

Le caractère aléatoire de l'enneigement – alternance entre des saisons à fortes et à faibles précipitations – est la principale difficulté des stations de ski. Une hausse de température moyenne de 2 °C ferait perdre jusqu'à un mois d'enneigement en moyenne montagne.

Les collectivités territoriales doivent adapter leur stratégie de développement aux besoins d'une clientèle qui recherche dans la montagne un cadre de vie favorable à l'exercice de certaines activités sportives (et pas uniquement le ski alpin), ou lié à la découverte de la nature.

Seule une meilleure anticipation des mutations en cours peut permettre d'éviter une fermeture brutale des stations les plus vulnérables et l'effondrement d'un pan entier de l'économie des territoires de montagne.

■ D'après la Cour des Comptes, *L'Avenir des stations de ski des Pyrénées*, février 2015.

Scénario 3 Transporter la neige des sommets

Les responsables de la station de Sainte-Foy-Tarentaise (Savoie) ont organisé en décembre 2015 l'héliportage de 100 tonnes de neige, pour permettre d'ouvrir toutes les pistes de la station.

SOCLE Compétences
▶ **Domaine 4** : je formule des hypothèses et je les vérifie

Comment les sociétés s'adaptent-elles aux effets du changement global ?

ÉTAPE 1 — Je fais le point

site élève
⬇ tableau à imprimer

A Recopiez le tableau suivant.

	Le Bangladesh	La France
Les risques liés au changement global		
Les conséquences pour les sociétés et leurs territoires		
Les réponses apportées		

B Complétez le tableau avec les expressions proposées ci-dessous. Attention, vous n'avez le droit d'utiliser que 8 expressions au maximum (2 dans certaines cases). Choisissez bien celles qui résument le mieux les réponses des sociétés aux effets du changement global au Bangladesh ou en France.

1. Forte densité de population – réchauffement climatique – activités sur le littoral – phénomènes climatiques extrêmes – constructions en zones vulnérables – problème d'enneigement – plus grande vulnérabilité – émissions de gaz à effet de serre – déforestation – concentration des hommes et des activités dans des zones à risques – érosion et submersion littorales.

2. Habitations inondées – catastrophes plus nombreuses – populations plus pauvres – bidonvilles grandissants – problèmes de ressources en eau – migrations forcées de populations – moins de périodes de ski – coûts importants – activités économiques fragilisées – développement et conditions de vie diminués – inquiétudes fortes pour l'avenir.

3. Protéger par des aménagements – plans nationaux d'adaptation – renforcer les protections – attendre sans rien faire – adapter les activités – lutter contre la nature – évaluer scientifiquement le risque – informer et éduquer les populations aux risques – agir à toutes les échelles – financer des programmes d'aide.

C Une fois que votre professeur vous aura donné les éléments de réponse pour la deuxième colonne du tableau, entourez les expressions communes aux deux pays.

ÉTAPE 2 — J'en déduis des hypothèses

Une hypothèse est une idée que l'on propose et qu'il faudra ensuite vérifier pour savoir si elle est vraie ou fausse.

D À l'aide du tableau, choisissez ci-dessous les quatre hypothèses qui vous semblent le mieux compléter la phrase suivante.

De manière générale, les réponses aux effets du changement global nous montrent plutôt que...

1. Les pays pauvres sont mieux équipés et mieux préparés.
2. Les risques naturels sont plus importants avec l'augmentation des activités humaines.
3. Les populations pauvres sont moins exposées que les populations riches.
4. La gestion des problèmes se fait uniquement au niveau local.
5. Les risques et les adaptations des sociétés aux changements dépendent du niveau de développement.
6. Les effets du changement global sont impossibles à prévoir.
7. Il faut limiter ce qui renforce les risques : urbanisation, déforestation, transports routiers.
8. Les réponses aux risques concernent tous les acteurs et toutes les échelles.

Je vérifie si mes hypothèses sont justes

E Associez chacun des documents ci-dessous à l'hypothèse de l'étape 2 qui lui correspond.

1 Le projet « Big U », pour protéger New York de la montée des eaux

Big U est le plus important projet d'aménagement et de protection des berges de New York, son coût prévu est de 1 milliard de dollars.
Image du projet de la ville de New York, 2014.

2 Le changement climatique et le développement

Changement climatique et pauvreté sont liés. Les gens les plus pauvres, vivant dans des logements précaires et sur des territoires vulnérables, sont les plus affectés par les changements climatiques.

En Indonésie, par exemple, les populations défavorisées ont un risque 30 % plus élevé d'être touchées par une inondation, et un risque 50 % plus élevé de subir une sécheresse. Les plus pauvres sont non seulement plus exposés, mais ils perdent beaucoup plus quand ils sont frappés. Leur richesse, qui n'est pas placée sur un compte bancaire mais se résume souvent à du bétail ou à leur logement, est beaucoup plus vulnérable et peut être complètement détruite.

Dans certains pays pauvres, le soutien de la communauté internationale sera essentiel pour investir dans les transports urbains, les infrastructures énergétiques ou la lutte contre la déforestation.

■ Laetitia Van Eeckhout, « Le changement climatique va faire exploser la pauvreté », *Le Monde*, 8 novembre 2015.

PARIS2015
CONFÉRENCE DES NATIONS UNIES
SUR LES CHANGEMENTS CLIMATIQUES
COP21·CMP11

« NOUS COMPTONS SUR VOUS ! »

30 NOV › 11 DEC 2015   cop21.gouv.fr

3 Les engagements de la Cop21

En décembre 2015, 195 États ont adopté un accord universel sur le climat à la Cop21 de Paris. Cet accord invite à limiter, à toutes les échelles, les émissions de CO_2.
Affiche pour la Cop21, 2015.

Le changement global et ses effets

➡ Entre 2000 et 2010, la déforestation a touché **5,2 millions d'hectares/an** (14 terrains de football par minute)

➡ **L'augmentation de la température moyenne** globale entre **1880-2012** est de **0,85 °C**, elle pourra être de **+4,8 °C** entre **2081-2100**

➡ **L'élévation du niveau des mers** est de **+19 cm** entre **1901 et 2010**, elle pourra atteindre **+82 cm** entre **2081 et 2100**

▸ **Changement climatique**
Un des changements à l'échelle mondiale sur le climat lié à l'activité humaine et qui augmente les risques naturels pour les sociétés.

▸ **Changement global**
Évolutions ou modifications qui concernent le monde entier et qui augmentent les risques pour les sociétés, par exemple la montée du niveau des océans, l'accroissement de la population mondiale ou le réchauffement climatique.

▸ **Risque**
Danger qui peut menacer un groupe humain.

▸ **Vulnérabilité**
Plus ou moins grande fragilité d'une société face à un risque.

➡ **Je me repère dans l'espace**

❶ Quelles sociétés amplifient le changement global ?

❷ Quelles sont les régions du monde les plus exposées aux risques naturels ?

❸ Pourquoi n'existe-t-il pas ou presque pas de risque en Antarctique ?

❹ Quel lien peut-on établir entre le développement d'un pays et sa capacité d'adaptation au changement global ?

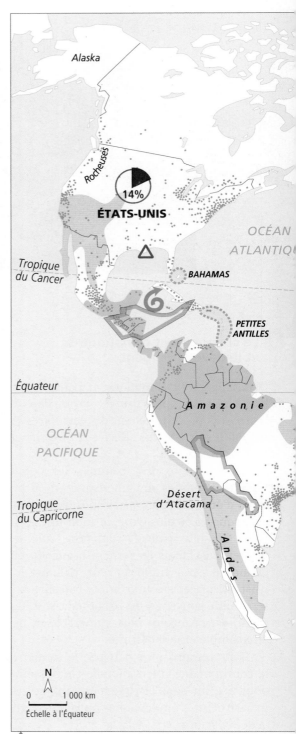

1 Le changement global et ses principaux effets

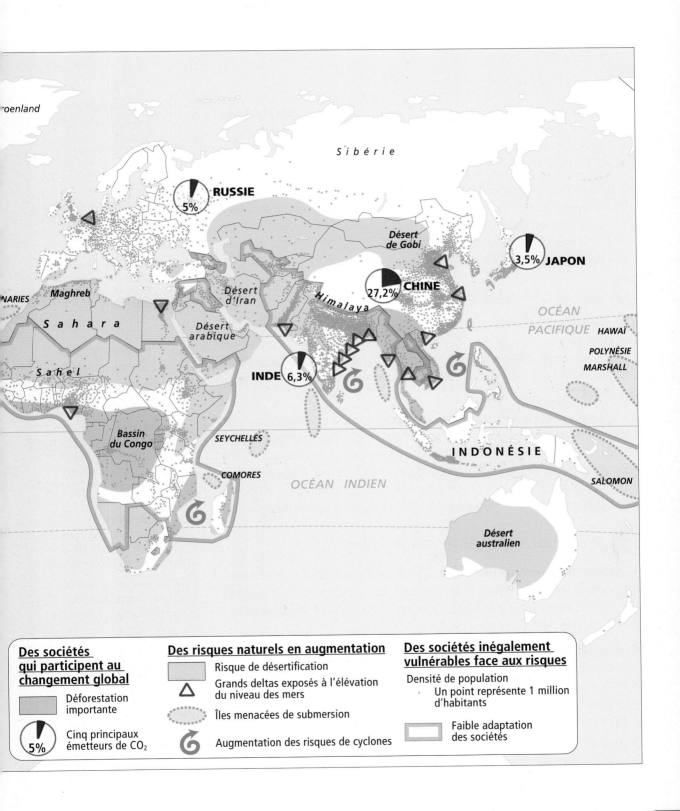

Groenland

S i b é r i e

RUSSIE
5%

*Désert
de Gobi*

3,5% **JAPON**

ANARIES   *Maghreb*

*Désert
d'Iran*

27,2% **CHINE**

OCÉAN

PACIFIQUE HAWAÏ

S a h a r a

*Désert
arabique*

Himalaya

POLYNÉSIE

MARSHALL

S a h e l

INDE 6,3%

*Bassin
du Congo*

SEYCHELLES

I N D O N É S I E

COMORES

OCÉAN INDIEN

SALOMON

*Désert
australien*

Des sociétés
qui participent au
changement global

Déforestation
importante

5% Cinq principaux
émetteurs de CO₂

Des risques naturels en augmentation

Risque de désertification

Grands deltas exposés à l'élévation
du niveau des mers

Îles menacées de submersion

Augmentation des risques de cyclones

Des sociétés inégalement
vulnérables face aux risques

Densité de population
Un point représente 1 million
d'habitants

Faible adaptation
des sociétés

Le changement global et ses effets

→ **Comment les sociétés s'adaptent-elles aux effets du changement global sur leur territoire ?**

A Les risques naturels

1. Entre l'an 2000 et 2015, on a recensé 6 500 **catastrophes** naturelles dans le monde. **250 millions de personnes** sont affectées chaque année par des **phénomènes climatiques extrêmes** (tempête, sécheresse, inondation) dont l'intensité a augmenté.

2. L'activité humaine renforce également les **changements climatiques**. Depuis le XIXe siècle, les rejets de **gaz à effet de serre** des activités industrielles et des transports contribuent au réchauffement rapide de l'atmosphère et intensifient les menaces pour les sociétés : submersion marine, sécheresse, tempêtes.

B Des sociétés inégalement vulnérables

1. Les **risques** naturels sont aggravés par les **fortes densités** de population et par l'action des hommes. **La déforestation** favorise les risques de crue. L'**urbanisation** rend les sociétés plus **vulnérables** en zone inondable : littoraux, bassins des fleuves et deltas, comme au Bangladesh.

2. Les populations des **pays pauvres** sont plus vulnérables que les populations des pays riches : 98 % des victimes de **catastrophes** naturelles habitent un pays en développement. Les populations des îles Kiribati migrent devant la montée du niveau des mers, mais à New York des investissements protègeront l'île de Manhattan. La **vulnérabilité des sociétés** est inégale selon **leur niveau de développement**.

C Des réponses à toutes les échelles

1. À l'échelle internationale, les pays collaborent pour prendre des mesures contre les risques planétaires. En 2015, la Cop21 a réuni 197 pays à Paris pour définir des objectifs communs de diminution des émissions de CO_2.

2. Au niveau national, les États riches prennent des mesures préventives pour **réduire la vulnérabilité** des populations. En France, les plans de **prévention** des risques d'inondation (PPRI) limitent l'urbanisation dans les espaces inondables. Dans les **pays pauvres**, la **prévention** est peu développée.

3. Localement, les collectivités **aménagent** leur territoire. Les pays pauvres sont soutenus par l'ONU et les ONG pour limiter les effets d'une catastrophe. **L'information** et l'**éducation** sont enfin essentielles pour que chacun prenne conscience des effets du changement global.

CHIFFRES CLÉS

→ **3,2** milliards de personnes affectées par une catastrophe naturelle entre **2000 et 2015**

→ **Inondations et tempêtes** représentent **plus de 60 %** **des catastrophes naturelles** dans le monde

→ **85 %** des personnes exposées aux **risques naturels** vivent dans des **pays en développement**

VOCABULAIRE

▸ **Aménagement**
Action volontaire d'une collectivité (État, région, département, commune...) sur l'organisation de son territoire (répartition de la population, distribution des activités économiques, équipements, environnement...).

▸ **Catastrophe**
Réalisation d'un risque entraînant des dégâts matériels et/ou humains.

▸ **Gaz à effet de serre**
Gaz qui participent au réchauffement climatique.

▸ **Prévention**
Ensemble des mesures prises pour limiter les effets destructeurs d'un risque, avant et après la catastrophe.

▸ **Risque**
Danger qui peut menacer un groupe humain.

▸ **Vulnérabilité**
Plus ou moins grande fragilité d'une société face à un risque.

Changement global

Changements à l'échelle mondiale provoqués, amplifiés par l'activité humaine
(changement climatique, urbanisation généralisée, déforestation…)

augmente →   ← augmente

Risques naturels
(danger naturel potentiel
qui menace les êtres humains)

- Inondations, submersion.
- Érosion des littoraux.
- Avalanches, éboulements.
- Sécheresse.

menacent →
← augmentent

Des territoires vulnérables
(enjeux humains et économiques)

- **Inégalité** à toutes les échelles.
- **Vulnérabilité** plus importante dans :
  - les espaces tropicaux (désertification, cyclones), les littoraux, les zones urbanisées inondables (lits de rivières, deltas)…
  - les pays pauvres plus exposés.

réduisent ↑   ↑ réduisent

Des réponses apportées à toutes les échelles
(capacité de faire face aux effets du changement global)

- À l'échelle internationale.
- À l'échelle nationale.
- À l'échelle locale.
- Au niveau de chaque citoyen.

● **Je vérifie que je connais les principaux repères du chapitre.**

Je sais définir et utiliser dans une phrase :

- catastrophe
- risque
- changement global
- vulnérabilité
- prévention
- aménagement

Je sais situer sur un planisphère :

- les espaces les plus densément peuplés
- les principales chaînes de montagnes
- les grands fleuves et leurs deltas menacés
- les principales zones désertiques de la planète

site élève
⤓ fond de carte

Je sais expliquer :

- les risques liés au changement global.
- l'inégale vulnérabilité des sociétés face aux risques naturels.
- les réponses apportées pour s'adapter au changement global.

Apprendre à apprendre

SOCLE Compétences

▶ **Domaine 2 :** j'organise mon travail personnel

Comment apprendre ma leçon ?

Je révise en équipe

Travailler en équipe, c'est pouvoir s'encourager les uns les autres et s'entraîner en se posant des questions.

▶ **Étape 1**

- Ensemble, révisez la leçon et dégagez ce qu'il faut retenir.

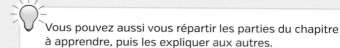

Vous pouvez aussi vous répartir les parties du chapitre à apprendre, puis les expliquer aux autres.

▶ **Étape 2**

- **Organisez des défis**
  Faites deux groupes. Chaque groupe prépare des questions sur le thème du chapitre et les pose au groupe adverse.
  Chaque question rapporte des points en fonction de la qualité des réponses.
  Il faut vous mettre d'accord sur le nombre de questions à poser
  (2 questions faciles, 3 de compréhension et 1 de synthèse...).

- Reproduisez le tableau ci-dessous, puis à vous de jouer !

site élève
⤓ tableau à imprimer

Niveau de difficulté	Exemples de question	Aïe ! ☹ 0 point	À revoir 😐 1 point	Bien 🙂 2 points	Bravo 😃 3 points
NIVEAU 1 Questions simples sur des connaissances précises	• Qu'est ce qu'une catastrophe ? Citez au moins deux exemples. • Définissez « changement global ». • Qu'est ce qu'un réfugié climatique ?				
NIVEAU 2 Questions de compréhension (Les points comptent double)	• Montrez et nommez les principales chaînes de montagne sur le planisphère.				
NIVEAU 3 Questions de synthèse (Les points comptent triple)	• Comment expliquer l'inégale vulnérabilité des sociétés face aux risques naturels ? • Pourquoi le Bangladesh est-il un pays particulièrement vulnérable au changement global ? • Pourquoi n'existe-t-il pas, ou presque pas, de risque en Antarctique ?				

- Après le défi, faites le point sur les parties du cours qui ne sont pas encore maîtrisées, puis posez-vous à nouveau des questions.

N'hésite pas à questionner tes camarades si tu ne comprends pas quelque chose.

Je vérifie mes connaissances

1 Je classe dans le tableau les actions menées pour s'adapter au changement global.

Au niveau ...	Actions menées pour s'adapter au changement global
... du monde entier	
... du pays	
... du lieu de vie	
... de chaque habitant	

a. Déménager les commerces et les habitations hors des littoraux menacés par la submersion.

b. Se déplacer à pied pour limiter les émissions de gaz à effet de serre.

c. Aider financièrement pour soutenir les pays en développement qui veulent se protéger.

d. Aménager un quartier sur pilotis insubmersible.

e. Mettre en place un plan de prévention des risques d'inondation (PPRI).

f. S'engager à respecter les objectifs de la Cop21.

2 Je retrouve les connaissances du chapitre sur une affiche.

Affiche de l'exposition « Climat, l'expo à 360° », 2016.

1. Relevez sur l'affiche trois risques en lien avec le changement global auxquels les sociétés doivent faire face.

2. Quels éléments de l'affiche montrent l'adaptation des sociétés face aux risques ?

3 Je retrouve les mots clés du chapitre en répondant aux devinettes ci-dessous : qui suis-je ?

Je représente la fragilité d'une société à faire face à un risque. Je suis ...

Provoqué par les hommes, je menace par mes effets le monde entier. Je suis ...

Je suis la réalisation d'un risque. Je suis ...

Je limite les effets destructeurs d'un risque. Je suis ...

4 Retrouvez d'autres exercices sous forme interactive sur le site Nathan.

site élève
⬇ exercices interactifs

Exercices

1 J'étudie une photographie du littoral de La Réunion
↳ SOCLE : Domaine 1

Saint–Paul
La Réunion

Le littoral de Saint-Paul, un espace vulnérable, La Réunion, 2015

La déforestation des pentes aggrave le risque d'inondation des plaines littorales et les risques de mouvements de terrain. Ces risques sont amplifiés du fait de la forte concentration sur le littoral de l'habitat et des activités économiques.

QUESTIONS

❶ Localisez et situez la photographie.

❷ Identifiez les risques qui menacent les populations de Saint-Paul à La Réunion.

❸ Comment les hommes ont-ils intensifié les risques qui menacent Saint-Paul ?

2 Je comprends un texte sur les risques naturels
↳ SOCLE : Domaine 1

> Face à l'intensification des catastrophes naturelles, le Conseil économique, social et environnemental (CESE)[1] a présenté des outils pour prévenir les risques. L'aggravation des conséquences des catastrophes naturelles est souvent due à plusieurs facteurs qui se combinent : urbanisation non maîtrisée, changement climatique, faible culture du risque par la population, manque d'outils de prévention.
>
> Le CESE préconise de recenser les zones les plus exposées afin d'évaluer les investissements nécessaires pour améliorer la prévention et la gestion du risque. Il suggère également de favoriser une approche européenne du risque de tempête par des partenariats. Il faut aussi mieux responsabiliser les assurés et les décideurs publics vis-à-vis des aléas afin de ne pas délivrer de permis de construire dans les zones de crue ou situées à proximité d'un cours d'eau.

■ *Actualités habitat*, n° 1023, 15 novembre 2015

1. Le CESE est une assemblée consultative française, composée de 233 membres chargés de conseiller le Gouvernement et le Parlement et de participer à l'élaboration de la politique économique, sociale et environnementale.

VOCABULAIRE

▸ **Risque**
Danger qui peut menacer un groupe humain.

QUESTIONS

❶ Comment le CESE explique-t-il l'intensification des catastrophes naturelles ?

❷ Relevez trois mesures proposées par le CESE pour prévenir les risques naturels.

❸ À qui sont remises ces recommandations du CESE ? Dans quel but ?

3 Je compare deux cartes à des dates différentes

↳ SOCLE : Domaine 5

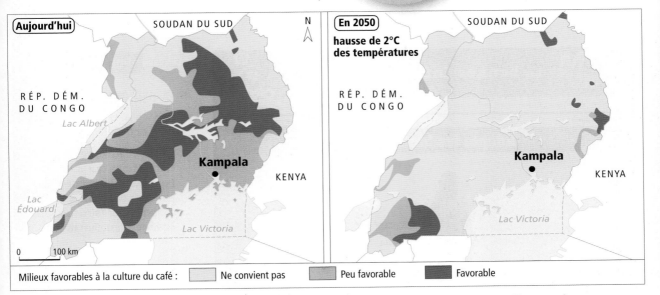

L'impact de la hausse des températures sur la culture du café robusta en Ouganda

QUESTIONS

❶ Quelle est la production agricole présentée par ces deux cartes ? Cette activité est-elle importante en Ouganda ?

❷ Que nous montre la carte 1 et à quelle date ? et la carte 2 ? Décrivez-les.

❸ Comment pourrait évoluer la culture du café dans ce pays ? Pourquoi ?

❹ Pourquoi ce changement est-il aussi préoccupant pour le développement du pays ?

MÉTHODE

▸ Identifiez le thème géographique commun présenté par les deux cartes.

▸ Datez la situation géographique de départ et décrivez-la.

▸ Datez la situation géographique suivante et décrivez-la.

▸ Comparez les différences et les points communs entre les deux cartes.

▸ Expliquez l'évolution constatée.

MON BILAN DE COMPÉTENCES

Domaines du socle	Compétences travaillées	Pages du chapitre
D1 Les langages pour penser et communiquer	• Je sais étudier une photographie. • Je suis capable de comprendre un texte.	Exercice 1 .... p. 294 Exercice 2 .... p. 294
D2 Les méthodes et outils pour apprendre	• J'organise mon travail personnel.	Apprendre à apprendre .... p. 292-293
D4 Les systèmes naturels et les systèmes techniques	• Je prends conscience de l'impact de l'activité humaine sur l'environnement et de ses conséquences sanitaires. • Je sais formuler et vérifier des hypothèses.	Étude de cas .... p. 278-281 Des études de cas au monde .... p. 286-287
D5 Les représentations du monde et l'activité humaine	• Je sais me repérer dans l'espace. • Je comprends les grandes problématiques mondiales sur l'environnement et le climat. • Je sais comparer des cartes.	Carte .... p. 288-289 Étude de cas .... p. 278-281 Exercice 3 .... p. 295

S'engager au quotidien pour limiter les effets du changement global

1 Un outil d'éducation au développement durable

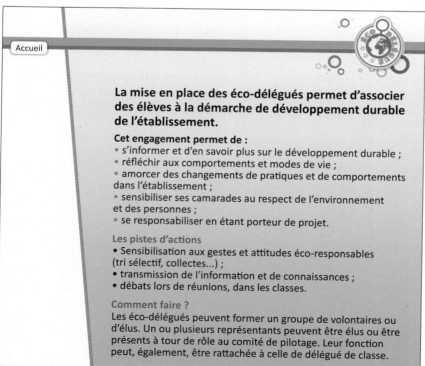

La mise en place des éco-délégués permet d'associer des élèves à la démarche de développement durable de l'établissement.

Cet engagement permet de :
• s'informer et d'en savoir plus sur le développement durable ;
• réfléchir aux comportements et modes de vie ;
• amorcer des changements de pratiques et de comportements dans l'établissement ;
• sensibiliser ses camarades au respect de l'environnement et des personnes ;
• se responsabiliser en étant porteur de projet.

Les pistes d'actions
• Sensibilisation aux gestes et attitudes éco-responsables (tri sélectif, collectes...) ;
• transmission de l'information et de connaissances ;
• débats lors de réunions, dans les classes.

Comment faire ?
Les éco-délégués peuvent former un groupe de volontaires ou d'élus. Un ou plusieurs représentants peuvent être élus ou être présents à tour de rôle au comité de pilotage. Leur fonction peut, également, être rattachée à celle de délégué de classe.

2 Être éco-délégué pour quoi faire ?

QUESTIONS

▶ **Je m'informe**

❶ Doc 2. Quel est le rôle d'un éco-délégué ?

❷ Doc 1. Relevez cinq actions qui vous paraissent fondamentales à mener dans votre collège pour faire face au changement climatique.

▶ **J'échange avec mes camarades de classe**

❸ Doc 1. En tenant compte des particularités de votre collège et des informations fournies par le site, discutez de vos choix avec vos camarades de classe.

❹ Ensemble, définissez cinq actions à mener en priorité en matière de lutte contre le changement climatique.

▶ **Je m'engage**

❺ Votre classe a accepté de réaliser des affiches illustrant les actions à mener au sein du collège. À vos idées !

■ Site internet Éco-délégués, académie de Caen, région Normandie, CRDP de Normandie, ecodelegues.crdp.ac-caen.fr/, 2016.

S'informer des risques naturels pour mieux les prévenir

1 Un site pour s'informer des risques majeurs

L'affiche d'information communale sur les risques de La Faute-sur-Mer, 2016

site élève
🔗 lien vers le site

Étape 1 En 2010, la commune de La Faute-sur-Mer dans les Pays de la Loire a connu une catastrophe avec le passage de la tempête Xynthia.

Rendez-vous sur le site macommune.prim.net pour effectuer une recherche sur les risques qui menacent cette commune.

1 À quels risques cette commune est-elle exposée ?

2 Dans les résultats affichés, quelles autres catastrophes a connues cette commune et en quelle année ?

3 Quel est l'intérêt d'un outil comme Prim.net pour prévenir les risques ?

2 L'affiche d'information communale sur les risques de La Faute-sur-Mer, 2016

Étape 2 Un habitant de votre commune souhaite vendre un logement, mais la loi l'oblige à remplir un formulaire d'information de l'acquéreur ou du locataire (IAL). Ce formulaire informera le futur acheteur des risques qui menacent le lieu d'habitation. Il vous demande de l'aider.

4 Téléchargez le formulaire IAL en cliquant dans le menu de gauche sur « Modèles IAL » puis sur « au format RTF ».

5 Remplissez les parties 2 et 3 en utilisant la recherche sur le site macommune.prim.net

Le formulaire IAL

Prévenir les risques industriels et technologiques

→ Quels sont les risques industriels et technologiques ?
Comment les sociétés y font-elles face ?

Au cycle 3

Au CM2, j'ai appris que « mieux habiter » consistait à préserver nos espaces de vie et à les développer durablement.

Au cycle 3

En 6e, j'ai compris la notion de « risque » pour les sociétés humaines : les habitants des espaces à fortes contraintes et des littoraux sont exposés à des risques naturels.

Ce que je vais découvrir

Je vais étudier comment les sociétés essayent de se protéger des risques industriels et technologiques.

Puerto La Cruz
Venezuela

AUSTRALIE
Gordon Dam
Tasmanie

1 La rupture de barrage, un risque technologique

Des touristes se promènent sur le barrage hydroélectrique de Gordon Dam en Tasmanie, Australie, 2012.

Le sais-tu ?

En France, en cas de catastrophe naturelle ou technologique majeure, la population est avertie par une sirène d'alarme, puis est informée par la radio, notamment en cas d'évacuation.

2 Un risque industriel devenu catastrophe

Frappés par la foudre, le 11 août 2013, les réservoirs de stockage de pétrole de Puerto La Cruz (Venezuela) ont pris feu. Les habitants autour de l'usine sont évacués.

Prévenir le risque nucléaire au Japon

Question clé Comment prévenir les risques nucléaires depuis la catastrophe de Fukushima ?

Fukushima
Japon

A Fukushima : quand le risque devient catastrophe

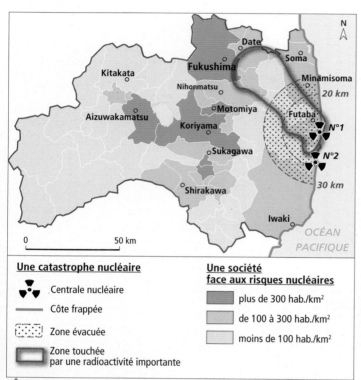

Une catastrophe nucléaire

☢ Centrale nucléaire

— Côte frappée

▨ Zone évacuée

▭ Zone touchée par une radioactivité importante

Une société face aux risques nucléaires

▓ plus de 300 hab./km²

▒ de 100 à 300 hab./km²

░ moins de 100 hab./km²

 1 La catastrophe nucléaire de Fukushima, 11 mars 2011

CHIFFRES CLÉS

➡ Le Japon, **4ᵉ** puissance économique mondiale

➡ **Fukushima : 19 000 victimes** (avec tsunami), **160 000 déplacés**

2 Yoshiharu raconte...

Yoshiharu, agriculteur à Fukushima.

« J'ai entendu un grand bruit. Et après j'ai vu un nuage violet, c'était une explosion à la centrale nucléaire.
Je me suis dit que c'était dangereux et qu'il valait mieux fuir.
Comme des milliers d'autres réfugiés du nucléaire, j'ai été relogé dans un lotissement de logements provisoires. Je partage désormais un 50 m² avec ma femme et ma mère.
À cause de l'accident nucléaire, je ne peux pas retourner chez moi ni travailler dans les champs. Je reçois 800 € d'indemnités par mois de l'entreprise responsable de la catastrophe, mais ça ne change rien. »

■ D'après *Billet retour à... Fukushima, 2 ans après le séisme et la catastrophe nucléaire*, France 24, 2013.

VOCABULAIRE

▸ **Catastrophe**
Réalisation d'un risque entraînant des dégâts matériels et/ou humains.

▸ **Prévention**
Ensemble des mesures prises pour limiter les effets destructeurs d'un risque, avant et après la catastrophe.

▸ **Risque**
Danger potentiel qui menace un groupe humain.

▸ **Risque technologique**
Risque généré par les activités humaines (industrie, énergie et transport).

3 Fukushima, une région contaminée

Des milliers d'hommes ratissent encore les sols, raclent la terre, ramassent les feuillages, arrosent des toits et bâtiments, dans l'espoir de faire baisser les taux de radioactivité.

Les taux de radioactivité[1] ont baissé depuis l'accident nucléaire de 2011. Mais c'est avant tout du fait de la désintégration naturelle[2]. Une zone nettoyée peut très vite se retrouver souillée à nouveau. Les pluies lessivent régulièrement les sols contaminés, emportant une partie des matières radioactives vers les cours d'eau, les transportant des montagnes vers les vallées et, parfois, la mer. La population doit rester vigilante : par exemple, éviter de manger champignons, fruits des bois ou gibiers, très contaminés.

■ D'après Rafaële Brillaud, *ARTE Future*, 2 octobre 2015.

1. Rayons qui s'échappent du noyau d'un atome. À forte dose, la radioactivité devient très dangereuse.
2. Destruction naturelle des atomes, particules, y compris radioactifs.

4 Un pollution invisible mais bien présente

La ville « fantôme » de Futaba voisine de la centrale nucléaire de Fukushima, en 2014. Une personne en charge de la décontamination passe devant une banderole où il est inscrit : « L'énergie nucléaire : pour un meilleur futur ».

Activités

Question clé — Comment prévenir les risques nucléaires depuis la catastrophe de Fukushima ?

ITINÉRAIRE 1

ou

ITINÉRAIRE 2

Je localise et je caractérise des espaces

1 Doc 1. Où se situe Fukushima ? À quel risque technologique les habitants de la région sont-ils exposés ?

Je comprends le sens général des documents

2 Doc 1 et 2. Quels événements dramatiques ont frappé Fukushima en 2011 ?

3 Doc 1 à 4 et Chiffres clés. Quelles sont les conséquences humaines, économiques et environnementales de ces événements ?

4 Doc 1 à 4. Quelles mesures ont été prises au lendemain de la catastrophe pour limiter les effets destructeurs ?

J'extrais des informations, je les classe et je les hiérarchise (étape 1)

À l'aide des documents 1 à 4, commencez à compléter votre bloc-notes sans faire de phrases pour préparer un exposé qui répondra à la question clé.

1. LA CATASTROPHE NUCLÉAIRE DE FUKUSHIMA (Quand ? Événement ? Bilan humain, économique, environnemental ?)
→ Doc 1 à 4 et Chiffres clés

2. APRÈS LA CATASTROPHE, GÉRER LES EFFETS DU RISQUE (Qui ? Comment ?)
→ Doc 1 à 4

3. APPRENDRE DE FUKUSHIMA : AGIR AVANT POUR RÉDUIRE LE RISQUE NUCLÉAIRE
→ p. 302-303

B Limiter le risque nucléaire depuis Fukushima

Répartition et activité des réacteurs nucléaires au Japon en 2016

☢ Réacteurs arrêtés ☢ Réacteur en activité

5 Réduire le risque à sa source

6 Distribution d'iode aux riverains

De nouvelles précautions ont été prises pour protéger les populations proches de centrales nucléaires. L'iode[1] distribué doit diminuer les risques de cancer en cas d'accident. Au Japon, cette distribution fait partie des nouvelles mesures décidées par l'Autorité de régulation nucléaire (NRA) et mises en place après l'accident de Fukushima.

Des dizaines de milliers de personnes avaient quitté leur maison, fuyant parfois dans des lieux encore plus affectés par la pollution radioactive.

Distribuer au préalable de l'iode stable, c'est reconnaître un risque d'accident, ce que les autorités japonaises refusaient de faire pour ne pas effrayer les populations.

■ D'après *Sciences et Avenir*, 28 juillet 2014.

1. Substance chimique qui bloque les particules radioactives dans l'organisme.

7 Compteur Geiger dans une rue de Koriyama, région de Fukushima, 2014

Un enfant passe devant un compteur Geiger installé dans la rue. Ce type de compteur détecte le niveau de radiation. De 2011 à 2013, la ville de Koriyama a recommandé que les enfants de moins de 2 ans ne passent pas plus de 15 minutes par jour à l'extérieur, 30 minutes pour ceux âgés de 3 à 5 ans.

8 Des limites à la prévention

Le gouvernement entretient soigneusement l'idée d'un retour possible et tend à rouvrir progressivement les zones qui étaient interdites à l'habitation. La communication sur le risque a permis [...] « d'éduquer » aux risques sanitaires pour mieux rassurer, par le biais, par exemple, de la distribution de manuels scolaires apprenant à gérer la vie dans un environnement contaminé.

Le programme Ethos Fukushima vise à apprendre aux habitants à gérer leur quotidien dans un environnement contaminé, la migration étant jugée trop coûteuse. Ce programme a également pour but de relancer l'économie dans les régions touchées par la catastrophe, en incitant à la consommation de produits alimentaires issus des zones contaminées. Cette politique de communication va très loin dans la manipulation des esprits.

■ Article de Louise Lis paru dans le dossier « Le Japon, quatre ans après Fukushima », CNRS, *Le Journal*, n° 280, printemps 2015.

9 Exercice de prévention dans une école de Tokyo, 1er septembre 2014

Dans tout le Japon, depuis 1923, le 1er septembre est la « Journée de prévention des catastrophes » en souvenir du séisme du Kanto, qui avait tué plus de 100 000 personnes.

Activités

Question clé **Comment prévenir les risques nucléaires depuis la catastrophe de Fukushima ?**

ITINÉRAIRE 1

ou

ITINÉRAIRE 2

▶ **Je comprends le sens général des documents**

5 Doc 5. Comment l'État japonais a-t-il réduit le risque nucléaire au Japon ?

6 Doc 6, 7 et 9. Quelles sont les mesures prises pour protéger la population du risque nucléaire ?

7 Doc 8. Pourquoi le programme Ethos Fukushima encourage-t-il le retour des populations dans les zones contaminées ? Pourquoi est-il contestable ?

▶ **J'argumente à l'écrit**

8 À l'aide de vos réponses aux questions 1 à 7, répondez à la question clé. Présentez votre texte en trois parties :
1. La catastrophe nucléaire de Fukushima
2. Après la catastrophe, gérer les effets du risque
3. Apprendre de Fukushima : réduire le risque nucléaire.

▶ **J'extrais des informations, je les classe et je les hiérarchise (étape 2)**

À l'aide des documents 5 à 9, terminez de compléter votre bloc-notes. Vous aurez ainsi les informations nécessaires pour réaliser un exposé répondant à la question clé.

1. LA CATASTROPHE NUCLÉAIRE DE FUKUSHIMA (Quand ? Événement ? Bilan humain, économique, environnemental ?)
→ Doc 8

2. APRÈS LA CATASTROPHE, GÉRER LES EFFETS DU RISQUE (Qui ? Comment ?)
→ Doc 5 à 8

3. APPRENDRE DE FUKUSHIMA : AGIR AVANT POUR RÉDUIRE LE RISQUE NUCLÉAIRE
→ Doc 5 à 9

Étude de cas

TÂCHE COMPLEXE

SOCLE Compétences
- **Domaine 2 :** je mobilise différentes ressources pour acquérir des connaissances et des compétences
- **Domaine 5 :** j'établis des liens entre l'espace et l'organisation des sociétés

Prévenir le risque de marée noire dans le golfe du Mexique

CONSIGNE

Le 20 avril 2010, l'explosion de la plateforme pétrolière Deepwater Horizon provoquait la plus grave marée noire de l'histoire américaine. L'entreprise British Petroleum (BP), responsable de cette catastrophe dans le golfe du Mexique, a été condamnée à verser 20,8 milliards de dollars de réparation aux États-Unis.

À l'occasion de cette décision, votre journal vous demande d'effectuer un reportage sur la prévention de ce risque technologique et sur l'efficacité des réponses apportées.

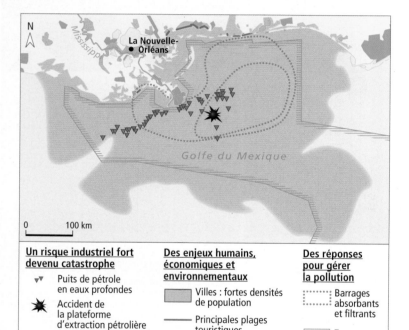

Un risque industriel fort devenu catastrophe
- ▼ Puits de pétrole en eaux profondes
- ✸ Accident de la plateforme d'extraction pétrolière
- Étendue maximale des nappes de pétrole

Des enjeux humains, économiques et environnementaux
- Villes : fortes densités de population
- Principales plages touristiques
- Espaces naturels protégés

Des réponses pour gérer la pollution
- Barrages absorbants et filtrants
- Zone de pêche interdite

1 La marée noire dans le golfe du Mexique en 2010

CHIFFRES CLÉS

➡ **Explosion** de la plateforme pétrolière : **11** victimes, **17** blessés

➡ **780 millions** de litres de **pétrole** déversés, **127 millions** récupérés

➡ Une **marée noire** étendue sur près de **4 800 km²**

➡ **43 000** personnes mobilisées

VOCABULAIRE

▸ **Marée noire**
Déversement accidentel de pétrole en mer qui menace à la fois la biodiversité et les activités humaines.

2 Une nouvelle prévention du risque ?

Pour prévenir les risques, l'Administration des États-Unis a annoncé une réglementation plus stricte et des contrôles de sécurité plus fréquents menés par un organisme indépendant.

Les États-Unis ont durci par deux fois leur législation sur le forage pétrolier en mer. Pour prévenir les risques et éviter, en cas d'accident, de payer des amendes de plusieurs milliards de dollars comme BP, le secteur s'est mis à recruter des spécialistes de la gestion des risques. Le forage pétrolier est plus sûr aujourd'hui, mais la chute du prix du pétrole pousse à faire des économies, et à rogner sur la sécurité.

Le danger s'est aussi déplacé au large du Brésil, de Cuba ou de l'Angola. Ces pays n'ont pas le luxe d'avoir des lois comme aux États-Unis. Et qui se charge de les surveiller ? Personne. Il faudrait une agence internationale chargée de coordonner cet effort mondial, pour des forages pétroliers [en mer] plus sûrs.

■ Fannie Rascle, www.novethic.fr, 20 avril 2015.

3 John raconte...

John Wathen, militant écologiste.

« Quand la pollution touche une zone maritime, les gens pensent aux poissons, aux oiseaux, à toutes les choses qui vivent dans l'eau. Mais il faut aussi penser aux gens qui vivent et se nourrissent des produits de la mer. Toutes les entreprises de pêche qui travaillent du côté de la mer sont complètement fermées car l'eau est contaminée. Les habitants ne vont pas seulement perdre leur travail : ils vont peut-être devoir quitter un endroit où ils vivent depuis des générations. »

■ D'après le « Témoignage de Lafitte, en Louisiane », France 24, 3 juin 2010.

4 Des barrages flottants pour bloquer la diffusion du pétrole

Orange Beach en Alabama, juin 2010.

5 Récupération de nappes de pétrole en mer, 28 juin 2010

Un navire des autorités américaines récupère le pétrole à la surface de l'eau grâce à un filet spécialement conçu pour ce type d'intervention.

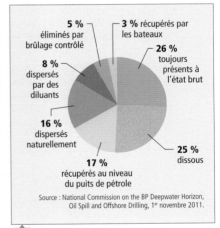

- 5 % éliminés par brûlage contrôlé
- 3 % récupérés par les bateaux
- 26 % toujours présents à l'état brut
- 8 % dispersés par des diluants
- 16 % dispersés naturellement
- 17 % récupérés au niveau du puits de pétrole
- 25 % dissous

Source : National Commission on the BP Deepwater Horizon, Oil Spill and Offshore Drilling, 1er novembre 2011.

6 L'action humaine dans l'élimination de la marée noire

COUP DE POUCE

Pour vous aider à préparer votre reportage, recopiez ce tableau et remplissez-le avec les informations extraites des documents.

	Doc 1	Doc 2	Doc 3	Doc 4	Doc 5	Doc 6
La marée noire de 2010, une catastrophe dans le golfe du Mexique. [Quand ? Événement ? Bilan humain, économique, environnemental ?]		–		–		
Gérer la catastrophe et les effets du risque		–				
Agir avant pour réduire le risque de marée noire.	–		–		–	–

Comment les sociétés font-elles face aux risques ?

MISE EN PERSPECTIVE

ÉTAPE 1

Je fais ressortir des éléments caractéristiques

A Recopiez le tableau suivant.

site élève
⬇ tableau à imprimer

		Japon ou États-Unis	
Une menace sur les sociétés	Type de pays		
	Type de risque		
Limiter les catastrophes			
Prévenir les risques			

B D'après ce que vous avez découvert de la prévention des risques industriels et technologiques au Japon ou aux États-Unis, remplissez le tableau avec les expressions proposées ci-dessous. Attention, vous n'avez le droit d'utiliser que six expressions.

Ligne 1 : pays peu développé et très peuplé – risque industriel – pays très peuplé et développé – risque d'explosion – risque de marée noire – risque lié au transport de matières dangereuses – risque nucléaire – pays développé et peu peuplé – risque lié à la rupture de barrage.

Ligne 2 : déplacer les populations menacées – faire cesser toutes activités dans les zones touchées – protéger les activités économiques – dépolluer les territoires – délimiter un espace de sécurité – informer les populations.

Ligne 3 : éduquer les populations aux risques – renforcer la sécurité des installations – adopter de nouvelles lois – élaborer des plans de secours – évaluer scientifiquement le risque – simuler des catastrophes pour s'y préparer – sanctionner financièrement les responsables – interdire les activités en zone habitée – respecter les règles.

ÉTAPE 2

J'en déduis des hypothèses

Une hypothèse est une idée que l'on propose et qu'il faudra ensuite vérifier pour savoir si elle est vraie ou fausse.

C À l'aide du tableau, choisissez ci-dessous, pour chaque phrase, les deux hypothèses qui vous semblent le mieux les compléter.

Un risque technologique ou industriel, c'est ...

1. un risque lié à un phénomène naturel.
2. un risque qui augmente avec le développement des activités humaines.
3. un risque très rare et difficile à prévenir.

Les sociétés font face aux risques industriels ou technologiques en...

4. développant les actions de prévention et d'éducation des populations.
5. espérant simplement que la catastrophe ne se produise pas.
6. dépensant beaucoup d'argent pour se protéger.

ÉTAPE 3

Je vérifie si mes hypothèses sont justes

D Vérifiez si chacun des documents 1 à 3 confirme l'une des hypothèses que vous avez retenues à l'étape 2. Vous préciserez laquelle.

a. Évolution du nombre de victimes de catastrophes technologiques dans le monde

b. Évolution du nombre de catastrophes technologiques par continent

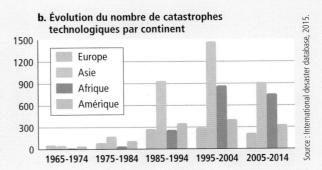

Source : International desaster database, 2015.

1 Les catastrophes technologiques dans le monde de 1965 à 2014

```
Risques naturels      Risques technologiques
          ↓               ↓
      Possibilité de catastrophe
          ↓               ↓
Pays développés       Pays en développement
mesures de prévention  mesures de prévention
efficaces              plus faibles
          ↓               ↓
   Vulnérabilité inégale des humains
```

2 Vulnérabilité et niveau de développement

VOUS VIVEZ DANS UNE ZONE À RISQUES INDUSTRIELS MAJEURS

Prenez votre sécurité en main !

Je respecte les consignes !

www.faceauxrisques.fr

RÉPUBLIQUE FRANÇAISE

S3PI Artois

GUIDE DE PRÉVENTION ET D'INFORMATION

3 Information et prévention sur les risques industriels majeurs

Guide destiné aux populations de l'Artois (France), il est réalisé par les services de l'État, les industriels, les collectivités et les associations, 2012.

Des espaces vulnérables à protéger des risques technologiques

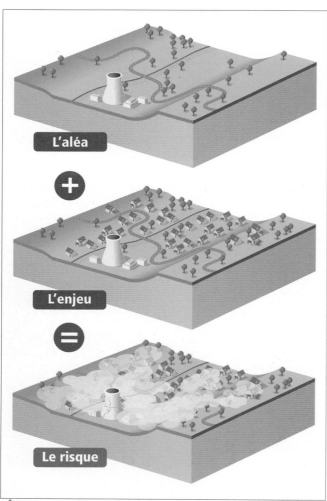

1 Le risque n'existe pas sans enjeu humain

➡ **Je situe dans l'espace**

❶ Quelles sont les régions du monde les plus exposées aux risques technologiques ?

❷ Quels sont les principaux pays qui ont été touchés par des catastrophes technologiques majeures ?

❸ Quelles sont les régions les plus vulnérables face aux risques ? Quelles sont les régions qui le sont le moins ?

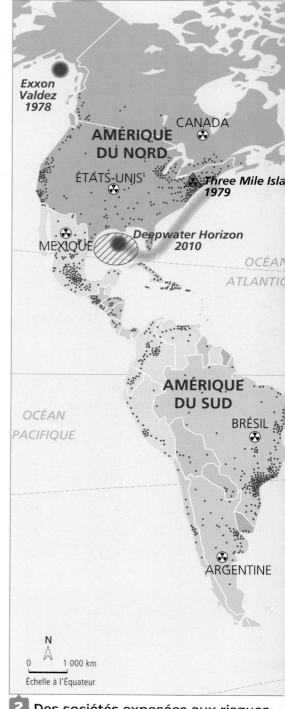

2 Des sociétés exposées aux risques

▸ **Aléa**
Probabilité que survienne un
événement potentiellement dangereux.

▸ **Vulnérabilité**
Plus ou moins grande fragilité d'une
société face à un risque.

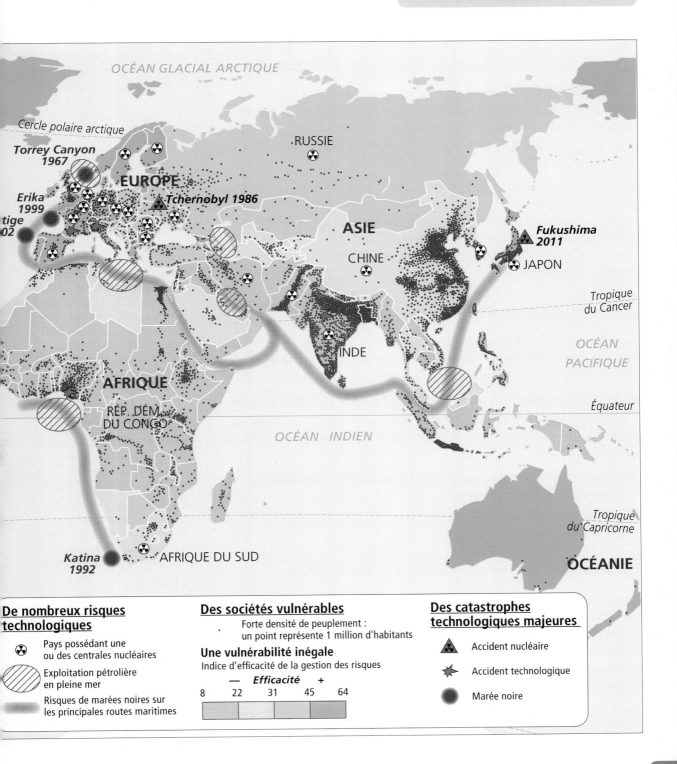

OCÉAN GLACIAL ARCTIQUE

Cercle polaire arctique

**Torrey Canyon
1967**

EUROPE

**Erika
1999**

tige
02

RUSSIE

Tchernobyl 1986

ASIE

CHINE

*Fukushima
2011*

☢ JAPON

Tropique
du Cancer

OCÉAN

PACIFIQUE

INDE

Équateur

AFRIQUE

RÉP. DÉM.
DU CONGO

OCÉAN   INDIEN

Tropique
du Capricorne

**Katina
1992**

AFRIQUE DU SUD

OCÉANIE

De nombreux risques technologiques

☢ Pays possédant une
ou des centrales nucléaires

⬭ Exploitation pétrolière
en pleine mer

▬ Risques de marées noires sur
les principales routes maritimes

Des sociétés vulnérables

· Forte densité de peuplement :
un point représente 1 million d'habitants

Une vulnérabilité inégale
Indice d'efficacité de la gestion des risques

— *Efficacité* +

8   22   31   45   64

Des catastrophes technologiques majeures

△ Accident nucléaire

✦ Accident technologique

⬤ Marée noire

Prévenir les risques industriels et technologiques

→ **Quels sont les risques industriels et technologiques ?
Comment les sociétés y font-elles face ?**

A Des territoires exposés aux risques technologiques

1. Les risques technologiques (explosion, pollution...) sont directement liés aux activités humaines : ils peuvent être **industriels**, **nucléaires** ou **chimiques** et entraîner de graves conséquences pour les êtres humains et pour l'environnement (Fukushima en 2011, golfe du Mexique en 2010).

2. Les risques technologiques sont donc plus nombreux dans les **pays industrialisés**. Cependant, ils deviennent plus souvent des réalités dans les pays pauvres et se transforment en **catastrophes** : les conséquences humaines y sont souvent plus graves, comme le montre l'explosion chimique à Bhopal en Inde en 1984 qui tua 20 000 personnes.

B Prévenir pour être moins vulnérables

1. La **vulnérabilité d'une société** dépend de sa capacité à faire face aux risques. Les espaces les plus exposés aux risques ne sont pas forcément les plus vulnérables car la prévention joue un rôle essentiel.

2. La vulnérabilité est plus faible dans les pays développés : les populations sont mieux informées et préparées aux risques ; leur sécurité est mieux assurée grâce à des moyens techniques sophistiqués.

3. Dans les pays en développement, **la pauvreté augmente la vulnérabilité**. Les conséquences des catastrophes sont aggravées par la désorganisation des secours, la faiblesse des infrastructures (routes, hôpitaux...).

C Des mesures de prévention et des acteurs

1. La **prévention** consiste à informer et éduquer les populations sur les risques encourus. Dans les pays développés, des **plans de prévention et des dispositifs de secours** sont élaborés pour limiter au maximum les conséquences humaines des catastrophes. Ils impliquent **de nombreux acteurs** : États, médias, services de secours et médicaux.

2. Dans les pays en développement, l'analphabétisme, l'absence de règles de sécurité, le manque de moyens limitent fortement les politiques de prévention. Mal informées, les populations sont **démunies** et souvent dépendantes de l'**aide internationale** en cas de catastrophes.

QUELQUES ACCIDENTS TECHNOLOGIQUES

1794 : Explosion de la poudrerie de Grenelle à Paris (France) : 1 000 victimes.
1975 : Rupture de 62 barrages à Banqiao (Chine) : 26 000 victimes.
1978 : Naufrage de l'*Amoco Cadiz* (France) : marée noire de 220 000 tonnes de pétrole.
1984 : Explosion d'une usine chimique à Bhopal (Inde) : 20 000 victimes.
1986 : Accident nucléaire de Tchernobyl (Ukraine) : 4 000 victimes, 270 000 déplacés.
2011 : Accident nucléaire de Fukushima (Japon) : 19 000 victimes (avec tsunami), 160 000 déplacés.

VOCABULAIRE

▸ **Catastrophe**
Réalisation d'un risque entraînant des dégâts matériels et/ou humains.

▸ **Prévention**
Ensemble des mesures prises pour limiter les effets destructeurs d'un risque, avant et après la catastrophe.

▸ **Risque**
Danger qui peut menacer un groupe humain.

▸ **Risque technologique**
Risque généré par les activités humaines (industrie, énergie et transport).

▸ **Vulnérabilité**
Plus ou moins grande fragilité d'une société face à un risque.

Des risques technologiques nombreux et en hausse

- Augmentation des **activités industrielles** : augmentation des **possibilités d'accidents**.

- Vulnérabilité aux **risques** variable **selon les sociétés**.

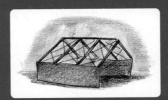

Une prévention

- Agir pour **diminuer** la **possibilité d'accident industriel**.

- Agir pour **diminuer** la **vulnérabilité des sociétés**.

- Agir pour **gérer** les **catastrophes technologiques**.

Des inégalités

- **Forte prévention** dans les **pays développés**.

- **Faible prévention** dans les **pays en développement**.

● **Je vérifie que je connais les principaux repères du chapitre.**

Je sais définir et utiliser dans une phrase :

- catastrophe
- prévention
- risque
- risque technologique
- vulnérabilité

Je sais situer sur un planisphère :

- les espaces les plus densément peuplés
- les pays développés les plus exposés aux risques
- les pays en développement les plus vulnérables
- le pays de l'étude de cas étudiée

site élève
⬇ fond de carte

Je sais expliquer :

- l'augmentation des risques technologiques en lien avec les activités industrielles.
- que la vulnérabilité des sociétés dépend en grande partie de la prévention des risques.
- le rôle des différents acteurs pour mettre en place des mesures de prévention des risques.

Comment apprendre ma leçon ?

Je crée mes outils de révision : l'armoire des savoirs

Pour apprendre sa leçon, on peut imaginer une armoire avec l'ensemble des connaissances « rangées » par étagères.

▸ Étape 1

- Imprimez ou dessinez une armoire. Inscrivez le titre de la leçon la problématique.

> *Cet exercice te permet de dégager ce que tu dois retenir, de classer les informations par thème et donc de mémoriser la leçon !*

▸ **De quoi parle la leçon ?**

....

....

▸ **Quelle question s'est-on posée pendant la leçon ?**

....

....

site élève
⬇ armoire à imprimer

▸ Étape 2

- Ouvrez l'armoire et classez au bon endroit les éléments de la leçon qu'il faut retenir.

Rangez les repères géographiques importants sur la première étagère.
Reportez-vous à la carte p. 308-309

....

Rangez les mots nouveaux sur la deuxième étagère
Aléa, vulnérabilité...

....

Rangez votre résumé dans le grand tiroir. Entre 5 et 10 lignes, pas plus !
Pour cela, vous devez répondre à la question de départ.

Quels sont les risques industriels et technologiques ?
Comment les sociétés y font-elles face ?

Je vérifie mes connaissances

1 **Je révise le vocabulaire du chapitre.**

Définissez les noms ci-dessous à partir de deux mots ou expressions du nuage de mots.
Plusieurs solutions sont envisageables.

Prévention ●

Seveso ●

Risque technologique ●

Prévision ●

Gestion ●

Nucléaire **Risque**
Résilience Surveiller
Directive
Risque industriel
Prévenir **Vulnérabilité**
Empêcher ou limiter Union européenne
Catastrophe

2 **J'ai compris comment agir face à un risque technologique.**

site élève
↳ frise à compléter

Classez dans la frise chronologique ci-dessous les actions menées pour faire face à un risque technologique.

Signal d'alerte - Suivre les consignes de sécurité - Prévision - Réparation - Intervention - Plan de prévention des risques - Consignes de sécurité - Opérations de secours - Information du public - Surveillance des sites à risque - Exercices d'évacuation.

Avant	**Pendant la catastrophe**	**Après**
....	....	....
....	....	....
....	....	....
....	....	....

3 **Je sais identifier un risque technologique.**

Associez chacune des photographies à un risque technologique :

a.

● Unité nucléaire

Activités industrielles ●

c.

● Transport de marchandises dangereuses

● Stockage de gaz

Rupture d'un barrage ●

b.

d.

4 Retrouvez d'autres exercices sous forme interactive sur le site Nathan.

site élève
↳ exercices interactifs

Exercices

1 J'analyse la photographie d'une catastrophe technologique

↳ **SOCLE :** Domaine 5

Quatre camions-citernes transportant de l'essence sont en feu sur l'autoroute Lagos-Ibadan le 11 mai 2011 au Nigeria.

1️⃣ Deux pompiers essaient d'éteindre l'incendie.

2️⃣ Les civils observent la scène et conseillent les pompiers.

QUESTIONS

1️⃣ Quel risque technologique très présent sur les autoroutes du Nigeria est illustré par cet accident ?

2️⃣ Quels sont les équipements de protection des pompiers-secouristes nigerians ? Sont-ils suffisants ?

3️⃣ Les personnes qui observent la scène ont-elles conscience du risque ?

4️⃣ Montrez que cette catastrophe reflète les problèmes de prévention des risques technologiques dans les pays en développement.

2 Je comprends un article de presse sur la sécurité industrielle

↳ **SOCLE :** Domaine 1

La sécurité industrielle en Chine

Il existe de nombreuses réglementations en Chine ; or celles-ci ne sont pas toujours respectées à l'échelon régional. Les autorités locales font parfois un peu ce qu'elles veulent. Pour les entreprises, ne pas se plier aux règles de sécurité peut répondre à la volonté de maintenir les coûts de production aussi bas que possible.

L'augmentation de la taille des villes chinoises a aussi rapproché la population de sites industriels dangereux, comme à Tianjin. Les plus démunis et les migrants, qui viennent des campagnes et vivent sur leur lieu de travail sont les plus exposés. Pendant des années, le développement de la société chinoise était plus rapide que celui de la réglementation. Cependant, les nouvelles règles sont plus exigeantes et se rapprochent des modèles occidentaux.

■ D'après l'interview de Matthieu David recueillie par Alexis Hontang, parue dans le journal *La Croix*, 14 août 2015.

QUESTIONS

1️⃣ Quelles sont les raisons qui expliquent que les normes de sécurité industrielles ne sont pas toujours respectées en Chine ?

2️⃣ Pourquoi les populations en Chine sont-elles de plus en plus exposées aux risques technologiques ?

3️⃣ Comment les lois de prévention et de sécurité industrielles évoluent-elles en Chine ?

3 J'étudie un document engagé contre la production d'électricité nucléaire

↳ **Socle :** Domaine 3

Affiche contre la production d'électricité nucléaire
« Ne devenons pas la risée de l'univers », Agence FoxP2 Cape Town (Afrique du Sud),
National Geographic Kids, 2010.

MÉTHODE

▸ Présentez le document en précisant sa nature : est-ce un texte, une photographie, une affiche ?

▸ Décrivez et expliquez le message délivré par le document.Décrire : c'est observer, dire ce que l'on voit.Expliquer : c'est donner des éléments extérieurs au document qui permettent de le comprendre.

▸ Montrez enfin que c'est un document engagé en dégageant l'opinion qu'il porte sur le sujet.

QUESTIONS

❶ Quelle est la nature de ce document ? À qui s'adresse-t-il ?

❷ Décrivez la scène représentée.

❸ À quelle catastrophe technologique présentée dans ce chapitre peut-on relier cette image ?

❹ D'après le document, quelle est l'opinion des auteurs sur les activités nucléaires ?

MON BILAN DE COMPÉTENCES

Domaines du socle	Compétences travaillées	Pages du chapitre
D1 Les langages pour penser et communiquer	• Je comprends un article de presse.	**Exercice 2** .... p. 314
D2 Les méthodes et outils pour apprendre	• Je sais gérer les étapes d'une production écrite en utilisant différents écrits de travail. • Je sais mobiliser différentes ressources pour acquérir des connaissances et des compétences. • Je comprends le monde. • Je sais organiser mon travail personnel.	**Étude de cas** .... p. 300-303 **Étude de cas** .... p. 304-305 **Des études de cas...** **au monde** .... p. 306-307 **Apprendre à apprendre** ... p. 312
D3 La formation de la personne et du citoyen	• Je comprends un document engagé.	**Exercice 3** .... p. 315
D4 Les systèmes naturels et les systèmes techniques	• Je sais formuler et vérifier des hypothèses.	**Des études de cas...** **au monde** .... p. 306-307
D5 Les représentations du monde et de l'activité humaine	• Je sais établir des liens entre l'espace et l'organisation des sociétés. • Je sais me repérer dans l'espace. • Je sais analyser une photographie.	**Étude de cas** .... p. 300-303 **et** .... p. 304-305 **Carte** .... p. 308-309 **Exercice 1** .... p. 314

Enseignement moral et civique

15 mai 2009, à Paris, 1 300 élèves sont rassemblés pour la course contre la faim organisée par Action contre la faim.

1 | La France est **une République indivisible, laïque, démocratique et sociale**. Elle assure l'égalité devant la loi, sur l'ensemble de son territoire, de tous les citoyens. Elle respecte toutes les croyances.

2 | La République laïque organise **la séparation des religions et de l'État**. L'État est neutre à l'égard des convictions religieuses ou spirituelles. Il n'y a pas de religion d'État.

•• LA RÉPUBLIQUE EST LAÏQUE ••

3 | La laïcité garantit **la liberté de conscience** à tous. **Chacun est libre de croire ou de ne pas croire**. Elle permet la libre expression de ses convictions, dans le respect de celles d'autrui et dans les limites de l'ordre public.

4 | La laïcité permet l'exercice de la citoyenneté, en conciliant **la liberté de chacun** avec **l'égalité et la fraternité de tous** dans le souci de l'intérêt général.

5 | La République assure dans les établissements scolaires le respect de chacun de ces principes.

CHARTE DE LA LAÏCITÉ À L'ÉCOLE

La Nation confie à l'École la mission de faire partager aux élèves les valeurs de la République.

6 | La laïcité de l'École offre aux élèves les conditions pour forger leur personnalité, exercer leur libre arbitre et faire l'apprentissage de la citoyenneté. **Elle les protège de tout prosélytisme et de toute pression** qui les empêcheraient de faire leurs propres choix.

7 | La laïcité assure aux élèves l'accès à **une culture commune et partagée**.

8 | La laïcité permet l'exercice de **la liberté d'expression** des élèves dans la limite du bon fonctionnement de l'École comme du respect des valeurs républicaines et du pluralisme des convictions.

9 | La laïcité implique **le rejet de toutes les violences et de toutes les discriminations**, garantit **l'égalité entre les filles et les garçons** et repose sur une culture du **respect** et de la compréhension de l'autre.

10 | Il appartient à tous les personnels de transmettre aux élèves le sens et la valeur de la laïcité, ainsi que des autres principes fondamentaux de la République. Ils veillent à leur application dans le cadre scolaire. Il leur revient de porter la présente charte à la connaissance des parents d'élèves.

11 | Les personnels ont un devoir de stricte neutralité : ils ne doivent pas manifester leurs convictions politiques ou religieuses dans l'exercice de leurs fonctions.

•• L'ÉCOLE EST LAÏQUE ••

12 | **Les enseignements sont laïques.** Afin de garantir aux élèves l'ouverture la plus objective possible à la diversité des visions du monde ainsi qu'à l'étendue et à la précision des savoirs, **aucun sujet n'est a priori exclu du questionnement scientifique et pédagogique**. Aucun élève ne peut invoquer une conviction religieuse ou politique pour contester à un enseignant le droit de traiter une question au programme.

13 | Nul ne peut se prévaloir de son appartenance religieuse pour refuser de se conformer aux règles applicables dans l'École de la République.

15 | Par leurs réflexions et leurs activités, **les élèves contribuent à faire vivre la laïcité** au sein de leur établissement.

14 | Dans les établissements scolaires publics, les règles de vie des différents espaces, précisées dans le règlement intérieur, sont respectueuses de la laïcité. **Le port de signes ou tenues par lesquels les élèves manifestent ostensiblement une appartenance religieuse est interdit.**

Liberté • Égalité • Fraternité
RÉPUBLIQUE FRANÇAISE

ministère
éducation
nationale

Au cycle 3

En 6e, j'ai appris que les élèves doivent se comporter de manière responsable. Ils ont des droits et des devoirs définis dans le règlement intérieur du collège pour vivre ensemble dans un respect mutuel.

Ce que je vais découvrir

Au collège, on apprend qu'il existe des discriminations : il faut s'engager pour les combattre, en défendant l'égalité et la laïcité dans notre vie quotidienne, en s'informant de manière responsable et en agissant de manière solidaire.

1 Ensemble au collège : filles et garçons
Affiche réalisée par Calypso Grossi (élève de 4e A), lauréate du concours « Imaginons l'égalité », collège Nicolas-Jacques-Conté, Sées (2014).

site élève
⤓ lien vers la vidéo

FILLES, GARÇONS   PRÉJUGÉS À LA RÉCRÉ

2 « Inégalité filles-garçons : les préjugés commencent dès le plus jeune âge »
20 heures, France 2, 14 avril 2015.

« L'éducation de l'enfant doit viser à lui inculquer le respect des droits de l'homme et des libertés fondamentales et à le préparer à assumer les responsabilités de la vie dans une société libre, dans un esprit de compréhension, de paix, de tolérance, d'égalité entre les sexes et d'amitié entre tous les peuples. »

Extraits de l'article 29 de la Convention internationale des droits de l'enfant, 1989.

SEMAINE D'ÉDUCATION CONTRE LE RACISME ET LES DISCRIMINATIONS

du 21 au 29 mars 2015

Samedi 21
Inauguration et coup d'envoi sportif avec le club de Handball

Toute la semaine salle Neruda
Présence des associations

Vendredi 27 à la Médiathèque
Rencontre-débat autour de la BD
"*CRA*" de J.-B. Meybeck sur les centres de rétention administrative

Demandez le programme détaillé

3 **Tous différents mais tous égaux**
Affiche de la ligue d'enseignement de l'Essonne, 2015.

Je découvre

L'égalité filles–garçons face à l'orientation

Question clé Filles et garçons sont-ils égaux dans le choix de leur futur métier ?

1 « Plus tard, je ferai le métier qui me plaît. »

Malik et Éva sont tous deux élèves de cinquième. Ils sont amis et chattent souvent ensemble. Un jour, Éva évoque son désir de devenir maçon. « Une fille maçon ! Mais tu en seras incapable ! lui répond Malik. En plus, le mot *maçon* n'existe pas au féminin ! » Éva ne comprend pas la réaction de son ami. D'ailleurs, ses parents avaient été très contents lorsqu'elle les avait aidés à construire le garage de leur habitation, et cela lui avait beaucoup plu. Le métier de maçon, cela s'apprend, que l'on soit fille ou garçon. Elle décide d'en parler à son père et lui demande de l'aider à rechercher sur Internet si *maçon* a un féminin. Et en effet, elle trouve une liste de métiers où figure le terme *maçonne*. Toute fière, elle envoie un SMS à Malik : « Plus tard je serai maçonne ! ».

■ *Femme, j'écris ton nom, Guide d'aide à la féminisation des noms de métiers*, 1999, disponible sur le site Internet de La Documentation française, www.ladocumentationfrancaise.fr.

2 Promouvoir la mixité des métiers

Couverture d'un guide de la délégation régionale de l'ONISEP de Grenoble, 2015.

FILLES ET GARÇONS **VAINCRE les INÉGALITÉS**

   www.onisep.fr/grenoble

3 Orientation : stop aux clichés sur les différences filles/garçons !

« On considère que c'est moins "gênant" pour une fille que pour un garçon de ne pas avoir un profil scientifique », affirme Françoise Vouillot, psychologue. Les filles choisiraient leur orientation, non pas en fonction de leurs réels goûts ou compétences, mais selon l'idée qu'elles se font de la place et du rôle des femmes dans la société : « Les filles et les garçons ont très tôt dans la tête des images de ce que doivent être les hommes et les femmes », souligne la psychologue. Aux filles, le soin, la patience et la douceur, aux garçons, les sciences et le sport [...]. « Il faut dire aux jeunes qu'une partie de leurs choix et de leurs goûts relève de la reproduction de stéréotypes et qu'en matière d'orientation et de carrière, il n'existe pas de déterminisme. »

■ D'après le site Internet www.letudiant.fr, mars 2014.

VOCABULAIRE

▶ **Discrimination**
Fait de refuser des droits à une personne ou à un groupe de personnes en raison de son origine, de son appartenance religieuse, de son handicap... Cette attitude est punie par la loi.

▶ **Stéréotype**
Opinion toute faite sur une personne ou un objet, souvent imposée par un groupe de la société.

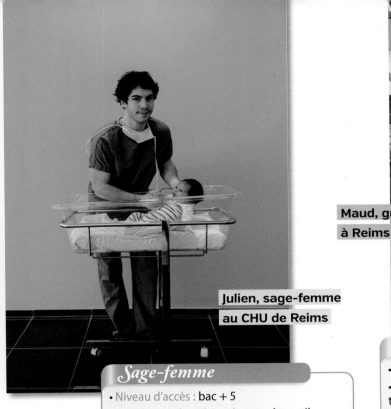

Maud, grutière à Reims

Julien, sage-femme au CHU de Reims

Photographies de Feng Hatat exposées à la Biennale de l'égalité « Des femmes, des hommes, des vocations », Reims, 2012.

Sage-femme

• Niveau d'accès : bac + 5
• Intérêt pour le métier : je veux être utile aux autres ; ma vocation est de soigner.
• Compétences requises :
– compétences médicales, sens du relationnel, endurance physique et nerveuse face aux responsabilités ;
– métier ouvert aux hommes depuis 1982. 2,4 % des personnes exerçant ce métier en 2014 sont des hommes.

■ www.onisep.fr et www.ordre-sages-femmes.fr.

Grutier

• Niveau d'accès : CAP
• Intérêt pour le métier : aimer bouger, aimer travailler dehors.
• Compétences requises :
– ne pas être sujet au vertige, savoir coordonner ses mouvements et bien apprécier les distances pour piloter la grue (cabine à plus de 20 m d'altitude et contact par radio avec les professionnels du chantier) ;
– être capable de prendre rapidement des décisions et de gérer son stress.

■ www.onisep.fr.

4 Des hommes, des femmes, des métiers

Activités

Question clé | **Filles et garçons sont-ils égaux dans le choix de leur futur métier ?**

ITINÉRAIRE 1

▶ **Je prélève des informations dans les documents**

❶ Doc 1 et 4. Quel est le point commun entre Éva, Julien et Maud ? Quel est votre point de vue sur le métier qu'ils veulent exercer ?

❷ Doc 2 et 3. Comment mettre fin aux stéréotypes dans le choix de son futur métier ?

❸ Doc 4. Julien et Maud, en raison de leur sexe, sont-ils capables d'exercer le métier qu'ils ont choisi ?

▶ **J'argumente à l'écrit**

❹ En matière d'orientation, les filles et les garçons sont-ils à égalité ? Peuvent-ils exercer les mêmes métiers ? Justifiez votre réponse.

OU

ITINÉRAIRE 2

site élève
⬇ coup de pouce

▶ **Je m'exprime à l'oral**

Choisissez le métier qui vous plaît et présentez-le au reste de la classe. Expliquez à vos camarades pourquoi ce métier peut être exercé par une fille comme par un garçon.

MÉTHODE

▸ Informez-vous sur les études à suivre.
▸ Réfléchissez aux centres d'intérêt de ce métier.
▸ Renseignez-vous sur les compétences requises pour l'exercer.

Journée de la laïcité à l'école : 9 décembre

TÂCHE COMPLEXE

CONSIGNE

La Journée nationale de la laïcité commémore, dans toutes les écoles, la loi de séparation des Églises et de l'État du 9 décembre 1905, qui fait de la République française une république laïque.

Avec votre classe, vous participez à un débat à l'occasion de la Journée nationale de la laïcité, afin de montrer que la laïcité, c'est « agir pour vivre ensemble ».

Vous réalisez une affiche sur le thème « C'est quoi, pour moi, la laïcité ? »

• • • LA RÉPUBLIQUE EST LAÏQUE • • •

1 | La France est **une République indivisible, laïque, démocratique et sociale**. Elle assure l'égalité devant la loi, sur l'ensemble de son territoire, de tous les citoyens. Elle respecte toutes les croyances.

2 | La République laïque organise **la séparation des religions et de l'État**. L'État est neutre à l'égard des convictions religieuses ou spirituelles. Il n'y a pas de religion d'État.

8 | La laïcité permet l'exercice de **la liberté d'expression** des élèves dans la limite du bon fonctionnement de l'École comme du respect des valeurs républicaines et du pluralisme des convictions.

4 | La laïcité permet l'exercice de la citoyenneté, en conciliant **la liberté de chacun** avec **l'égalité et la fraternité de tous** dans le souci de l'intérêt général.

6 | La laïcité de l'École offre aux élèves les conditions pour forger leur personnalité, exercer leur libre arbitre et faire l'apprentissage de la citoyenneté. **Elle les protège de tout prosélytisme et de toute pression** qui les empêcheraient de faire leurs propres choix.

3 | La laïcité garantit **la liberté de conscience** à tous. **Chacun est libre de croire ou de ne pas croire.** Elle permet la libre expression de ses convictions, dans le respect de celles d'autrui et dans les limites de l'ordre public.

14 | Dans les établissements scolaires publics, les règles de vie des différents espaces, précisées dans le règlement intérieur, sont respectueuses de la laïcité. **Le port de signes ou tenues par lesquels les élèves manifestent ostensiblement une appartenance religieuse est interdit.**

1 **La Charte de la laïcité à l'école (2013, extraits)**
Retrouvez l'intégralité de la Charte p. 346 du manuel.

2 La laïcité, c'est la liberté

La France se caractérise aujourd'hui par une diversité culturelle plus grande que par le passé. C'est pourquoi elle n'a jamais eu autant besoin de la laïcité qui garantit à tous les citoyens, quelles que soient leurs convictions philosophiques ou religieuses, de vivre ensemble dans la liberté de conscience, la liberté de pratiquer une religion ou de n'en pratiquer aucune, l'égalité des droits et des devoirs, la fraternité républicaine.

La laïcité n'est pas une opinion parmi d'autres mais la liberté d'en avoir une. [...] Elle n'est ni pro, ni antireligieuse. L'adhésion à une foi ou à une conviction philosophique relève de la seule liberté de conscience de chaque femme et de chaque homme.

■ Observatoire de la laïcité[1], *La Laïcité aujourd'hui*, 2015, www.gouvernement.fr/observatoire-de-la-laicite.

1. Organisme qui assiste le gouvernement dans son action visant au respect du principe de laïcité en France.

site élève
⬇ lien vers la vidéo

3 **La République française est laïque**
Les Clés de la République : la laïcité,
LCP, 24 février 2014.

4 La laïcité est-elle respectée ?

5 La laïcité, on en discute !

Le professeur : Vous parlez de Farid et de Zora ? Et de leur religion ?

Des élèves : Pas trop, mais un peu !

Le professeur : Ils sont tous les deux musulmans. Téo, toi tu es catholique. Et je sais que toi, Raf, tu ne crois pas en Dieu. Vous êtes tous très différents !

Zoé : Raf et Téo, ils se disputent parfois pour ça.

Le professeur : En France, chacun peut croire en son Dieu, ou ne pas croire. C'est une liberté reconnue, et notre pays garantit cette liberté de conscience. Mais la religion fait partie de la vie privée, hors des établissements scolaires.

Téo : Vous avez des exemples ? [...]

Raf : Farid, l'autre jour, à la sortie du Moyen Âge, ne voulait pas entrer dans l'église. Mais il veut bien me montrer sa mosquée.

Le professeur : On s'en est expliqué tous les deux : ce n'était pas pour faire comme les chrétiens, puisqu'il était musulman, mais pour étudier la culture du Moyen Âge, une époque où on a construit beaucoup d'églises. Je lui ai dit aussi qu'à la même époque, les Arabes ont inventé le chiffre zéro, ce qui nous a fait faire beaucoup de progrès en mathématiques et dans les techniques... C'est le rôle de l'école d'enseigner que les religions, comme la science, font partie de la culture des hommes.

■ D'après Michel Tozzi, *La morale, ça se discute...*, Albin Michel Jeunesse, 2014.

> **INFOS**
>
> Des **autorisations d'absence** sont accordées aux élèves pour de **grandes fêtes religieuses** qui ne coïncident pas avec des jours de congés et sont inscrites au *Bulletin officiel*. Elles concernent les confessions musulmane, israélite, orthodoxe, le culte catholique arménien et les bouddhistes.

COUP DE POUCE

site élève
↓ tableau à imprimer

Pour vous aider à préparer votre affiche, recopiez et complétez le tableau suivant. Relevez dans les documents des idées qui illustrent les affirmations proposées.

La laïcité permet :	Doc 1	Doc 2	Doc 3	Doc 4	Doc 5
La liberté de conscience					
Le respect des croyances des autres					
L'égalité de tous dans les écoles publiques					
La construction d'une culture commune					

J'enquête

TÂCHE COMPLEXE

SOCLE Compétences
- **Domaine 2** : Je m'engage dans un projet commun
- **Domaine 5** : Je sais agir pour la solidarité collective

S'engager dans une action solidaire

CONSIGNE

Votre classe souhaite mener une action solidaire au profit de l'association Action contre la faim. Pour réaliser ce projet, vous devrez organiser une campagne d'information sur l'association (ses objectifs et son action à travers le monde).

Vous avez la possibilité, par la suite, d'organiser une course contre la faim pour récolter des fonds.

1 Le message d'Action contre la faim
Affiche de la campagne de sensibilisation de 2012.

INFOS

ACTION CONTRE LA FAIM
ACF INTERNATIONAL

L'organisation humanitaire **Action contre la faim** (ACF) a été créée en 1979. Alors que, jusqu'ici, la lutte contre la faim était intégrée dans des combats plus généraux (lutte contre la pauvreté, etc.), [ses fondateurs ont décidé de créer] une organisation se consacrant exclusivement au problème de la faim.

■ www. actioncontrelafaim.org

site élève
↧ lien vers la vidéo

2 Un exemple d'action au Burkina Faso : la famille Coulidiati

805 millions de personnes souffrent de la faim dans le monde : cela signifie que 1 personne sur 9 ne mange pas à sa faim.

55 millions d'enfants souffrent de la forme la plus sévère de la faim.

La faim et la malnutrition constituent **le risque sanitaire mondial le plus important**, plus que le SIDA, le paludisme et la tuberculose réunis.

3 Aujourd'hui encore, souffrir de la faim
Chiffres du Programme alimentaire mondial et d'Action contre la faim, 2015.

4 Bilan de la 16ᵉ édition (2013) de la course contre la faim

5 Comment mobiliser mon collège contre la faim dans le monde ?

Rends-toi sur le site www.actioncontrelafaim.org : tu trouveras plein d'autres informations !

Avant la course

Un intervenant d'Action contre la faim vient sensibiliser les élèves de votre établissement au fléau de la faim dans le monde. Après la séance, vous partez à la recherche de sponsors qui vont vous parrainer pour chaque kilomètre que vous courrez le jour de la course.

Le jour J

Vous prenez le départ de la course contre la faim organisée par votre établissement, dans une ambiance festive et solidaire. Il n'y a pas de compétition, il s'agit d'une course d'endurance où chacun court à son rythme.

Après la course

Chaque élève multiplie chaque promesse de don par le nombre de kilomètres qu'il a parcourus et retourne voir ses parrains pour leur demander leur don.

COUP DE POUCE

site élève
⬇ tableau à imprimer

Pour vous aider à réaliser votre campagne d'information, reproduisez et complétez le tableau suivant.

	Doc 1	Doc 2	Doc 3	Doc 4	Doc 5
Origine et objectifs d'ACF					
Actions de l'association		–		–	

Semaine de la presse et des médias

CONSIGNE

Chaque année, la Semaine de la presse et des médias réunit les enseignants et leurs élèves autour de la découverte des médias.

EMI

Avec votre classe, vous réalisez un journal ou un blog sur le thème de la Semaine de la presse et des médias.

Vous participez avec votre classe à la réalisation d'une exposition au CDI sur la nécessité de contrôler et vérifier les sources d'informations.

1 Un exemple de « une »

Manchette

Ventre

Pied de page

« Une » du journal *Le Monde*, 12 janvier 2015.

2 Actualités et médias : l'image dit-elle tout ?

Les images sont partout, mais comment s'assurer de leur fiabilité ? L'image TV a-t-elle plus, moins, ou autant de poids que celui des mots ? [...]

Au-delà du travail des professionnels qui suivent l'actualité, il y a désormais le compte-rendu en images fait par ceux qui font l'actualité. Directement du producteur au consommateur. [...]

Il y a les images qui ont battu les records mondiaux de l'audience télévisuelle : le mariage royal à Londres, William et Kate, le bonheur total, sous les yeux de deux milliards de téléspectateurs. [...] Enthousiasme populaire planétaire, la même image pour tous.

Il y a les images qui nous sidèrent, tel le tsunami au Japon. On croirait un film, la réalité dépasse la fiction.

Les images montrent-elles la réalité ?

■ education-medias.csa.fr/.

Manifestations réprimées à Madagascar, février 2009.

3 Un exemple de cadrage

On ne sait rien quand on ne sait pas tout.
Nouvelles pages
CONTRE-ENQUÊTE

Campagne publicitaire du *Monde*, 2010.

4 Un article en ligne de *Ouest France*, 21 avril 2015

Méditerranée. Les migrants survivants sont arrivés en Sicile

Italie - 21 Avril

Vingt-sept survivants du naufrage qui pourrait avoir fait 700 morts dimanche en Méditerranée sont arrivés lundi soir dans le port de Catane, en Sicile. | AFP.

Le titre expose un fait ou exprime une idée forte, un point de vue.

| f Facebook ⟨5⟩ | 🐦 Twitter ⟨3⟩ | 8 Google+ | ✉ | Achetez votre journal numérique |

Vingt-sept survivants du naufrage qui pourrait avoir fait 700 morts dimanche en Méditerranée sont arrivés lundi soir dans le port de Catane, en Sicile.

Accueillis par le ministre italien des Transports Graziano Delrio, considéré comme le bras droit du chef du gouvernement Matteo Renzi, les premiers survivants débarqués ont été conduits dans des tentes pour une première inspection sanitaire.

Ils devaient ensuite être emmenés en bus dans une structure de première urgence dont le lieu reste confidentiel pour les besoins de l'enquête.

Un autre survivant, transporté d'urgence dimanche en raison de son état de santé, était déjà hospitalisé à Catane. Les nombreux journalistes présents sur le port ont été maintenus à distance.

Quelques dizaines de militants anti-racistes ont parallèlement manifesté pour réclamer l'abolition d'une loi criminalisant les clandestins : « émigrer n'est pas un délit, l'histoire de la Sicile nous l'a enseigné », ont-ils scandé.

LIRE AUSSI : Quelles solutions face au drame des migrants ?

Selon des survivants, des centaines de personnes, jusqu'à 950, dont une cinquantaine d'enfants et 200 femmes, sont mortes dimanche au large de la Libye après que le chalutier les transportant eut chaviré à l'approche d'un cargo portugais qui venait lui porter secours.

Les garde-côtes italiens, qui ont repêché 24 corps et 28 survivants, ne confirment pour l'instant pas ce bilan. L'Union européenne a décidé lundi de tenir jeudi un sommet extraordinaire pour répondre en urgence au drame des migrants en Méditerranée, après une série noire de naufrages qui aurait fait plusieurs centaines de victimes.

• Tags : International - Italie - Méditerranée

Le chapeau introduit et résume l'article.

Le journaliste est **témoin**.

Les sources du journaliste.

5 La charte d'éthique des journalistes (2011)

Un journaliste digne de ce nom tient l'esprit critique, la véracité, l'exactitude, l'intégrité, l'équité, l'impartialité, pour les piliers de l'action journalistique ; tient l'accusation sans preuve, l'intention de nuire, l'altération des documents, la déformation des faits, le détournement d'images, le mensonge, la manipulation, la censure et l'autocensure, la non-vérification des faits, pour les plus graves dérives professionnelles. Il exerce la plus grande vigilance avant de diffuser des informations, d'où qu'elles viennent.

COUP DE POUCE

site élève
⬇ tableau à imprimer

Pour vous aider à réaliser vos missions, recopiez et complétez le tableau suivant.

	Doc 1	Doc 2	Doc 3	Doc 4	Doc 5
Pourquoi diffuser des images de l'actualité ?				–	
L'image dit-elle tout de l'événement qu'elle relate ?					–
Pourquoi respecter la charte d'éthique des journalistes ?	–	–	–		

Leçon

Ma vie au collège

➡️ **Comment bien vivre ensemble au collège ?**

A Réfléchir et agir pour vivre ensemble au collège

1. L'école a pour mission de faire respecter l'**égalité entre les filles et les garçons**. Elle lutte contre les **stéréotypes** et encourage la mixité dans toutes les filières scientifiques.

2. Au collège, la communauté éducative et les élèves se mobilisent lors de la **Semaine de la presse et des médias**. Les médias, qui sont de plus en plus nombreux (Internet, presse écrite, télévision, réseaux sociaux, radio...) informent la population et la mobilisent. Cependant, il faut être vigilant quant au traitement de l'information. Les élèves sont donc sensibilisés au jugement critique et au **pluralisme des médias**.

B S'engager collectivement au collège

1. Être responsable pour bien vivre ensemble au collège, c'est aussi s'engager dans des **actions collectives**, au nom de la **solidarité**. Face à la pauvreté, vous pouvez vous engager dans une action humanitaire, par exemple, la course contre la faim pour l'association Action contre la faim.

2. Faire vivre la **Charte de la laïcité** vous concerne tous. Vous pouvez organiser des débats le **9 décembre**, lors de la **Journée nationale de la laïcité**, des actions au cours de l'année sur la **liberté de conscience et d'opinion, l'égalité des droits et des devoirs, la fraternité**.

VOCABULAIRE

▶ **Discrimination**
Fait de refuser des droits à une personne ou à un groupe de personnes, en raison de son origine, de son appartenance religieuse, de son handicap... Cette attitude est punie par la loi.

▶ **Pluralisme des médias**
Existence de médias d'opinions diverses.

▶ **Stéréotypes**
Opinion toute faite sur une personne ou un objet, souvent imposée par un groupe de la société.

Connais-tu...
Les valeurs de la République

Laïcité
L'État garantit à chacun, quelles que soient ses convictions philosophiques ou religieuses, la liberté de conscience, la liberté de pratiquer ou non une religion, l'égalité des droits et des devoirs, le respect, dans la fraternité. Ces valeurs partagées permettent de vivre ensemble.

Je révise chez moi

● **Je vérifie que je connais les principaux repères du chapitre.**

Je sais définir et utiliser dans une phrase :
▶ discrimination
▶ pluralisme des médias
▶ stéréotype

Je sais expliquer :
▶ pourquoi la laïcité permet de bien vivre ensemble au collège.
▶ pourquoi il faut être vigilant face à la qualité des informations transmises par les médias.

site élève
⬇️ mon bilan de compétence

1 Je m'engage contre les stéréotypes

↳ SOCLE : Domaine 3

1 Les filles et les garçons, différents ou égaux ?

En troisième, 82,3 % des filles maîtrisent les compétences de base en français contre 68 % pour les garçons. Ces derniers sont en revanche légèrement meilleurs en mathématiques – ils sont 87,6 % à en maîtriser les compétences de base contre 86,8 % pour les filles.

Alors, aux garçons la bosse des maths et aux filles la fibre littéraire ? Pas si vite ! D'après les sociologues, si les filles réussissent légèrement moins bien que les garçons en mathématiques, cela n'a rien à voir avec leur sexe, mais plutôt avec la persistance de stéréotypes. Dans l'esprit de nombreux parents et de professeurs, les maths, l'informatique, la technique et, de façon générale, les sciences sont d'abord l'affaire des garçons. Ces derniers vont donc être stimulés dans ces matières, tandis que les filles, elles, le seront davantage dans les disciplines littéraires. Résultat : très tôt dans leur scolarité, elles creusent l'écart en français, tandis que les garçons progressent plus vite en mathématiques.

■ www.letudiant.fr, 2014.

QUESTIONS

❶ Dans quelle matière les filles sont-elles meilleures ? et les garçons ?

❷ Relevez dans le texte les expressions qui montrent que ces différences correspondent à des stéréotypes.

❸ Quelles en sont les conséquences ?

❹ Que pourriez-vous proposer pour mettre fin, au collège, à ces stéréotypes sur les filles et les garçons ?

2 Je suis responsable face à l'environnement

↳ SOCLE : Domaine 4

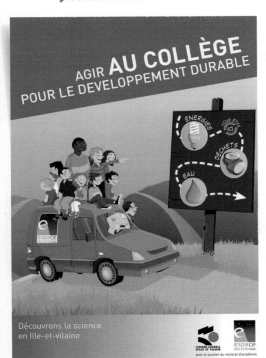

1 Agir au collège pour le développement durable
Publication de l'Espace des sciences de Rennes Bretagne, 2014.

2 Qu'est-ce qu'un éco-délégué ?

▶ L'éco-délégué(e) est un(e) élève volontaire qui est prêt(e) à agir et à s'investir dans des projets de développement durable.

▶ Il (ou elle) informe sa classe sur les éco-gestes et encourage chaque élève à participer à des actions de développement durable :
  – économie d'énergie et d'eau ;
  – tri sélectif des déchets ;
  – mise en place d'un lieu de jardinage bio...

QUESTIONS

❶ **Doc 1.** À qui cette affiche s'adresse-t-elle ?

❷ **Doc 1.** Qu'encourage-t-elle à faire ? Dans quel domaine ?

❸ **Doc 2.** Vous voulez devenir un(e) éco-délégué(e). Quelles actions de développement durable pourriez-vous envisager pour votre collège ?

17 L'égalité et la solidarité, pour vivre ensemble

➡️ **Comment s'engager pour faire vivre l'égalité et la solidarité ?**

Au cycle 3

En 6ᵉ, j'ai appris que, selon le principe de l'égalité des chances, tous les enfants de France recevaient le même enseignement.

Ce que je vais découvrir

L'égalité et la fraternité sont des valeurs de la République française. S'engager dans des actions solidaires permet de les faire vivre au quotidien.

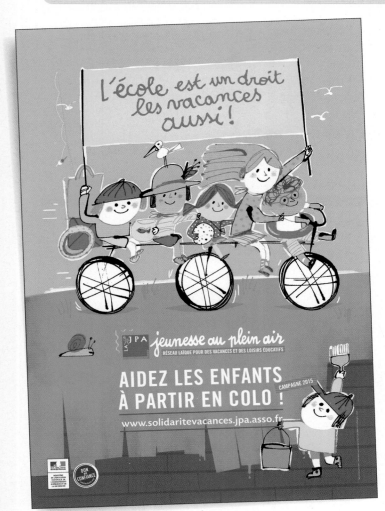

site élève
⬇️ lien vers la vidéo

Qu'est-ce que la solidarité ?

2 Qu'est-ce que la solidarité ?

1 **Aider les enfants à partir en vacances**

Jeunesse au plein air est une association qui a pour but de faciliter l'accès des enfants et des adolescents aux vacances et aux loisirs.
Affiche, 2015.

« Tous les êtres humains naissent libres et égaux en dignité et en droits. Ils sont doués de raison et de conscience et doivent agir les uns envers les autres dans un esprit de fraternité. »

Article 1er de la Déclaration universelle des droits de l'homme, 1948.

stereo type THIS.

gender discrimination stunts potential

3 **S'engager contre les discriminations**

Stereotype This!, affiche d'Eric Le, Australie, 2012.

Différents et égaux

Question clé Pourquoi peut-on affirmer que, malgré nos différences, nous somme tous égaux ?

1 Enfants du monde

Prénom : Chaska
Âge : 10 ans
Lieu de résidence : Pérou, dans un village de la cordillère des Andes (3 000 m d'altitude)
Langue : quechua et espagnol (langues officielles)
Activités : école 3 semaines par mois, élevage d'alpagas
Croyances : dieux de la nature
Loisirs : football

Prénom : Serguei
Âge : 12 ans
Lieu de résidence : Russie, dans la ville de Volgograd
Langue : russe
Activités : école obligatoire de 7 à 16 ans (8 h 30 - 14 h 30)
Croyances : christianisme orthodoxe
Loisirs : gorodki (jeu de balle) ; jeux en ligne

Prénom : Yasmine
Âge : 10 ans
Lieu de résidence : Burkina Faso, dans un village proche de Ouagadougou, la capitale
Langue : mooré (langue maternelle) et français (langue officielle)
Activités : école de 8 h à 13 h (classe de 70 élèves) ; travaux ménagers et pilage du mil
Croyances : islam
Loisirs : séries télévisées

Prénom : Kumar
Âge : 12 ans
Lieu de résidence : Inde, dans la ville de Jaipur
Langue : hindi et anglais (langues officielles)
Activités : école de 7 h à 13 h 30 (classe de 80 élèves)
Croyances : hindouisme
Loisirs : patins à roulettes, peinture de mandalas (au sol, à la craie)

3 Tous uniques

Tu es unique, comme Abdou est unique, comme Céline est unique. Il n'existe pas sur terre deux empreintes digitales rigoureusement identiques. C'est pour cela que, dans les films policiers, on commence par relever les empreintes laissées sur les objets pour identifier les personnes qui se trouvaient sur les lieux du crime. On pourrait ajouter [...] que chaque individu a un ADN[1] qui le différencie de tous les autres.

■ Tahar Ben Jelloun, *Le Racisme expliqué à ma fille*, Seuil, 1998, n. éd. 2009.

1. Constituant spécifique à chaque individu, élément essentiel de l'hérédité.

2 Être d'ici ou d'ailleurs

Vinz et Lou, « D'ici et de là ».

4 Une même espèce humaine

a. Le point de vue du biologiste

Pour les scientifiques, deux populations appartiennent à la même espèce si des individus de chacune d'elles, d'âge et de sexe appropriés, sont capables d'avoir des descendants. Chez les humains, il y a très longtemps que les navigateurs, les marchands, les militaires et autres voyageurs ont démontré que des gens de toutes les populations de la Terre pouvaient faire des enfants et avoir une descendance. Il y a soit une race humaine, soit six milliards.

■ André Langanay, biologiste, *Textes et Documents pour la classe*, n° 744, nov. 1997, © Réseau-Canopé.

b. Le point de vue de l'historien

Les découvertes de la génétique[1] depuis une trentaine d'années, permettent d'affirmer qu'on ne peut plus dire aujourd'hui qu'il existe « quatre races d'hommes » ni qu'il y en ait une qui soit « plus parfaite » que les autres. La couleur de la peau est due à la plus ou moins grande abondance dans l'épiderme, d'une substance, la mélanine, dont la quantité varie avec l'importance du rayonnement solaire. [...] La génétique des populations a permis de remonter l'histoire des hommes et elle conclut à l'origine commune de l'humanité.

■ Gilles Manceron, historien, *Textes et Documents pour la classe*, n° 744, nov. 1997, © Réseau-Canopé.

1. Science qui étudie l'ensemble des gènes d'une espèce, par exemple l'espèce humaine.

5 Des humains, une humanité

Affiche réalisée par les élèves de l'école élémentaire Bariani de Calvi (Haute-Corse), pour le concours « Agis pour tes droits » organisé par les Francas de l'Ain, 2013.

Activités

Question clé : Pourquoi peut-on affirmer que, malgré nos différences, nous somme tous égaux ?

ITINÉRAIRE 1

ou

ITINÉRAIRE 2

site élève
↓ coup de pouce

▶ **Je prélève des informations dans les documents**

❶ **Doc 1.** Quelles différences y a-t-il entre ces enfants ? Quels points communs les réunissent ?

❷ **Doc 4.** Pourquoi affirme-t-on aujourd'hui que les êtres humains appartiennent à une seule humanité ? A-t-on toujours pensé ainsi ?

❸ **Doc 1 à 5.** Être pareils signifie-t-il que nous nous ressemblons tous ? Justifiez votre réponse.

▶ **Je participe à un concours**

Dans votre collège, un concours sur le thème « Des humains, une seule humanité » est organisé. Avec votre classe, vous y participez en réalisant, au choix, un poème, une affiche, un blog, une vidéo...

MÉTHODE

Préparez votre travail en réfléchissant à :
▶ Des idées clés
▶ Des images (verbales ou visuelles)
▶ Des slogans

Une identité pour tous et pour chacun

Question clé Pourquoi le droit à l'identité est-il un droit de l'homme ?

1 | Jamel vu par... Jamel

Extrait d'une interview de Jamel Debbouze suite aux attentats commis à Paris en janvier 2015.

« Je suis français, musulman, artiste. Je suis né à Paris, dans le quartier de Barbès [en 1975], j'ai grandi à Trappes. Je suis père de deux enfants, marié à une chrétienne, journaliste [...]. Et ça pour moi, c'est la France ! [...] La France de la différence, de la multi-culture, de l'amour, de la tolérance, de la paix, un pays avec des valeurs nobles. [...]
La France a permis à mes parents de travailler, elle les a aidés quand ils en ont eu besoin et pour tout ça je remercie la France, et je suis pleinement citoyen, et je défendrai la France corps et âme pour tout ce qu'elle a apporté à ma famille et à tous les gens qui comme nous arrivaient d'un autre pays. »

■ *7 à 8*, TF1, 18 janvier 2015.

2 | Son parcours d'humoriste

[À Trappes,] Jamel rencontre Alain Degois, dit « Papy », éducateur, organisateur d'ateliers de théâtre d'improvisation dans les collèges et les lycées [...]. Papy repère Jamel au collège Gustave-Flaubert et lui fait alors rejoindre la troupe d'impro de Trappes.

En 1991, la troupe participe au 1er championnat de France juniors d'improvisation [...]. L'équipe de Jamel, dont il est capitaine et se composant de trois filles et de trois garçons, finit vice-championne de France. [...] L'idée de créer un spectacle trotte dans la tête de Jamel... Il présente alors, en avril 1995, son premier spectacle « C'est tout neuf », mis en scène par Papy à Trappes.

■ www.jameldebbouze.fr/jamel/bio.

3 | L'engagement de Jamel

En 2009 et 2010, il est ambassadeur de l'Agefiph (Agence pour l'emploi des personnes handicapées).

4 Extrait d'acte de naissance figurant dans le livret de famille

PREMIER ENFANT

EXTRAIT DE L'ACTE DE NAISSANCE N° ....728....

Le ......30 juin 2009......

à ...six........heures ...quarante-cinq minutes...

est né(e) ...Meriem, Virginie...
...CHOUBANE-PIGUETTI...

du sexe ...féminin...

à ...Besançon (Doubs)...

Délivré conforme aux registres, le ......2 juillet 2009...

MENTIONS MARGINALES

L'officier de l'état civil
Sceau de la mairie

INFOS

Le **livret de famille** est un document officiel remis par l'officier de l'état civil, soit lors du mariage, soit à la naissance du premier enfant. Il indique la **filiation**, c'est-à-dire le lien de parenté qui unit un enfant à ses parents. Des extraits d'actes d'état civil y figurent (mariage, naissance(s), divorce, décès. .).

6 Les « enfants fantômes »

Selon l'Unicef, chaque année dans le monde, environ 50 millions de nouveau-nés ne sont pas inscrits à l'état civil.

Les enfants qui ne figurent sur aucun document officiel sont des enfants dits « invisibles » : cela signifie qu'ils n'ont aucune existence légale. Ils ne disposent pas de papiers d'identité. Ils ne bénéficieront pas de la scolarisation, des soins de santé, etc. La violation de leurs droits passera inaperçue, car ils sont des enfants invisibles au regard de la société.

■ http://www.humanium.org/fr/enfants-sans-identite/

5 Ce que dit la loi

a. Convention internationale des droits de l'enfant (1989)

Art. 7. L'enfant est enregistré aussitôt sa naissance et a dès celle-ci le droit à un nom, le droit d'acquérir une nationalité.

b. Code civil

Art. 55. Les déclarations de naissance sont faites, dans les trois jours de l'accouchement, à l'officier de l'état civil du lieu.

Art. 61. Toute personne qui justifie d'un intérêt légitime peut demander à changer de nom.

Art. 311-21. [Les parents] choisissent le nom de famille [de l'enfant] : soit le nom du père, soit le nom de la mère, soit leurs deux noms accolés dans l'ordre choisi par eux [...]. Le nom [donné au premier enfant] vaut pour les autres enfants communs.

Activités

Question clé Pourquoi le droit à l'identité est-il un droit de l'homme ?

ITINÉRAIRE 1

▶ Je prélève des informations dans les documents

❶ **Doc 1 à 3.** À partir des informations relevées dans les documents, classez les éléments qui constituent l'identité personnelle de Jamel Debbouze : son identité à la naissance, l'évolution de son identité, son attachement à la France, son engagement.

❷ **Doc 4 et 5.** Quels éléments composent l'identité légale de Meriem ? Quand et par qui est-elle établie ?

❸ **Doc 5 et 6.** Les « enfants fantômes » ont-ils une identité légale ? Pourquoi est-il essentiel d'avoir une identité légale ?

OU

ITINÉRAIRE 2

site élève
⬇ coup de pouce

▶ Je réalise une carte mentale

À l'aide des réponses aux questions et des documents, réalisez une carte mentale sur le droit à l'identité.

SOCLE Compétences
- Domaine 2 : Je m'engage dans un projet collectif
- Domaine 3 : Je connais les raisons de l'obéissance à la loi

S'engager contre les discriminations

CONSIGNE

Votre classe a pris conscience du nombre important de personnes qui, en raison de leur origine, de leur religion, de leur sexe, de leur âge ou de leur santé, sont victimes de discriminations. Elle souhaite organiser une campagne sur le thème « Agir contre les discriminations », par la réalisation d'affiches, de poèmes, d'articles...

Inspirez-vous des documents pour mettre en œuvre votre campagne.

1 Des exemples de l'action du Défenseur des droits

a. L'histoire de Titouan

Le 7 mars 2014, un délégué du Défenseur des droits est informé par une journaliste de la situation de Titouan, élève de seconde, empêché de participer à un voyage scolaire en Pologne avec sa classe, du fait de son handicap. En effet, Titouan est sourd. Sa maman souhaite porter plainte pour discrimination en raison du handicap et contacte le délégué. Celui-ci apprend que l'Institut national des jeunes sourds (INJS) peut assurer l'accompagnement de ce voyage. Une rencontre entre l'établissement spécialisé et le lycée est alors organisée pour trouver un accord.

Une solution a finalement été trouvée pour que Titouan puisse profiter de ce voyage avec ses camarades.

b. L'histoire de Fathia

Fathia, infirmière diplômée d'État et titulaire du certificat de formation aux premiers secours en équipe, est déclarée inapte au poste d'infirmière chez les sapeurs-pompiers en raison de sa taille (1,51 m). La taille minimale requise est de 1,60 m avec une tolérance de 3 cm.

Elle contacte alors le Défenseur des droits qui saisit les services du ministre de l'Intérieur pour faire évoluer la réglementation. Conformément aux recommandations du Défenseur des droits, la condition de taille exigée des sapeurs-pompiers est supprimée par un arrêt du 17 janvier 2013 du ministre de l'Intérieur.

Grâce à cette intervention, Fathia est engagée au poste d'infirmière sapeur-pompier volontaire depuis le 1er avril 2013.

■ D'après le site www.defenseurdesdroits.fr.

2 Des cas de discriminations

INFOS

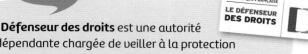

Le **Défenseur des droits** est une autorité indépendante chargée de veiller à la protection des droits et des libertés et de promouvoir l'égalité.

3 Ce que dit la loi

I. Constitue une discrimination toute distinction opérée entre les personnes physiques à raison de l'origine, du sexe, de la situation de famille, de l'apparence physique, du patronyme, du lieu de résidence, de l'état de santé, du handicap, des caractéristiques génétiques, des mœurs, de l'orientation ou identité sexuelle, de l'âge, des opinions politiques, des activités syndicales, de l'appartenance ou de la non-appartenance, vraie ou supposée, à une ethnie, une nation, une race ou une religion déterminée.

2. La discrimination [...] est punie de 3 ans d'emprisonnement et de 45 000 € d'amende lorsqu'elle consiste :

1° à refuser la fourniture d'un bien ou d'un service ; [...]

3° à refuser d'embaucher, à sanctionner ou à licencier une personne [...].

■ Article 225 du Code pénal.

4 Dénoncer l'antisémitisme

« Une » du *Droit de vivre*, le journal de la LICRA, juin 2013.

5 Lutter contre le racisme dans le football

a. L'action de la LICRA

La LICRA (Ligue internationale contre le racisme et l'antisémitisme) s'associe aux semaines d'action FARE (*Football Against Racism in Europe*) aux côtés de milliers de participants – les *Football People* – unis en Europe pour combattre les discriminations au nom des valeurs positives du football.

■ www.licra.org/fr.

b. Le Milan AC, un club de football engagé contre le racisme

Janvier 2013, Milan.

COUP DE POUCE

site élève
⤓ tableau à imprimer

Pour vous aider à réaliser votre campagne, reproduisez et complétez le tableau suivant.

	Doc 1	Doc 2	Doc 3	Doc 4	Doc 5
Quels sont les différents types de discrimination ?					
Qui agit contre les discriminations ?		–			
Quelles actions sont menées contre les discriminations ?		–			

Semaine d'éducation contre le racisme et l'antisémitisme

CONSIGNE

Chaque année en France, à l'occasion de la Semaine d'éducation contre le racisme et l'antisémitisme, l'école se mobilise. L'objectif : sensibiliser les élèves à la prévention du racisme et de l'antisémitisme et au respect de l'égalité entre tous les êtres humains.

Avec votre classe, vous montez un projet afin d'agir lors de la Semaine d'éducation contre le racisme et l'antisémitisme.

Avec l'aide du CLEMI, vous réalisez une émission de radio sur le refus du racisme et de l'antisémitisme.

VOCABULAIRE

▶ **Antisémitisme**
Haine des juifs.

▶ **Racisme**
Attitude de ceux qui méprisent certaines personnes en raison de leur prétendue appartenance à une race.

1 « On ne naît pas raciste, on le devient. »
Lilian Thuram, Jean-Christophe Camus, Sam Garcia, *Notre Histoire*, vol. 1, éditions Delcourt, 2014.

2 Le racisme et l'antisémitisme aujourd'hui

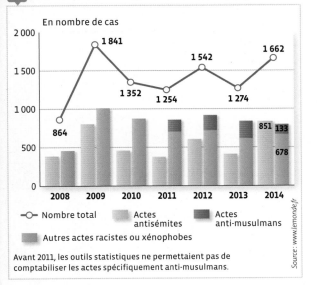

En nombre de cas

- −○− Nombre total
- Actes antisémites
- Actes anti-musulmans
- Autres actes racistes ou xénophobes

Source : www.lemonde.fr

Avant 2011, les outils statistiques ne permettaient pas de comptabiliser les actes spécifiquement anti-musulmans.

3 Ce que dit la loi

Art. 1er. Tous les êtres humains naissent libres et égaux en dignité et en droits. Ils sont doués de raison et de conscience et doivent agir les uns envers les autres dans un esprit de fraternité.

Art. 2.1. Chacun peut se prévaloir de tous les droits et de toutes les libertés proclamés dans la présente Déclaration, sans distinction aucune, notamment de race, de couleur, de sexe, de langue, de religion.

■ Déclaration universelle des droits de l'homme, 1948.

Art. 1er. Les hommes naissent et demeurent libres et égaux en droits.

■ Déclaration des droits de l'homme et du citoyen, 1789.

4 S'engager contre le racisme et l'antisémitisme au collège

« Ici Pierre-Norange, on représente le mélange [...] contre le sexisme et toutes les formes de racisme. » Cet extrait de l'hymne du collège Pierre-Norange, écrit par des élèves, symbolise la démarche entreprise par l'établissement aux 16 nationalités différentes.

Durant l'année scolaire, une trentaine de collégiens ont ainsi participé à un atelier, avec pour objectif de «mettre en valeur le vivre ensemble et la diversité culturelle du collège, et pour certains, de témoigner de leurs parcours d'enfants d'immigrés», explique Isabelle Mayol-Bertrand, professeure d'espagnol. Théâtre, chant et danse ont ainsi fait état de cette diversité, appuyée par une exposition sobrement titrée *Portraits*.

■ D'après *Ouest France*, 27 septembre 2013.

5 Être fraternel
Carte postale éditée par la LICRA, 2015.

COUP DE POUCE

site élève
↧ tableau à imprimer

Pour vous aider à préparer vos projets, recopiez et complétez le tableau suivant.

	Doc 1	Doc 2	Doc 3	Doc 4	Doc 5
Évolution des actes antisémites en France de 2008 à 2014			–		–
Origines du racisme et de l'antisémitisme		–			
Qui agit pour lutter contre le racisme et l'antisémitisme et comment ?	–	–			

La solidarité pour faire vivre l'égalité

Question clé Comment la solidarité permet-elle à l'égalité d'exister au quotidien ?

---

jour actu — Supplément au N°29 du 4 au 10 avril 2014 – Numéro spécial N°1

BD Chaque année, la collecte organisée par la JPA offre un bel exemple de solidarité d'élèves envers d'autres jeunes. Découvre ce qu'il y a derrière ce mot généreux.

La solidarité, c'est quoi ?

La solidarité, c'est **se sentir concerné** par ce qui arrive aux autres...

... pour **agir** quand quelqu'un en a besoin.

La solidarité, ce n'est pas seulement donner de l'argent ou être généreux.

C'est aussi « **se serrer les coudes** ». Le contraire de la solidarité, c'est l'égoïsme ou l'indifférence.

Dans solidarité, il y a le mot « solide » : on est plus forts, car on est **unis pour résoudre les problèmes**...

... et heureux de partager ensemble les victoires ! **C'est enrichissant pour tous.**

C'est important d'être solidaires car **on n'a pas tous les mêmes chances dans la vie.**

La solidarité, c'est reconnaître qu'on a **besoin les uns des autres.**

Être solidaire, c'est agir contre les **inégalités et l'injustice**. C'est participer à la vie de la société et devenir **un citoyen**.

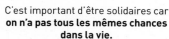

Texte : L. Vilmer. Illustrations : J. Azam.

1 **La solidarité pour lutter contre les inégalités**
Numéro spécial d'*1jour1actu*, 4 au 10 avril 2014.

2 Différents et égaux en droit

Nous ne sommes pas égaux naturellement : nous avons des tailles inégales, des poids inégaux, des talents inégaux, des forces physiques inégales [...]. La République ne nie pas cette réalité, ni ne veut supprimer les différences entre chaque homme et chaque femme. Mais elle veut organiser la société pour que chacun ait les mêmes droits, c'est-à-dire des droits égaux [...]. C'est le rôle de la loi qui s'applique de façon égale à toutes les femmes et à tous les hommes de la République. L'égalité est indissociable de la liberté et de la fraternité.

■ Alain Etchegoyen, *Guide républicain*, SCEREN Réseau-Canopé, Delagrave, 2004.

3 Ce que dit la loi

Les représentants du peuple français [...], considérant que l'ignorance, l'oubli ou le mépris des droits de l'homme sont les seules causes des malheurs publics [...] ont résolu d'exposer, dans une déclaration solennelle, les droits naturels, inaliénables et sacrés de l'homme [...] afin que les réclamations des citoyens tournent toujours au bonheur de tous.

Art. 1ᵉʳ. Les hommes naissent et demeurent libres et égaux en droits.

Art. 6. [La loi] doit être la même pour tous, soit qu'elle protège, soit qu'elle punisse.

■ Déclaration des droits de l'homme et du citoyen, 1789.

4 Le témoignage de Caroline, bénévole aux Restos du Cœur

Depuis cinq ans, je participe aux collectes alimentaires des Restos du Cœur en Moselle, je donne un coup de main, bénévolement. [...] Je pense qu'il faut toujours avoir en tête que nous pourrions être à la place de ces gens dans le besoin [...]. Avec mon mari, nous enseignons cette notion de partage et de dons à nos trois enfants. [...] Des personnes donnent en nous disant : « quand j'en avais besoin, vous [les Restos] étiez là, j'ai connu la galère, et maintenant c'est à moi d'aider. »

■ *20 Minutes*, 28 novembre 2011.

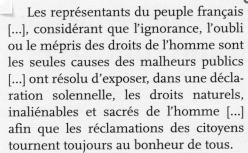

INFOS

Les **Restos du Cœur** est une association créée par Coluche en 1985. Elle a pour but d'apporter une **aide aux plus démunis** et de lutter contre toute forme d'**exclusion sociale** : repas chauds pour les sans-abri, distribution de panier-repas équilibrés, aide au logement.. En 2015, les Restos du Cœur comptent près de **70 000 bénévoles** à travers la France.

Activités

Question clé | Comment la solidarité permet-elle à l'égalité d'exister au quotidien ?

ITINÉRAIRE 1

ou

ITINÉRAIRE 2

site élève
↧ coup de pouce

▶ **Je prélève des informations dans les documents**

❶ **Doc 1.** Parmi les expressions en gras, quelles sont celles qui vous paraissent le mieux définir ce qu'est la solidarité ?

❷ **Doc 2 et 3.** Comment l'égalité est-elle définie par le droit ? Ainsi définie, permet-elle, à elle seule, la dignité d'une personne ?

❸ **Doc 4.** Dans cette situation, comment la solidarité permet-elle de faire vivre l'égalité dans la vie de tous les jours ?

▶ **J'argumente à l'écrit**

❹ Expliquez en quelques phrases comment la solidarité permet de lutter contre les inégalités.

▶ **J'enquête dans mon quartier**

En équipes, organisez une enquête dans votre quartier sur la solidarité. Posez des questions à vos proches, à vos voisins : comment vient-on en aide aux personnes en difficulté dans le quartier ? Pourquoi ? Vous ferez un court bilan oral de votre enquête devant la classe.

MÉTHODE

▶ Avec vos camarades, réfléchissez aux personnes que vous allez interroger.

▶ Préparez une fiche avec vos questions en prévoyant la place pour noter les réponses.

▶ Mettez en commun le résultat de votre enquête pour faire votre présentation orale.

Geneviève de Gaulle-Anthonioz et son combat contre la misère

Pourquoi Geneviève de Gaulle-Anthonioz a-t-elle consacré sa vie à la lutte contre la misère et la pauvreté ?

Geneviève de Gaulle-Anthonioz (1920-2002) Militante des droits de l'homme et de la lutte contre la pauvreté.

Née en 1920, Geneviève de Gaulle s'engage dans la Résistance pendant la Seconde Guerre mondiale. Dénoncée, elle est déportée en 1944 au camp de concentration de Ravensbrück (Allemagne). Dans les années 1960, elle s'engage contre la misère en « refusant l'inacceptable » et devient présidente de l'association ATD Quart-Monde. Nommée en 1988 au Conseil économique et social, elle se bat pour obtenir de l'État une loi contre les exclusions. Elle décède en 2002. Ses cendres sont transférées au Panthéon le 27 mai 2015.

1 Le camp des sans-logis de Noisy-le-Grand

Dans les années 1960, Geneviève de Gaulle-Anthonioz rencontre le père Joseph Wresinski, aumônier du « camp des sans-logis » de Noisy-le-Grand où 260 familles en attente de logement vivent sur une ancienne décharge, marécageuse et insalubre.

2 L'engagement auprès des pauvres

Hiver 1960.

Le feu a pris dans les papiers qui calfeutrent les parois disjointes des abris. Deux enfants sont morts. Se dégage une puanteur insurmontable puisqu'il est impossible de se laver, de se sécher. Ici, les familles n'ont que trois points d'eau pour ce grand bidonville, pas de toilettes, pas d'électricité. Je ne peux pas en prendre mon parti. [...]

Le père Joseph Wresinski était attentif à ce que disaient les parents : il faudrait trouver un travail pour trouver un logement ; on ne serait pas si souvent malades ; les petits iraient à l'école si on habitait moins loin et que la maman puisse les laver, laver leurs habits et surtout les faire sécher. [...] Quand j'avais quitté le chemin boueux pour attendre l'autobus dans une vraie rue, j'avais senti, au fond de moi, que je reviendrais. [...] Je viens de comprendre que je serai solidaire de ces familles, jusqu'à ce que l'injustice s'arrête, tant que leur pauvreté les privera de leurs droits.

■ Geneviève de Gaulle-Anthonioz, *Le Secret de l'espérance*, © Librairie Arthème-Fayard, 2001.

3 Une vie d'engagement

Hommage et retour sur la vie de Geneviève de Gaulle-Anthonioz.
20 heures, France 2, 2002.

4 1998 : la loi contre les exclusions

Art. 1er – La lutte contre les exclusions est un impératif national fondé sur le respect de l'égale dignité de tous les êtres humains. [...] La présente loi tend à garantir l'accès effectif de tous aux droits fondamentaux dans les domaines de l'emploi, du logement, de la protection de la santé, de la justice, de l'éducation, de la formation, de la protection de la famille et de l'enfance.

5 Aujourd'hui encore, combattre la misère

Affiche pour la Journée mondiale du refus de la misère, 2012.

QUESTIONS

▶ Je découvre l'action de Geneviève de Gaulle-Anthonioz

❶ Doc 1 à 3. Qui est Geneviève de Gaulle-Anthonioz ? Auprès de qui s'engage-t-elle ?

❷ Doc 1 et 2. Que signifie « refuser l'inacceptable » pour Geneviève de Gaulle-Anthonioz ?

❸ Doc 3 à 5. Quels sont les résultats de son combat contre la misère ?

❹ Doc 1 à 5. Pourquoi le combat contre la misère est-il un combat contre l'injustice ?

▶ Je fais le lien avec la Déclaration universelle des droits de l'homme (1948)

❺ À partir des informations relevées dans les documents, montrez que le combat mené par Geneviève de Gaulle-Anthonioz contre la misère s'inscrit dans les principes de l'article 1er de la Déclaration universelle des droits de l'homme (1948).

« Tous les êtres humains naissent libres et égaux en dignité et en droits. [...] »	« [...] Ils doivent agir les uns envers les autres dans un esprit de fraternité. »
• La situation à Noisy-le-Grand (**doc 1 et 2**) correspond-elle à l'énoncé ci-dessus ? Pourquoi ?	• Qu'est-ce que la fraternité ? • Qui agit dans un esprit de fraternité ? De quelle manière ?

L'égalité et la solidarité, pour vivre ensemble

➡ **Comment s'engager pour faire vivre l'égalité et la solidarité ?**

A L'égalité, principe et valeur de la République

1. Principe fondateur de la **République française**, l'égalité est inscrite dans la **Constitution** et dans la **devise**. La **Déclaration des droits de l'homme et du citoyen** (1789) proclame que les êtres humains naissent et demeurent libres et égaux en droits. Parmi ces droits, une **identité légale** pour tous et une **identité personnelle** pour chacun.

2. L'égalité en droit n'empêche pas qu'aujourd'hui, en France, de nombreuses personnes soient victimes de **discriminations** liées à l'origine, la religion (**antisémitisme** et islamophobie), la santé, le sexe, ou encore l'âge. En application de la loi, les juges punissent les auteurs de discriminations.

B La solidarité, contre les inégalités

1. Agir pour réduire les inégalités sociales, c'est faire preuve de **solidarité**. C'est appliquer l'un des principes inscrits dans la devise de la République, la **fraternité**, qui reconnaît la dignité de chacun.

2. La **solidarité** peut prendre la forme d'une action durable dans des **associations humanitaires** (ATD Quart-Monde, les Restos du Cœur...) qui se mobilisent contre l'**exclusion**. Chacun peut soutenir une association en faisant un **don** ou en s'investissant comme **bénévole**.

> **VOCABULAIRE**
>
> ▸ **Antisémitisme**
> Haine des juifs.
>
> ▸ **Identité légale**
> Identité officielle d'une personne, protégée par l'État.
>
> ▸ **Identité personnelle**
> Ensemble de caractéristiques qui distinguent un individu d'un autre (nom, prénom, date de naissance...).

> **Connais-tu...**
> **Les valeurs de la République**
>
> • **Fraternité**
> Elle est un idéal, une valeur de l'humanité tout entière, comme en témoigne l'article 1er de la Déclaration universelle des droits de l'homme (1948). La fraternité se traduit dans la vie de tous les jours par des actes de solidarité.
>
> • **Égalité**
> L'égalité est un des trois éléments de la devise républicaine « Liberté, Égalité, Fraternité ». Sans égalité, il n'y a pas de véritable liberté ni de fraternité possible.

Je révise *chez moi*

● **Je vérifie que je connais les principaux repères du chapitre.**

Je sais définir et utiliser dans une phrase :
▸ association humanitaire
▸ antisémitisme
▸ solidarité

Je sais expliquer :
▸ pourquoi l'on peut dire que tous les êtres humains sont égaux.
▸ pourquoi l'identité est un droit de la personne humaine.
▸ comment la solidarité permet de faire vivre l'égalité.

site élève
⬇ mon bilan de compétence

1 Je connais les valeurs de la République

↳ Socle : Domaines 1 et 3

1 L'égalité s'oppose-t-elle à la liberté ?

La liberté et l'égalité sont deux principes juridiques, ce qui signifie que la liberté passe par la protection des lois et que l'égalité suppose non seulement que la loi soit la même pour tous mais que l'on tende à une répartition équitable des biens. Mais trop de liberté peut nuire à l'égalité, trop d'égalité peut entraver la liberté. Il faut donc un troisième terme pour faire fonctionner ensemble ces deux sœurs ennemies et c'est la fraternité.

■ Jacques Ricot, philosophe, *Ouest France*, 19 mars 2015.

QUESTIONS

❶ Cherchez des exemples, dans la vie quotidienne ou dans des situations historiques, pour illustrer l'expression « trop de liberté peut nuire à l'égalité » et d'autres pour illustrer l'expression « trop d'égalité peut entraver la liberté ».

❷ Pourquoi l'auteur appelle-t-il la liberté et l'égalité des « sœurs ennemies » ?

❸ D'après l'auteur, quel est le rôle de la fraternité ?

2 Je fais le lien entre la solidarité et l'intérêt général

↳ Socle : Domaine 3

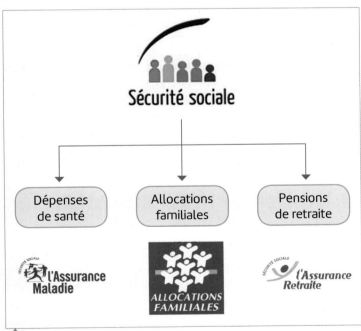

1 Que finance la Sécurité sociale ?

2 Ce que dit la loi

La Nation assure à l'individu et à la famille les conditions nécessaires à leur développement. Elle garantit à tous, notamment à l'enfant, à la mère et aux vieux travailleurs, la protection de la santé, la sécurité matérielle [...].

■ Préambule de la Constitution de 1946.

QUESTIONS

❶ **Doc 1.** Quelles sont les trois fonctions de la Sécurité sociale ? Qui est concerné par chacune d'elles ?

❷ **Doc 2.** Qui garantit le fonctionnement de la Sécurité sociale ? Pourquoi ?

❸ **Doc 1 et 2.** Donnez des arguments qui expliquent en quoi la Sécurité sociale est une organisation solidaire.

Textes de référence

Déclaration des droits de l'homme et du citoyen (26 août 1789)

Article 1er. Les hommes naissent et demeurent libres et égaux en droits. Les distinctions sociales ne peuvent être fondées que sur l'utilité commune.

Article 2. Le but de toute association politique est la conservation des droits naturels et imprescriptibles de l'homme. Ces droits sont la liberté, la propriété, la sûreté, et la résistance à l'oppression.

Article 3. Le principe de toute Souveraineté réside essentiellement dans la Nation. Nul corps, nul individu ne peut exercer d'autorité qui n'en émane expressément.

Article 4. La liberté consiste à pouvoir faire tout ce qui ne nuit pas à autrui : ainsi, l'exercice des droits naturels de chaque homme n'a de bornes que celles qui assurent aux autres membres de la société la jouissance de ces mêmes droits. Ces bornes ne peuvent être déterminées que par la loi.

Article 5. La loi n'a le droit de défendre que les actions nuisibles à la société. Tout ce qui n'est pas défendu par la loi ne peut être empêché, et nul ne peut être contraint à faire ce qu'elle n'ordonne pas.

Article 6. La loi est l'expression de la volonté générale. Tous les citoyens ont droit de concourir personnellement, ou par leurs représentants, à sa formation. Elle doit être la même pour tous, soit qu'elle protège, soit qu'elle punisse. Tous les citoyens étant égaux à ses yeux sont également admissibles à toutes dignités, places et emplois publics, selon leur capacité, et sans autre distinction que celle de leurs vertus et de leurs talents.

Article 7. Nul homme ne peut être accusé, arrêté ni détenu que dans les cas déterminés par la loi, et selon les formes qu'elle a prescrites. Ceux qui sollicitent, expédient, exécutent ou font exécuter des ordres arbitraires, doivent être punis ; mais tout citoyen appelé ou saisi en vertu de la loi doit obéir à l'instant : il se rend coupable par la résistance.

Article 8. La loi ne doit établir que des peines strictement et évidemment nécessaires, et nul ne peut être puni qu'en vertu d'une loi établie et promulguée antérieurement au délit, et légalement appliquée.

Article 9. Tout homme étant présumé innocent jusqu'à ce qu'il ait été déclaré coupable, s'il est jugé indispensable de l'arrêter, toute rigueur qui ne serait pas nécessaire pour s'assurer de sa personne doit être sévèrement réprimée par la loi.

Article 10. Nul ne doit être inquiété pour ses opinions, même religieuses, pourvu que leur manifestation ne trouble pas l'ordre public établi par la loi.

Article 11. La libre communication des pensées et des opinions est un des droits les plus précieux de l'homme : tout citoyen peut donc parler, écrire, imprimer librement, sauf à répondre de l'abus de cette liberté dans les cas déterminés par la loi.

Article 12. La garantie des droits de l'homme et du citoyen nécessite une force publique : cette force est donc instituée pour l'avantage de tous, et non pour l'utilité particulière de ceux auxquels elle est confiée.

Préambule de la Constitution de la IVe République (27 octobre 1946)

Paragraphe 1. Au lendemain de la victoire remportée par les peuples libres sur les régimes qui ont tenté d'asservir et de dégrader la personne humaine, le peuple français proclame à nouveau que tout être humain, sans distinction de race, de religion ni de croyance, possède des droits inaliénables et sacrés. Il réaffirme solennellement les droits et libertés de l'homme et du citoyen consacrés par la Déclaration des droits de 1789 et les principes fondamentaux reconnus par les lois de la République.

Paragraphe 6. Tout homme peut défendre ses droits et ses intérêts par l'action syndicale et adhérer au syndicat de son choix.

Paragraphe 7. Le droit de grève s'exerce dans le cadre des lois qui le réglementent.

Paragraphe 10. La Nation assure à l'individu et à la famille les conditions nécessaires à leur développement.

Paragraphe 11. Elle garantit à tous, notamment à l'enfant, à la mère et aux vieux travailleurs, la protection de la santé, la sécurité matérielle, le repos et les loisirs. Tout être humain qui, en raison de son âge, de son état physique ou mental, de la situation économique, se trouve dans l'incapacité de travailler a le droit d'obtenir de la collectivité des moyens convenables d'existence.

Paragraphe 13. La Nation garantit l'égal accès de l'enfant et de l'adulte à l'instruction, à la formation professionnelle et à la culture. L'organisation de l'enseignement public gratuit et laïque à tous les degrés est un devoir de l'État.

Vous voici en 5ᵉ, début du cycle 4 de votre scolarité, le « cycle des approfondissements ». Vous allez approfondir vos connaissances en histoire et géographie, travaillées au cycle 3 (CM1, CM2, 6ᵉ). Vous allez aussi faire de nouvelles découvertes.

En histoire, dans la continuité de la classe de 6ᵉ, vous étudiez une vaste période qui va **du Moyen Âge à la Renaissance**.

En géographie, vous approfondissez les démarches de la classe de 6ᵉ et vous réfléchissez aux capacités des sociétés **à trouver des solutions pour assurer un développement durable**.

- Pour apprendre en histoire et en géographie, vous allez travailler des compétences du **« socle commun de connaissances, de compétences et de culture »**.

- Elles sont regroupées en cinq grands domaines :

> ▶ Domaine 1 – Les langages pour penser et communiquer
> ▶ Domaine 2 – Les méthodes et outils pour apprendre
> ▶ Domaine 3 – La formation de la personne et du citoyen
> ▶ Domaine 4 – Les systèmes naturels et les systèmes techniques
> ▶ Domaine 5 – Les représentations du monde et l'activité humaine

- Ces compétences sont travaillées tout au long du manuel. Elles sont nécessaires pour comprendre le sens de tout ce que vous allez découvrir en histoire et en géographie, mais elles vont aussi vous permettre de renforcer votre capacité à travailler seul, à prendre des initiatives, **à savoir faire**.

> C'est de cette manière que tu pourras réussir. Bien sûr, ton professeur est là pour t'accompagner dans tes apprentissages et t'apporter son aide !

- Ces compétences font partie de ce que vous devez apprendre et elles seront évaluées tout au long de votre année de 5ᵉ. Elles seront ensuite consolidées jusqu'à la fin du cycle 4, en classe de 3ᵉ.

SOMMAIRE

Je me repère dans le temps : construire des repères historiques

En 6e, vous avez appris à mesurer le temps et à situer des faits dans l'ordre chronologique. Vous avez acquis un lexique historique. Au cycle 4, vous approfondissez vos apprentissages. Vous mettez en relation des faits, et vous pratiquez des allers-retours entre eux. Vous réalisez que dans l'histoire, il peut y avoir des ruptures.

Ainsi, vous réfléchissez et vous comprenez l'intérêt d'une chronologie pour expliquer le sens d'une époque ou d'une période donnée.

1 Je situe chronologiquement et j'ordonne des faits

- **Situer**, c'est d'abord indiquer à **quelle grande période historique** ont lieu les faits.
- Situer, c'est aussi **ordonner des faits** les uns par rapport aux autres.
- Une **rupture** en histoire, c'est un **événement qui est à l'origine d'une autre vie pour les sociétés**. C'est ainsi, par exemple, que l'on passe de l'Antiquité au Moyen Âge.

➜ **Chapitre 1 p. 14-15**
Byzance et l'Europe carolingienne (VIe-XIIIe siècle)

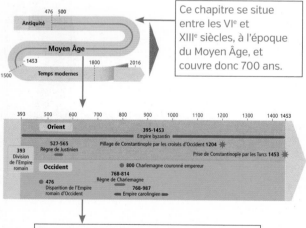

Ce chapitre se situe entre les VIe et XIIIe siècles, à l'époque du Moyen Âge, et couvre donc 700 ans.

Pour situer et ordonner, je donne le nom des deux empires étudiés et j'indique leur durée.

2 Je mémorise les repères historiques et je sais les utiliser

- En histoire, il est important de connaître les principaux repères, mais aussi de **savoir les utiliser**.
- Au cycle 4, vous apprenez **à associer des dates pour ordonner** et **mettre en relation des faits**.
- Vous comprenez aussi qu'une date peut créer **une rupture** dans l'histoire.

➜ **Chapitre 3 p. 54-55**
Dans cette double page, vous devez être capable d'ordonner des faits dans l'ordre chronologique, mais aussi de les mettre en relation en faisant des allers-retours entre eux : raconter le temps des croisades, comparer les dates de 1099 et 1187... Vous cherchez, dans ces faits, lequel a pu être une rupture pour une société et où et quand il a eu lieu.

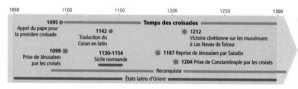

Une rupture, dans l'histoire, cela veut dire qu'une société ne peut plus vivre comme avant à cause d'un événement important qui met fin à sa manière de vivre, par exemple une conquête.

En fin de cycle 4, je devrai être capable :
➜ de situer des faits dans l'ordre chronologique et dans des périodes ;
➜ d'utiliser progressivement des documents représentant le temps (dont les frises chronologiques) ;
➜ de mettre en relation des faits d'une période donnée ;
➜ de manipuler et réutiliser les repères historiques que j'ai appris.

SOCLE Compétences

▶ **Domaine 1 :** je pratique différents langages.
▶ **Domaine 2 :** je me constitue des outils personnels de travail.
▶ **Domaine 5 :** je me repère dans l'espace.

Méthode

Je me repère dans l'espace : construire des repères géographiques

Pour vous repérer dans l'espace, vous avez appris en cycle 3 à utiliser les points cardinaux, les grands repères terrestres, les ensembles de reliefs, les continents et les océans. Vous devez maintenant apprendre à localiser et situer plus précisément les espaces que vous étudierez mais aussi à en **donner les caractéristiques géographiques principales**, quelle que soit l'échelle.

L'utilisation de cartes est très importante. Vous apprendrez aussi à réaliser vous-même des plans, des croquis, des schémas et des cartes.

1 Je localise pour repérer

Localiser, c'est répondre à la question « Où ? ».

● La réponse peut être **cartographique** : placer par exemple une ville sur une carte ou, à l'inverse, reconnaître que le point correspond à telle ville.
● La réponse peut être formulée en utilisant les **points cardinaux**, les grands **repères terrestres**, **les hémisphères Nord ou Sud**.

→ Reportez-vous à votre atlas **p. 365**.

● La localisation peut se faire en référence à **des éléments du milieu physique** (montagnes, fleuves, mers...) ou au **découpage administratif** (États, régions, départements, communes).
● Pour être capable de localiser, vous devez connaître **les repères géographiques élémentaires**.
● En cycle 4, vous devez progressivement construire les grands repères géographiques comme les continents et les océans sur **des cartes à différentes projections**. C'est un exercice difficile, pour lequel il faut souvent s'entraîner. Commencez toujours par rechercher le pôle Nord, lieu précis qui vous indiquera la localisation de l'océan Arctique.

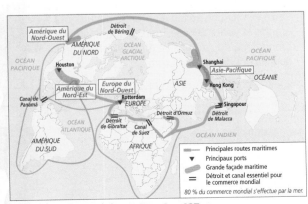

Une projection polaire → **Doc 4 p. 137**

2 Je situe pour me repérer

Situer répond aussi à la question « Où ? » mais en y ajoutant « par rapport à qui ou à quoi ? ».

● Il faut réussir progressivement à situer des lieux et des espaces **les uns par rapport aux autres**.
● À mesure que vous progressez dans le **cycle 4**, vous devez devenir plus autonome et être capable de **manipuler différentes échelles géographiques**, du local au mondial, pour raisonner et mieux comprendre un espace géographique.

→ **Chapitre 11**
Les inégalités dans le monde

Les États-Unis, un pays très riche par rapport aux autres pays du monde (petite échelle)
→ **Doc 1 p. 214**

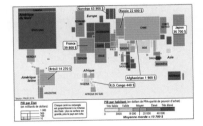

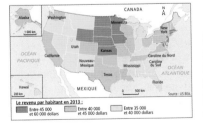

Les États-Unis, un pays inégalement riche à l'échelle nationale (grande échelle)
→ **Doc 5 p. 215**

En fin de cycle 4, je devrai être capable :

→ de nommer et localiser les grands repères géographiques découverts tout au long du cycle 4 ;
→ de nommer, localiser et donner les caractéristiques des espaces étudiés ;
→ de situer des lieux et des espaces les uns par rapport aux autres.

Je raisonne comme un(e) géographe

Pour devenir un vrai géographe, il vous faut connaître et vous entraîner à mettre en œuvre les 4 étapes du raisonnement géographique :

1. Je localise > 2. Je décris > 3. J'explique, j'analyse > 4. Je mets en perspective.

① Je localise et je décris

- Dans les études de cas de votre manuel, **la boîte « Activités »** vous permet de travailler les étapes 1 à 3 de ce raisonnement. Vous parviendrez ainsi à mettre en lumière les **spécificités du territoire étudié**.

② J'explique et j'analyse

- Souvent, en géographie, la recherche d'explications impose de **changer d'échelle** : c'est pour cela qu'on trouve des **documents à différentes échelles dans les études de cas** : par exemple, une carte du pays étudié et une photographie d'un site particulier ou d'une ville de ce pays.

③ Je mets en perspective

- C'est la dernière étape du raisonnement géographique mais aussi la plus difficile ! **Il faut maintenant changer d'échelle, passer du cas particulier** que vous venez d'étudier à **une réalité plus étendue.**

→ **chapitre 12 p. 230 à 251**

Par exemple, à la fin des études de cas du chapitre 12, vous êtes capables d'expliquer les enjeux pour la ressource « énergie » en Chine et pour la ressource « eau » au Moyen-Orient.

Mais vous ne savez pas encore si les conclusions auxquelles vous avez abouti pour l'une et l'autre de ces ressources sont valables pour le monde entier ! Il va donc falloir vérifier...

● Je fais la synthèse ou je compare

Ce premier temps permet de commencer à faire émerger la (ou les) notion(s) clé(s) que vous devez maîtriser, à partir du (ou des) cas concret(s) que vous venez d'étudier.
→ Des études de cas... au monde **p. 240-241**

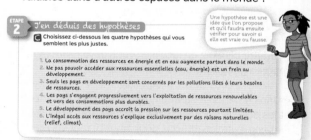

ÉTAPE 1 — Je compare les enjeux de deux ressources : énergie et eau

A Recopiez le tableau suivant.

	L'énergie en Chine	L'eau au Moyen-Orient
1	• Développement économique • Hausse du niveau de vie de la population	• Accroissement démographique • Développement de l'agriculture et du tourisme
2	• Ressources énergétiques inégalement réparties sur le territoire • Importations croissantes	• Faible disponibilité en eau par habitant • Fortes inégalités dans l'accès à l'eau suivant le niveau de développement
3	• Consommation massive d'énergies fossiles • Forte pollution de l'environnement, en particulier de l'air	• Concurrence entre les différents usagers de l'eau • Aménagements inégaux en fonction du niveau de développement du pays
4	• Engagement à limiter ses émissions de CO_2 (Cop 21) • Développement des énergies renouvelables	• Lutte contre le gaspillage de l'eau • Développement de nouvelles technologies, innovations plus économes et non polluantes

B En vous appuyant sur la ressource que vous avez étudiée, associez chaque numéro de ligne avec le titre qui lui correspond :

a. Des conséquences pour l'être humain et l'environnement.
b. Des solutions et des choix durables nécessaires.
c. Des besoins croissants.
d. Des ressources limitées.

- **J'en déduis des hypothèses**
  C'est le moment où vous passez du cas particulier à l'idée générale : les conclusions de l'étape 1 sont-elles valables dans d'autres espaces dans le monde ?

ÉTAPE 2 — J'en déduis des hypothèses

C Choisissez ci-dessous les quatre hypothèses qui vous semblent les plus justes.

1. La consommation des ressources en énergie et en eau augmente partout dans le monde.
2. Ne pas pouvoir accéder aux ressources essentielles (eau, énergie) est un frein au développement.
3. Seuls les pays en développement sont concernés par les pollutions liées à leurs besoins de ressources.
4. Les pays s'engagent progressivement vers l'exploitation de ressources renouvelables et vers des consommations plus durables.
5. Le développement des pays accroît la pression sur les ressources pourtant limitées.
6. L'inégal accès aux ressources s'explique exclusivement par des raisons naturelles (relief, climat).

> Une hypothèse est une idée que l'on propose et qu'il faudra ensuite vérifier pour savoir si elle est vraie ou fausse.

- **Je déduis si mes hypothèses sont justes**
  Cette idée générale doit être confrontée à d'**autres exemples, ailleurs dans le monde**. C'est l'étape 3, « Je vérifie si mes hypothèses sont justes »
  Cette vérification se fait à partir de documents à grande et petite échelles dans d'autres endroits du monde, mais aussi à l'aide du planisphère proposé dans la double page « Carte » qui suit.

ÉTAPE 3 — Je vérifie si mes hypothèses sont justes

D Observez les documents 1 à 3 ci-dessous. Indiquez à quelle hypothèse retenue dans l'étape 2 correspond chaque document.
Un document peut répondre à plusieurs hypothèses.

En fin de cycle 4, je devrai être capable :

→ de poser des questions ;
→ d'émettre des hypothèses ;
→ de vérifier en croisant plusieurs sources d'informations ;
→ d'argumenter.

SOCLE Compétences

▶ Domaine 2 : j'utilise les outils numériques de façon réléchie.

Je m'informe dans le monde du numérique

Internet représente aujourd'hui la principale source d'informations.
Les consultations de sites et l'utilisation des réseaux sociaux multiplient les recherches dans le monde du numérique. C'est une mine d'informations précieuse, mais il faut apprendre à naviguer efficacement.

1 J'évalue un site internet avant de l'utiliser

- **Toutes les informations sur internet ne sont pas fiables.** Vous devez savoir vous poser les bonnes questions sur l'origine et l'intérêt des informations trouvées dans l'univers du numérique.
- Avant d'utiliser les informations publiées sur un site, vous devez toujours vous poser les questions suivantes.

> Un site peut être passionnant, mais n'oublie pas le thème de tes recherches, sinon tu risques d'y passer trop de temps !

Qui est l'auteur de la page et du site ?

- Trouvez la rubrique « Mentions légales » ou « Qui sommes-nous » pour savoir qui est le responsable légal du site :
    – est-ce un organisme reconnu ? un particulier ? un spécialiste du sujet ?
    – les coordonnées du responsable sont-elles visibles pour le contacter ?
- L'information publiée est-elle récente ?
- Quelle est la date de mise à jour du site ?

Pourquoi le site publie-t-il cette information ?

- L'auteur a-t-il des intentions (convaincre, défendre des idées, vendre un produit...) ?
- Quels sont les objectifs du site : informations, scientifiques, commerciaux, politiques...

Le site répond-il bien à mes recherches d'information ?

- Quel est le titre de la page ? Correspond-il au sujet de mes recherches ?
- La lecture de l'introduction, du chapeau en haut de page correspondent-il à mes attentes ?
- L'article propose-t-il des renvois vers d'autres sites ? Cite-t-il ses sources ?

2 J'utilise les outils numériques de manière autonome

- **Utiliser un moteur de recherche**
Qwant Junior est un moteur de recherche **recommandé pour les collégiens**. Grâce à des filtres spéciaux, il exclut de ses pages de recherche les contenus qui pourraient choquer. Il préserve également la vie privée : vos données personnelles ne seront pas divulguées.

qwantjunior.com

- **Utiliser une encyclopédie en ligne**
Wikipedia est une encyclopédie libre, gratuite et autogérée, dont les informations sont modérées et vérifiées par un comité de rédaction. Tout le monde peut contribuer à cette encyclopédie et proposer des corrections.

wikipedia.fr

- **Utiliser des outils d'information spécifiques**
En histoire :
- les vidéos d'archives du **site Jalons pour l'histoire du temps présent** : fresques.ina.fr.
En géographie :
- les globes virtuels comme **Géoportail** présentent des images prises par satellite, mais aussi des cartes. geoportail.gouv.fr

En fin de cycle 4, je devrai être capable :

→ de connaître des ressources numériques fiables pour m'informer ;
→ d'effectuer des recherches d'informations à l'aide d'outils numériques divers et adaptés ;
→ de vérifier l'origine des informations d'un site internet et leur intérêt pour mes recherches.

J'analyse et je comprends un document

Au cycle 4, vous approfondissez la compréhension d'un document en histoire et en géographie. Vous l'analysez précisément en identifiant ses différents éléments et vous le confrontez à ce que vous connaissez du sujet étudié. Vous utilisez vos connaissances pour l'expliquer et le critiquer.

→ **Doc 3 p. 131 :**
un récit historique

Le journal de bord de Christophe Colomb

date

personnages

Pourquoi ce voyage de découverte ?

personnages

lieu

Depuis le 12 octobre, Christophe Colomb navigue dans les Caraïbes *et explore les îles.*
16 décembre 1492

Que Vos Altesses veuillent croire que toutes ces terres sont bonnes et fertiles et que ces îles sont [à elles].

24 décembre 1492

Un homme amena un de ses compagnons ou de ses parents, et tous deux nommèrent entre autres lieux où se trouvait de l'or Cipango qu'ils appelaient Civao. Là, affirmaient-ils, il y en avait en grande quantité.

[...] Il ne peut y avoir de gens meilleurs ni plus paisibles. Vos Altesses [...] bientôt en auront fait des chrétiens.

■ D'après Christophe Colomb, *La Découverte de l'Amérique*, Éditions La Découverte, 2002.

auteur

source

1 Je comprends le sens général du document

- **Lire le texte, se poser les bonnes questions :** de quoi parle ce document ? Qui sont les personnages cités ? Quelle situation historique évoque-t-il ?
- À partir des réponses aux questions posées, **dégager l'idée générale du document** en présentant en une phrase le sujet du texte.

2 J'identifie le document et son point de vue particulier

- **Présenter l'identité du document :** sa nature, son auteur, sa source.
- **Situer** le document **dans le temps et dans l'espace :** quand ? où ?
- **Indiquer le point de vue de son auteur :** que pense-t-il des gens qu'il vient de découvrir ?

3 J'extrais des informations pertinentes pour répondre à une ou des questions et je les mets en relation avec d'autres documents

- **Extraire les informations qui expliquent le fait historique ou la situation géographique** racontés par le document : Qui est Christophe Colomb ? Où et quand se situe son récit ? Avec qui entre-t-il en relation ? À qui fait-il part de sa découverte ?
- **Classer** les informations dans un ordre logique. Ce document est un récit historique : il faut classer les informations dans l'ordre chronologique.
- **Expliquer** le document en le confrontant à d'autres documents et en faisant preuve d'esprit critique. Il s'agit de présenter le contexte historique : Christophe Colomb est-il le seul à sillonner les mers ? Comme les autres navigateurs de son temps, que cherche-t-il ? Pourquoi ?
→ **p. 130-131 et 132-133**

En fin de cycle 4, je devrai être capable :

→ de comprendre le sens général d'un document ;
→ d'identifier le document et son point de vue particulier ;
→ d'extraire et de classer des informations pertinentes pour répondre à une question sur un ou plusieurs documents ;
→ d'expliquer le document en faisant preuve d'esprit critique.

SOCLE Compétences
▶ **Domaine 1 :** je pratique différents langages.
▶ **Domaine 2 :** je sais comment traiter l'information.

Méthode

Je pratique différents langages

En histoire et en géographie, vous êtes amené à lire et analyser de nombreux types de documents : textes, cartes, plans, images, reconstitutions, œuvres d'art, récits, frises, graphiques... Certains documents, comme les cartes, ont leur propre langage, très spécifique, qu'il faut apprendre à lire et à pratiquer progressivement.

1 Les images

L'image n'est pas une simple illustration, elle est aussi une source d'information qu'il faut savoir analyser.

● **Lire la légende :** auteur, date de création, source...
● **Analyser sa composition**, c'est-à-dire étudier la façon dont les éléments sont organisés sur l'image :
  – les **lignes** (droites, courbes, lignes de force...) ;
  – les **plans** (premier plan, deuxième plan, arrière-plan...).

● **En histoire et en géographie, on trouve différents types d'images, par exemple :**
  – des **photographies** (de paysages, de monuments historiques...)

Digues de protection, Bangladesh, 2015.
→ **Doc 5 p. 280**

– **des représentations d'œuvres d'art** présentées dans des **musées** ou d'autres lieux où on les **conserve** dans les meilleures conditions possibles (miniatures, peintures, sculptures...)
Miniature, vers 1320, BnF, Paris.
→ **Doc 1 p. 52**

2 Les documents cartographiques

Les cartes, les croquis et les schémas cartographiques sont des documents qui nécessitent une observation pour repérer, nommer, localiser (→ fiche p. 350).

● Pour lire une carte, il faut :
  – **repérer son titre** pour savoir de quoi elle parle ;
  – repérer les **grands ensembles identifiables** sur la carte à l'aide des aplats de couleur ;
  – comprendre les informations indiquées en **légende** ;
  – **décrire la carte** en utilisant un vocabulaire spécifique ;
  – **comprendre comment s'organisent les espaces.**

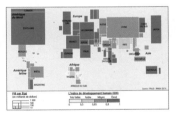

La richesse et le développement dans le monde
→ carte p. 226

3 Les documents statistiques

Les graphiques, les tableaux de chiffres, certaines infographies sont des documents statistiques.

● Ils nécessitent, pour les comprendre :
  – de bien **repérer les unités** (km, euros...) ;
  – de maîtriser les **ordres de grandeur** (milliers, millions, milliards...) ;
  – d'identifier si les informations sont exprimées en **valeurs absolues** (nombre d'habitants) ou en **valeur relative** (nombre d'habitants par km^2) ;
  – de maîtriser les **pourcentages** (%).

Évolution de la consommation d'eau dans le monde
→ Doc 1 p. 249

En fin de cycle 4, je devrai être capable :

→ de présenter des documents de différente nature ;
→ de prélever, classer et interpréter des informations, quel que soit le type de document ;
→ de lire les documents cartographiques et les graphiques les plus courants.

SOCLE Compétences
▶ **Domaine 1 :** je m'exprime en utilisant la langue française à l'oral et à l'écrit.
▶ **Domaine 2 :** j'organise mon travail personnel pour apprendre à apprendre.

Je m'exprime à l'écrit et à l'oral

En 6ᵉ, vous avez consolidé vos apprentissages en lecture, en expression écrite et orale. Désormais, lorsque vous lisez un texte, présentez un exposé ou rédigez un texte, vous recherchez des arguments pour comprendre et faire comprendre. Vous pouvez aussi exprimer votre point de vue.

① Je m'exprime à l'écrit

S'exprimer à l'écrit, cela signifie construire sa pensée : décrire, raconter, expliquer, argumenter...

● Après avoir étudié un ou plusieurs documents sur un sujet, votre professeur va vous demander de **rédiger des phrases pour expliquer le sujet étudié.**

→ **Chapitre 2 p. 37**
La création d'un
État musulman

ITINÉRAIRE 1

▶ Je prélève des informations dans les documents

❶ Biographie. Quel a été le rôle de Mohammed dans la création du premier État musulman ?

❷ Biographie et Doc 1 à 3. Montrez que Mohammed et les califes sont les chefs religieux, politiques et militaires de l'État musulman.

❸ Biographie, Doc 2 à 4. Pourquoi peut-on dire que l'État créé par Mohammed et les premiers califes est un État musulman ?

▶ J'argumente à l'écrit

❹ À l'aide des questions 1 à 3, répondez en quelques phrases à la question clé.

● **Rassembler les informations relevées**
– **Notez au brouillon** les éléments qui expliquent le sujet : mots clés, personnages, dates, lieux, faits...

> Aide-toi des questions posées sur les documents !

– **Classez et hiérarchisez les éléments notés** de manière logique, dans l'ordre des questions posées.
– **Rédigez la réponse à la question :** **écrivez un paragraphe** qui explique avec des arguments l'essentiel du sujet étudié.

② Je m'exprime à l'oral : faire un exposé

Savoir s'exprimer à l'oral est essentiel car dans votre vie, vous ne cessez de communiquer, avec vos camarades, vos professeurs, votre famille...
C'est aussi le cas lorsque **vous devez présenter devant la classe un exposé** personnel ou réalisé en groupe.

→ **Chapitre 8 p. 152-153**
Luther et la Réforme protestante

ITINÉRAIRE 2

▶ Je comprends le sens général des documents
À l'aide des documents, répondez à la question clé : présentez le rôle des acteurs concernés par la Réforme chrétienne de Luther.

MÉTHODE

▶ Réalisez un diaporama qui servira de support à votre présentation. Vous pouvez suivre le plan suivant :
Écran 1. Martin Luther et l'origine de sa protestation
Écran 2. Martin Luther et les aspects de sa réforme religieuse
Écran 3. Les conséquences pour Luther

● **Préparer l'exposé**
– **Définissez le sujet de l'exposé :** expliquez les termes du sujet, situez-le dans l'espace et dans le temps.
– **Trouvez des documents** et des informations répondant au sujet de l'exposé (dans le manuel, au CDI, sur internet...).
– **Classez par écrit** les informations recueillies, puis présentez-les en faisant preuve d'**esprit critique.**

● **Présenter l'exposé**
- **Notez le titre de l'exposé** au tableau.
- **Restez** de préférence **debout** et **regardez le public.**
- **Expliquez** et notez au tableau les **étapes clés** de l'exposé.
- **Expliquez** quelques documents illustrant l'exposé, en indiquant leur source. Vous pouvez aussi les projeter.
Attention à bien respecter le temps imparti !

> N'oublie pas de parler fort et distinctement, ni trop vite ni trop lentement.

En fin de cycle 4, je devrai être capable :

→ de réaliser une production écrite : écrire pour construire ma pensée, argumenter ;
→ de réaliser une production orale : m'exprimer pour penser, communiquer et échanger, par exemple pour présenter un exposé, un document ;
→ de m'approprier et d'utiliser un lexique spécifique en contexte.

▶ **Domaine 2 :** j'organise mon travail dans le cadre d'un groupe pour élaborer une tâche commune et/ou une production collective.

Je coopère et je mutualise : le travail en équipes

Lors d'un cours, votre professeur peut vous proposer un travail en équipes.
Dans votre équipe, vous allez travailler avec d'autres élèves sur un même sujet, et ensemble, vous allez réaliser une production collective. Il va falloir faire preuve d'esprit d'équipe !

1 Découverte de la consigne

● **Pour commencer, vous devez essayer de comprendre la consigne générale.**

→ Consigne p . 78

> **CONSIGNE**
>
> Le réalisateur d'une série télévisée consacrée à la vie d'un village au Moyen Âge contacte votre classe pour l'un de ses épisodes. Vous devez lui expliquer quelle était la vie quotidienne des paysans.
>
> Chaque groupe exposera oralement son travail devant le reste de la classe. Puis, tous ensemble, vous rédigerez le bilan de ce qui a été appris sur la vie au village au Moyen Âge, pour aider le réalisateur à rédiger son scénario.

● Vous devez ensuite **comprendre** la **consigne** et/ou les **questions** qui se rapportent au travail dont votre équipe est responsable, en formulant des hypothèses pour essayer de répondre aux questions.

La communauté villageoise

Dans la seigneurie, le village s'organise en communauté villageoise, qui dispose de droits mais qui doit aussi se soumettre au seigneur.

❶ Comment fonctionne cette communauté ?
❷ Quelles sont ses relations avec le seigneur ?

2 Dialogue et élaboration de la tâche commune demandée

Pour réaliser cette étape, vous devez **échanger** sur les recherches de chacun, **choisir** les éléments qui répondent à la consigne puis **réaliser la production finale** de l'équipe. **Pour cela, il faut apprendre à travailler ensemble.**

● **Savoir prendre la parole dans le groupe :**
  – attendre que l'autre ait terminé de parler ;
  – prendre la parole et défendre ses idées sans crier ni les imposer ;
  – laisser ses camarades s'exprimer et respecter leurs idées.

> Au départ, tu n'auras peut-être pas envie de travailler avec des élèves que tu n'as pas choisis, mais tu vas apprendre à les connaître, et ensemble vous allez vous enrichir !

● **Respecter les autres :**
  – inclure tout le monde dans le groupe ;
  – respecter l'espace et le matériel de l'autre ;
  – être capable aussi de travailler en silence.
● **Montrer un sens des responsabilités et faire preuve d'esprit d'équipe :**
  – bien exercer son rôle ;
  – prendre des initiatives ;
  – encourager ses coéquipières et ses coéquipiers ;
  – travailler de façon positive.

> Chaque membre de l'équipe a un rôle à jouer : contrôler le bruit et veiller au respect de chacun, gérer la prise de parole, surveiller le temps, prendre des notes…

3 Mise en commun du travail

Dans chaque équipe, vous pouvez choisir un représentant qui va exposer devant la classe ce que vous avez appris.
● Le (ou la) **représentant(e) explique** oralement à la classe la production réalisée (→ fiche p. 354)
● Par un **dialogue** dans la classe, les travaux des groupes sont **mis en commun** pour répondre à la **consigne générale**.

> **En fin de cycle 4, je devrai être capable :**
> → de m'intégrer dans un projet collectif en mettant à la disposition du groupe mes connaissances et mes compétences ;
> → de discuter, expliquer, argumenter pour défendre mes choix ;
> → de négocier avec mes camarades une solution commune pour réaliser la production collective demandée ;
> → d'adapter mon rythme de travail à celui du groupe (ni trop rapide, ni trop lent).

Je réalise une tâche complexe

> En 6e, en histoire et en géographie, vous avez appris à réfléchir, mobiliser vos connaissances, choisir des démarches pour résoudre des tâches complexes. En 5e, vous approfondissiez votre apprentissage. Vous êtes confronté(e) à une situation que vous devez résoudre et qui vous oblige à **mener l'enquête**.
>
> Vous ne parviendrez pas à résoudre la tâche qui vous est confiée si vous la divisez en petites tâches, effectuées l'une après l'autre, sans lien entre elles. Vous devez réaliser la tâche dans son ensemble, **en une seule fois**.

1 Je découvre la tâche complexe à résoudre

- **Expliquez** d'abord la tâche à réaliser avec vos propres mots.
- **Réfléchissez** ensuite à la démarche à suivre pour répondre à la consigne donnée : quelles questions se poser après avoir lu la consigne de la tâche à réaliser ?

> N'hésite pas à tâtonner, essayer... Ce n'est pas grave de se tromper ! Car c'est après avoir fait des erreurs, et les avoir comprises, que tu trouveras la meilleure solution au problème.

➜ Au Moyen Âge, des campagnes qui changent **p. 74-75**

CONSIGNE

Le Musée national du Moyen Âge à Paris présente une nouvelle exposition « Les campagnes au Moyen Âge : que de changements ! », et vous demande de réaliser un livret destiné au jeune public. Que se passe-t-il de nouveau dans les campagnes du Moyen Âge ? À vous de l'expliquer.

N'oubliez pas : le musée est très régulièrement visité par des scolaires. Sur le livret, vous écrirez des textes courts. Il vous faudra aussi les illustrer.

> **Ex. de questions :** quels changements dans les campagnes au Moyen Âge ? Pourquoi a-t-on pu cultiver la terre ? Comment la cultivait-on ?

2 Je fais des recherches pour résoudre la tâche complexe

- Lisez **tous les documents** pour en comprendre le sens général et confrontez-les. (➜ fiche p. 352)
- Prélevez dans les documents les **informations pertinentes** pour répondre à la consigne donnée.

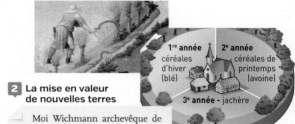

1re année céréales d'hiver (blé) 2e année céréales de printemps (avoine) 3e année - jachère

2 La mise en valeur de nouvelles terres

Moi Wichmann archevêque de Magdebourg, j'ai racheté un endroit avec les prés et marais attenants. Et cet endroit, je l'ai donné pour que soit asséchée, labourée, ensemencée la terre »

- Si vous en avez besoin, vous pouvez vous aider du « **coup de pouce** » proposé à la fin de chaque tâche complexe.

COUP DE POUCE

Pour vous aider à rédiger votre livret, recopiez et complétez le tableau suivant.

	Informations prélevées dans les documents
1. Les défrichements	
2. Les outils et nouvelles techniques agricoles	
3. Les productions agricoles	

3 Je réalise une production pour répondre à la consigne de la tâche complexe

- **Organisez les informations extraites** des documents pour préparer la tâche qui vous a été demandée.
- **Réalisez une production finale** qui sera votre solution à la tâche complexe que vous aviez à résoudre. Elle peut avoir la forme d'une présentation orale, d'un texte rédigé, d'une production graphique, d'une carte mentale...
- Pensez à **autoévaluer votre travail** pour vérifier qu'il répond bien au problème posé.

En fin de cycle 4, je devrai être capable :
- ➜ de résoudre un problème posé en choisissant une démarche, seul ou en groupe ;
- ➜ d'utiliser mes connaissances et des ressources documentaires ;
- ➜ de proposer une solution, la présenter et la justifier dans une production finale.

A

Accès à l'eau : situation d'un habitant disposant d'eau potable (20 litres/jour) à moins de quinze minutes de marche (voir p. 244).

Agriculture durable : agriculture qui répond aux besoins des populations actuelles sans compromettre la capacité des populations futures à répondre aux leurs (voir p. 262, 264).

Agriculture productiviste : agriculture qui recherche une production maximale et des rendements élevés en utilisant les techniques les plus efficaces (machines, engrais, pesticides, semences sélectionnées) (voir p. 256, 264).

Agriculture vivrière : agriculture destinée à la consommation des paysans qui la produisent (voir p. 256, 264).

Aménagement : action volontaire d'une collectivité (État, région, département, commune...) sur l'organisation de son territoire (répartition de la population, distribution des activités économiques, équipements, environnement...) (voir p. 290).

Antisémitisme : Haine des juifs (voir p. 338, 344).

Aléa : Probabilité que survienne un événement potentiellement dangereux (voir p. 309).

L'aléa

Allah : mot arabe signifiant Dieu (voir p. 36).

Arabes : entre le VIe et XIIIe siècle, descendants de la population de l'Arabie. Ils se convertissent à l'islam, et leur langue, l'arabe, devient celle de l'islam (voir p. 34).

Aridité : manque d'eau permanent (voir p. 236).

Artisan : celui qui exerce une activité manuelle nécessitant un savoir-faire, ou art (voir p. 94).

Association humanitaire : regroupement de personnes voulant agir ensemble pour aider les autres (voir p. 344).

B

Barbaresques : aux XVe et XVIe siècles, pirates musulmans basés en Afrique du Nord, qui enlèvent des chrétiens sur les côtes méditerranéennes pour les vendre comme esclaves dans l'Empire ottoman (voir p. 134, 138).

Basileus : signifie « roi » en grec, titre officiel des empereurs byzantins (voir p. 17).

Beffroi : haute tour construite par une commune. Elle abrite une cloche qui avertit les habitants en cas de danger et qui sonne les horaires de travail (voir p. 97).

Bourgeois : aux XIe et XVe siècles, habitant du bourg, de la ville (voir p. 94).

C

Califat : territoire soumis à l'autorité du calife (voir p. 34).

Calife : de l'arabe *khalifa*, successeur du prophète Mohammed. Chef religieux, politique et militaire de l'Empire musulman, entre le VIe et XIIIe siècle (voir p. 38, 46).

Catastrophe : réalisation d'un risque entraînant des dégâts matériels et/ou humains (voir p. 290, 300, 310).

Cathédrale : église de l'évêque, du grec *cathedra*, « siège de l'évêque » (voir p. 99).

Cens : du XIe au XVe siècle, somme d'argent (loyer) versée par le paysan en échange de la terre qu'il cultive (tenure) (voir p. 74, 76).

Changement climatique : un des changements à l'échelle mondiale sur le climat lié à l'activité humaine et qui augmente les risques naturels pour les sociétés (voir p. 288).

Changement global : évolutions ou modifications qui concernent le monde entier et qui augmentent

les risques pour les sociétés, par exemple la montée du niveau des océans, l'accroissement de la population mondiale ou le réchauffement climatique (voir p. 278, 288).

Charte de franchise : entre le XIe et XVe siècle, droits accordés par le seigneur à la communauté villageoise (voir p. 79, 84).

Clercs : hommes d'Église (prêtres, moines...) qui forment le clergé. L'Église, avec un É majuscule désigne l'ensemble du clergé (voir p. 72).

Communaux : terres collectives réservées à la pâture des bêtes du village (voir p. 84).

Commune : au Moyen Âge, association d'habitants pourvue de droits (avantages fiscaux, militaires...) accordés par un seigneur ou par le roi (voir p. 92, 97, 102).

Comte : personnage puissant nommé par l'empereur pour administrer un territoire de l'empire, le comté (voir p. 19).

Comptoir : port établi dans un pays par un autre pays pour y faire du commerce (voir p. 55, 62, 128, 138).

Concile : assemblée d'évêques et d'abbés réunis pour délibérer sur des questions religieuses (voir p. 156).

Conquistador : nom donné aux aventuriers espagnols partis à la conquête de l'Amérique dès le XVe siècle (voir p. 138).

Coran : de l'arabe *qur'an*, récitation. Seul texte sacré de la religion de l'islam, composé de 114 sourates et considéré par les musulmans comme la parole divine dictée à Mohammed (voir p. 34, 46).

Corvées : travail obligatoire effectué gratuitement sur le domaine du seigneur (voir p. 76).

Croisade : expédition militaire et religieuse menée par les chrétiens d'Occident pour délivrer les Lieux saints passés sous domination musulmane. Un croisé est celui qui participe aux croisades. (voir p. 55, 56).

Croissance démographique : augmentation de la population (voir p. 204).

Cyclone : phénomène climatique extrême en zone tropicale qui entraîne des vents violents, des pluies torrentielles, des vagues et des tempêtes destructrices (voir p. 278).

Défrichement : destruction de la végétation pour cultiver de nouvelles terres (voir p. 71, 74, 84).

Dépendance énergétique : obligation pour un pays d'importer de l'énergie d'autres pays pour répondre à ses besoins (voir p. 232).

Développement : amélioration générale des conditions de vie d'une population (voir p. 204).

Développement durable : c'est « un développement qui répond aux besoins des générations du présent sans compromettre la capacité des générations futures à répondre aux leurs » (Brundtland, ONU, 1987) (voir p. 204).

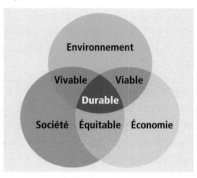

Développement équitable : développement qui profite à tous (voir p. 204).

Développement humain : hausse générale du niveau de vie d'une population lui permettant au moins de satisfaire tous ses besoins essentiels (eau, alimentation, instruction...). Il est mesuré par l'IDH (voir p. 194).

Discrimination : fait de refuser des droits à une personne ou à un groupe de personnes en raison de son origine, de son appartenance religieuse, de son handicap... Cette attitude est punie par la loi (voir p. 320, 328).

Djihad : du VIe au XIIIe siècle, effort permanent que doit faire tout musulman afin de se purifier. Également droit de combattre l'occupant (voir p. 36, 46).

Domaine royal : au Moyen Âge, ensemble des terres dont le roi est le seigneur et dont il tire des revenus (voir p. 111, 120).

Dynastie : succession de rois d'une même famille (voir p. 111).

E

Eau renouvelable : eau souterraine ou de surface qui se renouvelle au sein du cycle de l'eau (voir p. 242).

Édit : décision royale qui a valeur de loi (voir p. 178).

Église catholique : Église chrétienne d'Occident, dirigée par le pape depuis Rome. Elle se dit « universelle » (voir p. 22).

Église orthodoxe : Église chrétienne byzantine, dirigée par le Patriarche de Constantinople. Elle se dit « conforme à la vraie foi » (voir p. 26).

Empire : territoires non délimités par des frontières, réunissant des peuples sous une autorité unique, l'empereur, dont la volonté est d'étendre son territoire par des conquêtes (voir p. 15, 26).

Empire colonial : territoire conquis, exploité et dominé par un État étranger (voir p. 128, 138).

Énergie : besoin fondamental pour les sociétés humaines leur permettant de se déplacer, de travailler, de se chauffer, etc. (voir p. 242).

Énergie fossile : énergies produites par la fossilisation des êtres vivants (pétrole, gaz naturel et charbon). Présentes en quantité limitée et non renouvelables, leur combustion entraîne des gaz à effet de serre (voir p. 244).

Énergie renouvelable : énergie tirée de ressources naturelles inépuisables (soleil, vent, chaleur de la terre) ou encore de végétaux (voir p. 234).

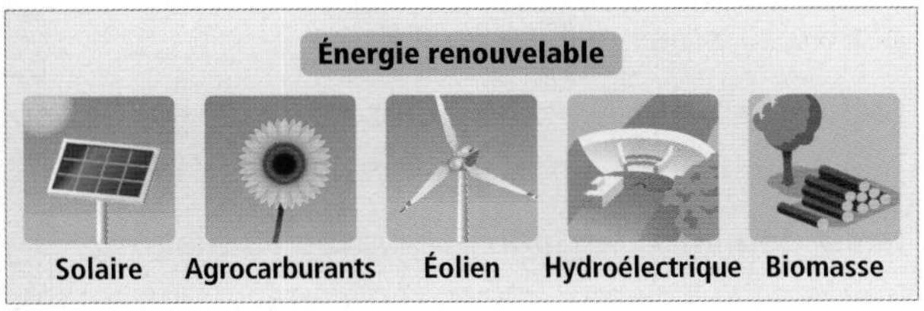

État : territoire délimité par des frontières, sur lequel s'exerce un pouvoir politique souverain qui impose des règles communes (voir p. 111, 178).

Essor des villes : croissance des villes. Les villes sont plus nombreuses, plus peuplées et développent leurs activités (voir p. 92).

États généraux : assemblée des représentants de l'Église, des seigneurs et des bourgeois, réunie par le roi pour faire accepter sa politique (voir p. 114, 120).

États latins d'Orient : États créés puis administrés par les chrétiens d'Occident au lendemain de la première croisade (fin du XIe siècle) (voir p. 55, 56).

Évêque : du mot gallo-romain *episcu*, « surveillant ». Clerc à la tête d'une communauté de chrétiens sur laquelle il exerce son autorité (voir p. 99).

Excommunication : exclusion temporaire ou définitive d'une personne de l'Église catholique (voir p. 152).

Explosion démographique : très forte croissance démographique. Le nombre de naissances est nettement supérieur au nombre de décès (voir p. 196).

F

Fécondité : nombre moyen d'enfants par femme en âge de procréer (15-49 ans) (voir p. 196).

Front pionnier : mise en valeur d'un territoire jusque-là inoccupé (voir p. 256).

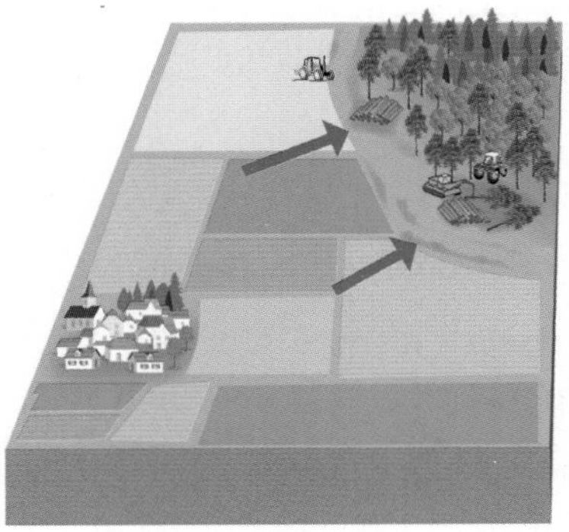

Fief : au Moyen Âge, terre remise à un vassal par un seigneur, en échange de sa fidélité et de son aide (voir p. 72).

G

Gaz à effet de serre : gaz qui participent au réchauffement climatique (voir p. 234, 290).

Gouvernement centralisé : sous Louis XIV, ses ministres, les membres de ses conseils, ses représentants dans les provinces, qui appliquent ses ordres dans l'ensemble du royaume (voir p. 178).

Guilde / Métier : association de marchands ou d'artisans d'une ville (voir p. 97).

Hégire : départ de Mohammed de La Mecque pour Médine en 622 après J.-C. Point de départ du calendrier musulman (voir p. 34).

Hommage : au Moyen Âge, cérémonie au cours de laquelle le vassal prête serment de fidélité à son seigneur (voir p. 72, 113).

Hôtel de ville : édifice où se réunissent ceux qui dirigent la commune, les magistrats (échevins...) (voir p. 97, 102).

Hôtel-Dieu : hôpital au Moyen Âge, fondé et entretenu par l'Église (voir p. 99).

Humanisme : du latin *humanitas*, « l'être humain ». Mouvement intellectuel européen né en Italie au XVe siècle. Il s'inspire des grandes idées de l'Antiquité pour affirmer sa confiance en l'être humain, qui peut se perfectionner par la connaissance et l'éducation (voir p. 146, 158).

Hydrocarbures : pétrole et gaz naturel (voir p. 232).

Ibériques : Portugais et Espagnols (voir p. 128).

Identité légale : identité officielle d'une personne, protégée par l'État (voir p. 334, 344).

Identité personnelle : ensemble de caractéristiques qui distinguent un individu d'un autre (nom, prénom, date de naissance...) (voir p. 334, 344).

IDH : Indice de développement humain. Il mesure le niveau de développement d'un État. Il prend en compte l'espérance de vie, le niveau d'instruction et le revenu national brut. Il reflète la qualité de vie d'une population. Il varie de 0, pour un développement minimum, à 1, pour un développement maximum (voir p. 191, 221).

Indulgences : au XVIe siècle, pardon des péchés, accordé par l'Église catholique, en échange de bonnes actions ou d'un don d'argent (voir p. 152).

Inégalité : différence de richesse et de développement entre des territoires et des individus (voir p. 222).

Irrigation : ensemble des techniques permettant d'amener de l'eau aux cultures quand il ne pleut pas (voir p. 239, 244).

Islam : « soumission » à Allah et à l'État musulman. Nom de la religion prêchée par Mohammed (voir p. 36, 46).

Jachère : terre laissée sans culture, pour retrouver sa fertilité (voir p. 74).

Légistes : spécialistes du droit et de la loi (voir p. 120).

Malnutrition : maladie liée à une alimentation déséquilibrée en qualité (excès de graisses, par exemple) (voir p. 255, 264).

Marée noire : déversement accidentel de pétrole en mer qui menace à la fois la biodiversité et les activités humaines (voir p. 304).

Métier urbain : associations de personnes qui exercent un même métier dans une ville (voir p. 92).

Missi dominici : en latin « envoyés du maître ». Envoyés de l'empereur, chargés d'inspecter les comtés de l'empire (voir p. 19).

Monarchie : du grec *mono*, un seul, et *arke*, pouvoir. Régime politique dirigé par une seule personne : un roi héréditaire (voir p. 111, 120, 166, 170).

Monarchie absolue de droit divin : monarchie dans laquelle le roi exerce un pouvoir personnel sans partage, qui lui aurait été accordé par Dieu (voir p. 166, 174, 178).

Musulman : croyant de l'islam (voir p. 36).

Nappe fossile : nappe d'eau souterraine non renouvelable (voir p. 236).

Nationalité : toute personne a une nationalité à la naissance, qui la rattache officiellement à un État (voir p. 334).

Obésité : maladie liée à l'accumulation excessive de graisses dans l'organisme (voir p.255).

Occident : au Moyen Âge, ce sont les pays chrétiens de l'Europe de l'Ouest (voir p. 71).

Ordonnance : décision du roi pour tout le royaume, qui a valeur de loi (voir p. 120).

Parlement : tribunal qui rend la justice au nom du roi et enregistre les édits royaux (voir p. 170, 178).

Paroisse : territoire sous l'autorité religieuse d'un prêtre (voir p. 81, 84).

Patriarche : chef de l'Église byzantine, choisi par l'empereur (voir p. 16).

Pauvreté : insuffisance de revenus entraînant des privations et l'incapacité pour une population de satisfaire ses besoins. Dans le cas de l'extrême pauvreté, il s'agit des besoins essentiels : se nourrir, accéder à l'eau potable, se loger, se soigner, s'éduquer (voir p. 222).

Pays émergent : pays connaissant une croissance économique forte mais dont le niveau de développement de la population est encore inférieur à celui des pays riches (voir p. 192).

Pays les moins avancés (PMA) : les pays les plus pauvres de la planète. Catégorie définie par l'ONU à partir de trois critères : revenu par habitant, IDH et fragilité économique. (voir p. 221, 258).

Pluralisme des médias : existence de médias d'opinions diverses (voir p. 328).

Politique de l'enfant unique : politique de contrôle des naissances menée par l'État chinois de 1979 à 2015 pour limiter l'augmentation de la population (voir p. 194).

Prévention : ensemble des mesures prises pour limiter les effets destructeurs d'un risque, avant et après la catastrophe (voir p. 280, 290, 300, 310).

Produit intérieur brut (PIB) : somme des richesses produites par un pays (voir p. 232).

Prophète : homme chargé par Dieu de transmettre ses paroles (voir p. 36, 46).

Racisme : attitude de ceux qui méprisent certaines personnes en raison de leur prétendue appartenance à une race (voir p. 338).

Reconquista : reconquête de l'Espagne par les rois catholiques (XIe-XVe siècle) (voir p. 55, 56, 62).

Redevance : du XIe au XVe siècle, nom des taxes en argent ou en nature versées au seigneur par les paysans (voir p. 76).

Réforme : mouvement religieux du XVIe siècle qui rejette l'autorité du pape sur les chrétiens et entraine la création d'Églises protestantes (voir p. 146, 158).

Réforme catholique : réforme interne de l'Église catholique, afin de corriger les abus et de mieux lutter contre les Réformes protestantes (voir p. 158).

Renaissance : nom donné par le peintre Vasari vers 1550 au renouveau de l'art italien. Il correspond aux XVe et XVIe siècles, période de profondes transformations intellectuelles et artistiques en Europe (voir p. 146, 158).

Rendement : quantité produite sur une surface cultivée (voir p. 256).

Ressource : richesse nécessaire pour le fonctionnement d'une économie, d'un territoire, d'une collectivité, etc. (voir p. 242).

Ressource renouvelable : ressource qui se reconstitue en permanence. On peut donc la prélever, mais sans dépasser sa capacité à se reproduire, sinon elle s'épuise (voir p. 242, 244).

Richesse : pour un État, c'est l'ensemble des biens et services produits par les entreprises et les administrations du pays. Le produit intérieur brut mesure cette quantité de richesses, en la divisant par le nombre d'habitants. Pour les habitants, la richesse désigne l'abondance de biens et de revenus. Le revenu disponible par habitant, qui est le revenu dont dispose une personne pour consommer et épargner, permet de la mesurer (voir p. 215, 222).

Risque : danger qui peut menacer un groupe humain (voir p. 278, 288, 290, 294, 310).

Risque technologique : Risque généré par les activités humaines (industrie, énergie et transport) (voir p. 300, 310).

Le risque

Sacre : cérémonie religieuse au cours de laquelle l'Église couronne un souverain (voir p. 113, 120).

Sainte Ligue : parti catholique créé en 1576 par le duc de Guise. Il rejette les protestants (voir p. 166).

Salut : vie éternelle au paradis (voir p. 152).

Schisme : du grec *skhismos*, séparation. Division de l'Église chrétienne en deux Églises distinctes (voir p. 15, 26).

Sécurité alimentaire : situation dans laquelle une personne a accès en permanence à une alimentation suffisante et saine, qui peut satisfaire ses besoins essentiels (voir p. 255, 262, 264).

Seigneurie : vaste domaine agricole sur lequel le seigneur exerce son pouvoir (voir p. 71, 76).

Serf : au Moyen Âge, paysan qui appartient au seigneur et qui ne peut ni quitter sa terre, ni se marier, ni hériter sans l'accord de son seigneur (voir p. 71, 79, 84).

Sous-alimentation : situation dans laquelle une personne ne parvient pas à se procurer assez de nourriture pour satisfaire ses besoins énergétiques alimentaires quotidiens (voir p. 255).

Stéréotype : opinion toute faite sur une personne ou un objet, souvent imposée par un groupe de la société (voir p. 320, 328).

Stress hydrique : situation d'un pays dont la disponibilité en eau est comprise entre 1 000 et 1 700 m³/hab./an, et où la demande en eau dépasse les ressources disponibles (voir p. 239, 264).

Sujet du roi : personne qui est soumise au roi et doit lui obéir (voir p. 178).

T

Terre sainte : région dans laquelle Jésus-Christ a vécu (voir p. 56).

Transition énergétique : passage d'une forte consommation d'énergies fossiles non renouvelables (pétrole, charbon) à des énergies renouvelables (voir p. 234).

Vassal : guerrier qui a prêté hommage à un seigneur (voir p. 72, 113).

Ville : au Moyen Âge, bourg fortifié où s'exercent des activités artisanales et marchandes. Devenue une commune, elle est administrée par des représentants de sa population (voir p. 92).

Vulnérabilité : plus ou moins grande fragilité d'une société face à un risque (voir p. 278, 288, 290, 309, 310).

Crédits photographiques

Louis XIV vêtu à la romaine, huile
sur toile de Pierre Mignard, 1673,
château de Versailles.

Écoliers, Andhra Pradesh,
Inde, 2012.

Édition : Véronique Lhermitte, avec l'aide de Juliette Sauty
et Alexandre Antolin

Coordination éditoriale : Carole Greffrath

Conception graphique de l'intérieur : Frédéric Jély

Conception graphique de la couverture : Véronique Lefebvre

Mise en pages : La papaye verte

Iconographie : Électron libre – Valérie Delchambre ; Geoffroy Mauzé ;
Maryse Hubert

Cartographie : AFDEC

Frises et schémas : Renaud Scapin

Illustrations (mascottes) : Romain Ronzeau

Illustrations : Françoise Scapin-Daumal, sauf p. 17 et 19 : Eddy Krähenbühl,
et p. 323 et 336 : Laetitia Aynié

Relecture : Isabelle Macé

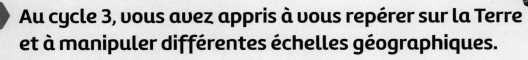

ATLAS

Au cycle 3, vous avez appris à vous repérer sur la Terre et à manipuler différentes échelles géographiques.

- Pour se repérer sur le globe terrestre, on utilisera les points cardinaux, les grands repères terrestres, les hémisphères.

❶ La rose des vents

Elle indique les points cardinaux.

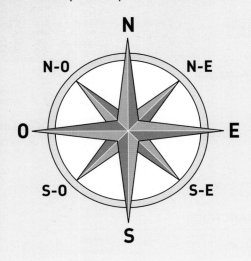

❷ Le globe terrestre

ATLAS Relief

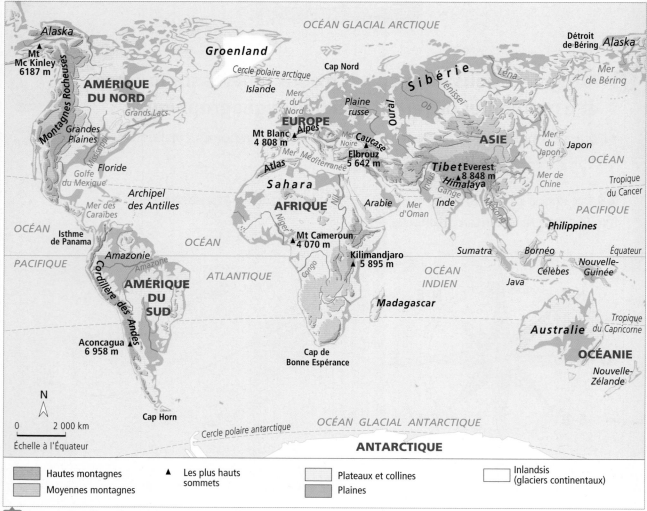

OCÉAN GLACIAL ARCTIQUE

Alaska

Mt
Mc Kinley
6187 m

AMÉRIQUE
DU NORD

Montagnes Rocheuses

Grands Lacs

Grandes
Plaines

Mississipi

Floride

Golfe
du Mexique

Archipel
des Antilles

Mer des
Caraïbes

OCÉAN

Isthme
de Panama

PACIFIQUE

Amazonie

Amazone

Cordillère des Andes

AMÉRIQUE
DU
SUD

Aconcagua
6 958 m

N

0   2 000 km

Échelle à l'Équateur

Cap Horn

Groenland

Cercle polaire arctique

Islande

Mer
du
Nord

EUROPE

Mt Blanc
4 808 m

Alpes

Mer
Noire

Mer Méditerranée

Atlas

Sahara

AFRIQUE

Niger

Congo

Mt Cameroun
4 070 m

Kilimandjaro
5 895 m

OCÉAN

ATLANTIQUE

Madagascar

Cap de
Bonne Espérance

Cercle polaire antarctique

OCÉAN   GLACIAL   ANTARCTIQUE

ANTARCTIQUE

Cap Nord

Sibérie

Oural

Plaine
russe

Ob

Lena

Iénissé

Caucase

Elbrouz
5 642 m

Tibet

Himalaya

Gange

Inde

Mekong

Arabie

Mer
d'Oman

Nil

ASIE

Everest
8 848 m

Détroit
de Béring   Alaska

Mer
de Béring

Mer
du
Japon

Japon

OCÉAN

Mer de
Chine

Tropique
du Cancer

PACIFIQUE

Philippines

Sumatra

OCÉAN
INDIEN

Java

Bornéo

Célèbes

Équateur

Nouvelle-
Guinée

Australie

Tropique
du Capricorne

OCÉANIE

Nouvelle-
Zélande

Légende :

Hautes montagnes

Moyennes montagnes

▲ Les plus hauts
sommets

Plateaux et collines

Plaines

Inlandsis
(glaciers continentaux)

1 Les grands ensembles du relief

2 Plaines, plateaux et montagnes

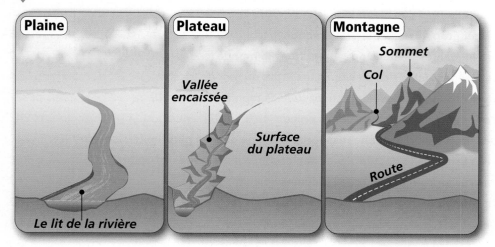

Plaine

Plateau

Vallée
encaissée

Surface
du plateau

Le lit de la rivière

Montagne

Sommet

Col

Route

Climats

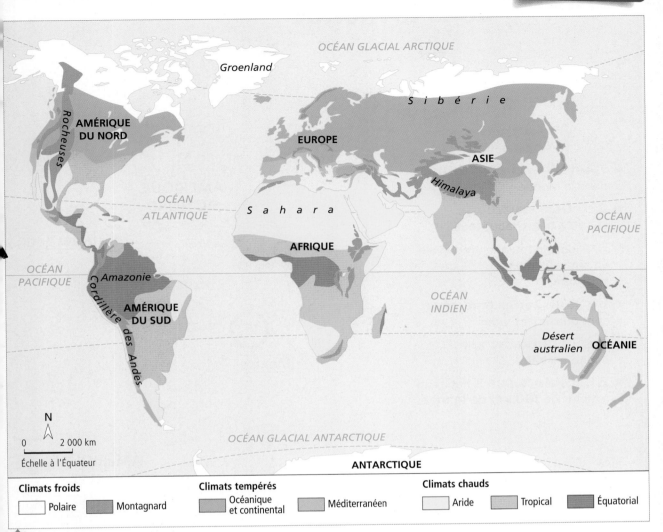

Groenland

OCÉAN GLACIAL ARCTIQUE

Sibérie

AMÉRIQUE DU NORD

Rocheuses

EUROPE

ASIE

Himalaya

OCÉAN ATLANTIQUE

Sahara

OCÉAN PACIFIQUE

AFRIQUE

OCÉAN PACIFIQUE

Amazonie

AMÉRIQUE DU SUD

Cordillère des Andes

OCÉAN INDIEN

Désert australien OCÉANIE

N

0   2 000 km

Échelle à l'Équateur

OCÉAN GLACIAL ANTARCTIQUE

ANTARCTIQUE

Climats froids

☐ Polaire   ☐ Montagnard

Climats tempérés

☐ Océanique et continental   ☐ Méditerranéen

Climats chauds

☐ Aride   ☐ Tropical   ☐ Équatorial

3 **Les différents climats**

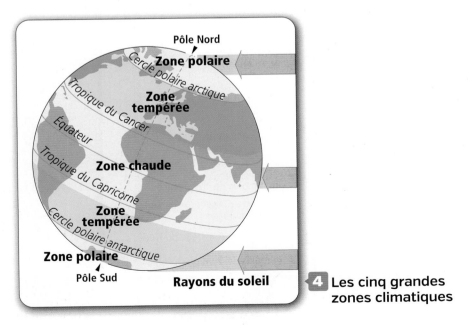

Pôle Nord

Zone polaire

Cercle polaire arctique

Zone tempérée

Tropique du Cancer

Équateur

Zone chaude

Tropique du Capricorne

Zone tempérée

Cercle polaire antarctique

Zone polaire

Pôle Sud

Rayons du soleil

4 **Les cinq grandes zones climatiques**

La répartition de la population dans le monde

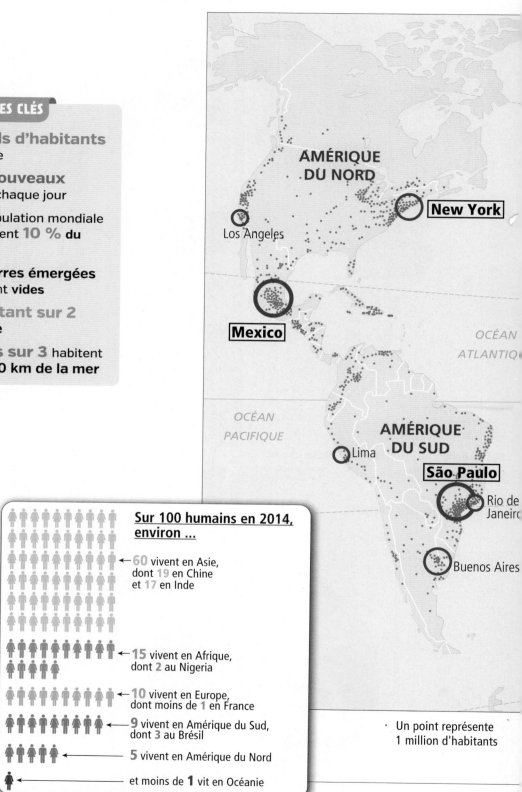

CHIFFRES CLÉS

➡ **7,4 milliards d'habitants** dans le monde

➡ **220 000 nouveaux habitants** chaque jour

➡ **3/4** de la population mondiale vit sur seulement **10 %** du territoire

➡ **50 %** des **terres émergées** sont quasiment **vides**

➡ Plus d'**1 habitant sur 2** habite **en ville**

➡ **2 habitants sur 3** habitent à moins de **100 km de la mer**

Sur 100 humains en 2014, environ ...

- **60** vivent en Asie, dont **19** en Chine et **17** en Inde
- **15** vivent en Afrique, dont **2** au Nigeria
- **10** vivent en Europe, dont moins de **1** en France
- **9** vivent en Amérique du Sud, dont **3** au Brésil
- **5** vivent en Amérique du Nord
- et moins de **1** vit en Océanie

Un point représente 1 million d'habitants

N° d'éditeur : 10256453 – IGS – Juin 2019
Imprimé en Espagne par Macrolibros